Descifrando El Código

De Las Llamas Gemelas

DESCIFRANDO EL CÓDIGO DE LAS LLAMAS GEMELAS

11:11 CÓDIGOS CLAVE

El *Secreto* Para Descubrir
El Amor Incondicional
y Encontrar Tu Camino a *Casa*

DR. HARMONY

En este libro, la autora no hace afirmaciones ni recomendaciones respecto de tratamiento médico alguno. El propósito del contenido es solamente educativo y de ayuda en el proceso del camino espiritual. Este libro contiene información encaminada a ayudar al lector a entender mejor la relación de las llamas gemelas. Se presenta como consejo general para las relaciones. El lector deberá consultar siempre a su médico para atención individualizada puesto que este libro no pretende reemplazar de manera alguna la opinión de un médico profesional. El lector deberá consultar con su médico cualquier tema de salud.

Servicios editoriales y traducción: Tatiana Hassan
Logo y diseños gráficos: Jonathan Gundry

Library of Congress Cataloging-in-Publication Data
Harmony, Dr.
Descifrando el código de las llamas gemelas: 11:11 códigos clave; el secreto para descubrir el amor incondicional y encontrar tu camino a casa. / Dr. Harmony –
Primera edición.
      páginas cm
      1. Relaciones — Aspectos de las Llamas Gemelas. 2. Amor — Aspectos Religiosos. 3. Realización Personal —Espiritualidad. I. Título.

ISBN: 9798605398585
Biblioteca del Congreso: 2020903665

St. Louis, MO

Mayo 10, 1940 – agosto 29, 2015

A la memoria de mi maestro espiritual, el difunto Dr. Wayne Dyer.

"No somos nuestros cuerpos, nuestras posesiones ni nuestras carreras. Somos Amor Divino, el cual es infinito".

– Dr. Wayne Dyer

Si conoces las enseñanzas del Dr. Wayne Dyer, podrás sentir que mis "palabras de sabiduría" son parecidas. Él ha sido mi inspiración espiritual por casi dos décadas. Cuando lo conocí en 2003, pronuncié inconscientemente estas palabras: "Tu trabajo nunca morirá mientras yo viva". Desde su presencia zen, él se inclinó y asintió con la cabeza, llevó sus manos al pecho en actitud de rezo Namaste y expresó su gratitud en silencio. Finalmente, respondió con su tan conocida frase: "Me alegra saber que no morirás sin antes haber compartido, la música que vive dentro de ti".

Durante el par de meses que antecedieron a su muerte, recibí directamente de su mente y su corazón la infinita sabiduría de lo que realmente significa "escribir desde el alma". ¡Ahora aquellas palabras mías se han hecho realidad! ¡Tu trabajo, Wayne, nunca morirá mientras yo viva!

A mi Llama Gemela,

¡Gracias por compartir "El Regalo" del Amor Incondicional al escoger la carga kármica más pesada para que yo pudiera alinearme con mi misión Divina y encontrar mi propia libertad en esta vida!
Que encuentres tu propia libertad, tu paz interior y tu felicidad
– Siempre y para siempre!
¡Sigue el llamado de tu corazón – Vive tus Sueños más Esplendorosos!

Índice general

A mi Lector:

INICIO ESTA BÚSQUEDA PERSONAL para cumplir mi propia misión de llama gemela compartiendo mi mensaje y difundiendo un nuevo orden mundial: el cielo en la tierra. Espero iluminar al mundo ofreciendo *"El Regalo"* de amor incondicional que he recibido de mi propia llama gemela, la cual ha encendido mi propio faro para que otras llamas gemelas puedan seguirlo. *Descifrando el código de las llamas gemelas* y los *11:11 Códigos Clave* contiene Los Secretos que descubrí para liberar mi ser y encontrar mi camino a casa, a ese lugar de paz interior y felicidad. Estos *11:11 Códigos Clave* han sido dirigidos por la Divinidad y *Descifrando el código de las llamas gemelas* está impregnado de energía espiritual para poder compartir la profecía de las llamas gemelas tal como me fue dada a conocer. Durante casi 20 años he sido consejera espiritual con formación en quiropraxia holística, medicina vibracional y sanación a distancia, ayudando a las personas a eliminar los bloqueos energéticos que las mantienen estancadas en la vida. Esto combinado con mi experiencia profesional y personal, amplia investigación y los mensajes que recibo de la Divinidad, me ha permitido ayudar a otras llamas gemelas en el mundo a que encuentren su camino a casa.

Debo decir que me siento honrada de haber sido *"la Elegida"* para tener la oportunidad de divulgar un mensaje tan poderoso al mundo y expresar mi verdad, para que mi alma pueda descansar. En *Descifrando el código de las llamas gemelas* comparto los secretos más profundos de mi alma y al mismo tiempo me envuelvo en luz radiante sin importar lo que otros puedan pensar de mi – o lo que soy. Ya no huyo de mí misma. *Aprender a ver la vida desde mi corazón y no desde mi mente me ha enseñado a ser emocionalmente receptiva y poder dar a otros sin esperar nada a cambio – únicamente aprecio.* Me he convertido en la expresión del Creador que comparte *"El Regalo"* del amor incondicional – el nuevo lenguaje del corazón en la tierra.

Cuando miro hacia atrás en mi camino, me vienen a la mente algunas preguntas – *"¿Cómo comenzar un libro como Descifrando el código de las llamas gemelas?" "' ¿Qué palabras sabias surgirán en estas páginas a medida que cobra forma el libro? y "¿Qué efecto tendrá este mensaje en el lector?"* Y aún más importante, *"¿Qué impacto tendrá mi propia misión como Llama Gemela en el mundo?"* En tanto que me asaltaban todas estas preguntas, tropecé por azar con mi diario personal. Cuando lo abrí, me encontré la fecha *11-11, 2004* (en su momento compartiré el significado del *"Fenómeno del 11:11"* en el *Código Clave 7:7*). Esto sucedió justo al poco tiempo de mi divorcio. Me complace compartir este mensaje tan poderoso con ustedes:

Ha pasado la tormenta y a medida que el cielo se despeja comienzo a ver la claridad, y con ella una nueva forma de ver la vida. Siento el calor de los rayos que se filtran en el horizonte y brillan sobre mí. Sé que esta estación oscura era necesaria para que el nitrógeno se mezclara con el follaje, creando el lienzo verde para recibir el florecer de la primavera. Reflexionando sobre este arduo camino que llamamos vida, ahora "veo con claridad" lo que no podía ver antes. De repente, los rayos comienzan a brillar entre las nubes y me dan la tranquilidad de que he tomado la decisión correcta al darle una nueva dirección en mi vida. Siento alivio—mi alma ha sido guiada hacia la paz interior y la felicidad. Entiendo que cada etapa oscura de mi vida ha sido necesaria en mi camino y que los retos han hecho de mí la persona que Dios quiere que yo sea. Son demasiadas las personas que viven con las heridas profundas que llevan impresas en su ADN y en sus corazones. Es mi misión en la vida ayudar a aquellos que han tenido experiencias similares, a sanar sus heridas pasadas y sus experiencias negativas. He escuchado a mi corazón y ahora siento paz interior, felicidad, armonía, serenidad y amor incondicional. A medida que trasciendo impulsada por las alas de Dios hacia el cielo, veo la luz al final del túnel. En este camino hacia adelante estaré eternamente agradecida por mi pasado y lo que me ha enseñado. Las lecciones de mi vida han fortalecido mi Ser Interior y he demostrado gran dignidad, lo que me ha ayudado a construir fuerza interior y a empoderarme. ¡Dios me ha preparado para ser una gran líder! Estas lecciones me han enseñado a abrir mi corazón y escuchar el canto en lo profundo de mi alma. Cuando esté lista, compartiré mi música con el mundo. Desde niña, siempre sentí que llevaba un libro adentro, listo para expresar la sinfonía de mi alma. Sin embargo, mi espíritu no ha sido capaz de expresar completamente los secretos profundos que yacen dentro de mí. Entiendo que debo desarrollar y agudizar mi intuición para que domine sobre el conocimiento acumulado en mi mente.

Como no comprendía cuál era mi propósito comencé a preguntarme, "¿Por qué?" "¿Por qué yo?" "¿Cuál es mi mensaje?" "¿Cuál es mi misión?" Comencé a escuchar mi voz interior cada vez más *intensa, diciéndome que sabría en qué momento estaría lista para compartir con el mundo mi mensaje Divino. Esta pequeña voz interior comenzó a hacerse más y más fuerte – vendrá el momento en que te alejes de tu mente para adentrarte en tu corazón. Sé que Dios utiliza a las personas y sus experiencias para ayudar a bendecir la vida de otros. Sé que he sido escogida como profeta para compartir todo lo que he venido a experimentar y comprender, cuando llegue el momento preciso. Luego compartiré mi sabiduría con el mundo: una nueva forma de vida, una nueva forma de amar incondicionalmente, es decir, ¡experimentar el cielo en la tierra!*

¡Qué sorpresa! – Al leer estas palabras que escribí para mí misma hace tanto tiempo el 11-11-2004, encontré la confirmación de que finalmente he llegado y estoy alineada completamente. Esta pequeña voz no sólo está presente aún dentro de mí, sino que también ha evolucionado. *"Ahora puedo ver con claridad"* que al descubrir *"las puertas del cielo"* y descifrar los *"11:11 Códigos Clave"*, mi libro *Descifrando el código de las llamas gemelas* fue *"la llave"* para encontrar mi libertad personal y así poder volver a casa. *"Ahora puedo ver con claridad"* el retrato que he estado pintando toda mi vida. Mi pasado, mi presente y mi futuro han entrado en colisión como en la *"teoría del Big Bang"*. Este libro es una expresión de mi verdad y mi corazón, y estoy a punto de lanzar mi alma a la estratosfera. Los invito a leer el mensaje del *11-11-2004* cuando terminen de leer el libro. Al releerlo, creo que tendrán las mismas revelaciones que yo tuve. Verán cómo el poder del orden Divino se encarga de todo en nuestras vidas, y que cuando nos quitamos del paso y nos dejamos alinear, el espíritu llena nuestro Ser con todo lo que necesitamos en nuestro camino. Comenzamos a darnos cuenta de que todo lo que necesitamos está ahí.

¡Luego podrán mirar hacia atrás como lo hice yo y decir, "Ahora veo con claridad!".

Finalmente puedo decir que he aprendido a hablar con sabiduría y a ver mi vida a través de mi corazón y no de mi mente. Sin duda alguna, sé que me ha llegado la hora de convertirme en un vehículo y compartir con otros la forma más elevada de amor incondicional conocida por la humanidad. Ayudaré al mundo a abrirse a una nueva forma de amor incondicional, expresada a través de los corazones de las llamas gemelas. *Descifrando el código de las llamas gemelas* es una hoja de ruta que ha sido parte del plan Divino desde el principio de los tiempos. *El objetivo de la profecía de las llamas gemelas es difundir este nuevo orden mundial para así poder elevar las vibraciones de amor incondicional en el planeta.* Estoy segura de que si pones estos *11:11 Códigos Clave en acción, te ayudarán a descubrir* El Secreto de la liberación personal. Elevará tu vibración de amor incondicional y te ayudará a encontrar tu camino a casa: el cielo en la tierra, un lugar de paz interior y felicidad.

¡Mucho Amor y Bendiciones!

Dr. Harmony

Introducción

¿Qué significa
Encontrar "tu camino a casa"?

EXISTEN MUCHAS CONTROVERSIAS y malentendidos acerca del concepto de las llamas gemelas. Algunas personas lo confunden con amor a primera vista, buscando una relación de cuento de hadas para vivir por siempre felices. ¡No es raro encontrar que muchos intentan llenar un vacío que sólo se puede llenar desde adentro! De ahí la gran importancia de comprender realmente lo que es una verdadera relación de llamas gemelas y lo que quiere decir encontrar el camino a casa. Podrás dejar de buscar afuera de ti cuando aprendas a practicar el amor propio incondicional, el cual *"liberará tu alma"*.

Es posible que hayas estado buscando algo toda tu vida, pero sin saber realmente qué era. *¿Has sentido añoranza por volver a casa, pero sin poder encontrar realmente el camino? Quizás hayas sentido que nada fluye en tu vida, que estás en un infierno y no sabes cómo salir de él.* ¡Es muy probable que seas una de las tantas personas que van por el mundo dormidas, *"inconscientes espiritualmente"* y buscando algo para sentirse completas! Yo también fui una de esas personas estadísticamente *"infelices"* hasta que me di cuenta de que sólo de mí dependía el cambio. *A medida que "despiertes" comenzarás a salir de la noche oscura de tu alma para convertirte en una luz brillante que guiará a otros.* Cuando mires atrás te darás cuenta de que cada obstáculo y cada dificultad han sido necesarios para lograr la transformación y que nada es un fracaso - todo es un logro. Cuando te entregues finalmente a la idea, el reconocimiento te obligará a redirigir tu camino; esto continuará hasta que puedas soltar y dejar de ser un obstáculo en tu propio camino. Este proceso abre un espacio para la expansión de tu alma, para que te des cuenta de que, si simplemente te alineas y te pones a disposición, todo lo que necesites para el camino aparecerá. Ya no tendrás que forzar las cosas para que sucedan. Entrarás en el vórtice de todas las posibilidades y tu alma podrá por fin descansar. Hasta tanto entiendas esto completamente y te permitas fluir, sólo alargarás el proceso. El tiempo que tardes en encontrar tu camino a casa depende enteramente de ti.

Personalmente he buscado toda mi vida un llamado interno. Nunca imaginé que mi propósito en la vida sería convertirme en experta en el tema de las llamas gemelas. Para ser totalmente sincera, pasé gran parte de mi vida arando en el mar. Más que todo debido al pensamiento lógico, procesaba mis emociones y sentimientos desde mi mente en vez de escuchar a mi corazón. He tenido muchas dificultades porque tengo un carácter fuerte. Sin embargo, los obstáculos que he tenido que vencer han sido exactamente los que necesitaba para aprender a dejar de ser un obstáculo para mí misma. El arte de soltar y rendirse a un poder más grande que uno mismo podría sonar simple, pero literalmente fue necesario que el universo me arrojara por un precipicio antes de que lo pudiera entender. Fue cuando entré en caída libre que logré alinearme con mi destino y todo lo que necesitaba para cumplir con los acuerdos de mi alma se manifestó.

Muchos de ustedes podrán identificarse con esta batalla del corazón contra la mente. Algunas personas podrán identificarse con lo que significa ir por la vida fluyendo con gracia, pero para muchos esto requiere un cambio drástico, ya sea porque comienza un *"despertar"* o porque se está dejando atrás la ilusión de *"la oscura noche del alma."* Bien seas o no una llama gemela, *Descifrando el código de las llamas gemelas* te servirá como hoja de ruta para ayudarte en tu camino a medida que trasciendes y sueltas los patrones kármicos y te conviertes en el ser luminoso que eres realmente.

Quizás para algunos lectores esta sea la primera vez que oyen el término *"llama gemela"*. Para otros, la definición propuesta en *Descifrando el código de las llamas gemelas* podrá proveer una perspectiva diferente acerca de esta relación sagrada. *Sea cual fuere el caso, entender lo que es una verdadera llama gemela, ayudará a dilucidar la "razón real" de adentrarse por el camino de las llamas gemelas,*

Adquirir la sabiduría de la llama gemela te ayudará a romper con las barreras energéticas que bloquean el avance en tu vida y en tu unión con la llama gemela. No hay razón para que tu pasado kármico imponga un freno a tu vida o a tus relaciones. Al entender el porqué es necesario conectar con tu llama gemela, encontrarás la alineación con tu paz interior y sentirás el deseo de honrar el pacto que tienes como llama gemela – en lugar de huir de él.

El término *"llama gemela"* se refiere a un alma gemela *"individual"* en busca de la *"auto transformación"* a lo largo de su *"camino personal"*, intentando aprender sus *"propias"* lecciones de vida para así dominar su *"propia"* porción de una misión conjunta – un contrato hecho con la otra mitad en el momento de la incepción – para así crear el poder de dos almas que es mayor que el de una sola. En el momento en que se crean las almas, una chispa de energía se divide en dos para formar dos almas completas e individuales. A lo largo del camino evolutivo de cada una de las almas gemelas, estas tienen experiencias paralelas, creando un reflejo de la una hacia la otra – forzando a la otra parte a ver lo que necesita trabajar dentro de sí. Cuando logran dominar las lecciones, pueden unirse, compartir sus lecciones, y reunirse por toda la eternidad.

Ya sea que tengas o no una llama gemela encarnada durante esta vida, este mensaje te proporcionará claridad acerca de tu relación contigo mismo, fortaleciendo tu amor propio. Esto no sólo alimentará tu alma con los ingredientes vitales necesarios para producir autoestima, auto aceptación, y realización personal, sino que también enriquecerá todas tus relaciones.

Piensa que este mensaje es el *Universo intentando hablar con tu corazón* y por una buena razón. El espíritu tiene la misión de acelerar el pacto de las llamas gemelas. *¿Por qué? Porque el grupo unificado de llamas gemelas – la misión de todas las llamas gemelas debe cumplirse – es necesario para poder balancear el amor incondicional en el mundo.* Estos *11:11 Códigos Clave* son "El Regalo" para ti, para que no te toque caminar a solas como me tocó a mí. *Descifrando el código de las llamas gemelas* te dará las "Llaves" para abrir "*las puertas del cielo,*" ubicándote en la vía rápida hacia la armonización del amor incondicional, la conexión con tu "llamado supremo" y el encuentro con tu camino a casa, a medida que acoges "El Regalo" como parte integral de tu misión como llama gemela y te reúnes con tu otra llama gemela.

A medida que lees *Descifrando el código de las llamas gemelas, te pido que lo hagas con amor y con la mente abierta, que lo proceses con el corazón dispuesto y lo integres con ánimo gustoso.* Podrá ser que no estés de acuerdo con todo lo que este mensaje ofrece, pero cuanto más te ubiques en un estado de "no juzgar", más será lo que puedas vivenciar y recibir. Toma lo que te sirva y deja el resto.

Podrás descubrir que en los primeros *"Códigos Clave"* hay información detallada que, según me han asegurado mis guías, es importante para poder entender porqué estás pasando por experiencias tan intensas. La primera lección consiste en practicar la paciencia a medida que avanza la lectura, puesto que más adelante viene la explicación del porqué vale la pena esperar. También compartiré muchas de mis experiencias personales a lo largo de estos 11:11 *Códigos Clave* con el fin de ratificar la validez y el poder de estos fundamentos. Encontrarás repeticiones en todo el libro, *Descifrando el código de las llamas gemelas* ya que mis guías me han indicado que así debe ser - están ahí para ayudar al lector a integrar totalmente la sabiduría y el conocimiento. Los estudios han comprobado que escuchar algo varias veces de diferentes maneras y en diferentes contextos, ayuda a procesar e integrar la información antes de que sea comprendida.

Me gustaría mencionar que escribí la totalidad de *Descifrando el código de las llamas gemelas* en un período de seis semanas y con un mínimo de edición. El contenido fluyó en el contexto en el que se presenta. Hay algunas cosas que se dejaron a propósito; dada la cantidad de tiempo que se me dio para tener este mensaje listo para ser presentado, es factible que haya algunos errores de edición. Me han dicho que es intencional — para probar el punto de soltar la necesidad de perfección (mente) y enfocarme en la belleza del mensaje (corazón). La información proporcionada en los *11:11 Códigos Clave,* te ayudará a entender mejor el trasfondo de las llamas gemelas y te ayudará a tener claridad acerca de porqué es importante que continúes en este camino. El objetivo es que puedas decir, *"¡Puedo ver con claridad!".*

La intención de esta "hoja de ruta incondicional" es que se convierta en catalizador para que encuentres la libertad personal que tu alma tanto desea. El segundo propósito de este mensaje es elevar la vibración del amor incondicional y expandirla hacia los planos multidimensionales del Universo – *elevando la vibración del amor incondicional en toda la humanidad no sólo durante esta vida sino para el resto de la eternidad.* Esta revolucionaria *"expansión de conciencia"* ayudará a que la sociedad en general se aleje de los antiguos paradigmas y se torne hacia emociones de alta vibración, creando el lenguaje *del corazón de la nueva tierra.*

La misión de todas las llamas gemelas en la tierra es que se encuentren durante esta era, para desmantelar los *antiguos sistemas de creencias convencionales y entre todas crear el cielo en la tierra, para que la humanidad entera pueda encontrar su camino a casa, hacia un estado de armonía, paz, felicidad y amor incondicional.* Ya sea o no que tengas una llama gemela encarnada durante esta vida, si has encontrado este mensaje revolucionario en tu camino, es porque estás cumpliendo tu cita con la Divinidad. Los accidentes no existen – todo sucede por una razón, y cuando el alumno está listo, el maestro aparece. Así que AQUÍ ESTOY – el conducto. ¿Estás listo para encontrar tu camino a casa?

CÓDIGO CLAVE 1:1

Comprendiendo la profecía

de las llamas gemelas

PRIMERA PARTE

Érase una vez una tierra muy lejana

DESDE EL INICIO DE LOS TIEMPOS, los humanos han acogido el concepto de que el alma se divide en dos en el momento de su incepción— la idea de la creación de dos almas gemelas, generando el poder de dos que es mayor que uno. Cuando encarnan, las almas gemelas crean un pacto y cada alma selecciona las lecciones que ha de aprender a lo largo de su camino evolutivo. Viven vidas paralelas; a lo largo de cada vida, normalmente sólo una de ellas encarna a la vez. Comparten el objetivo de acumular conocimiento y sabiduría a partir de cada una de sus experiencias individuales y luego compartir con la otra lo aprendido a lo largo del proceso. *Esta empresa conjunta ayuda a que ambas evolucionen más rápido y vayan más lejos a medida que trascienden hacia su yo superior.* La misión consiste en que al final de su camino, ambas hayan completado sus lecciones. Para la culminación de sus lecciones finales deben encontrarse para ser espejo la una de la otra, lo cual es necesario para limpiar cualquier residuo kármico.

En últimas, son capaces de completar una misión más grande de la que cada una hubiese podido completar sola. Al final de su camino se reúnen y vuelven a ser una sola. *Luego, el objetivo final es devolver al Universo — ayudando a otros mediante las lecciones, conocimientos y sabiduría que acumularon a lo largo de su camino de transformación.* Las lecciones que aprenden se vuelven parte de la inteligencia universal, la cual es utilizada colectivamente para crear una nueva hoja de ruta y dejar un legado para que otros lo puedan adoptar.

Una de las lecciones más importantes que cada alma gemela individual debe dominar durante su empresa conjunta es el arte del amor propio para luego compartir *"El Regalo"* del amor incondicional con la otra y después, juntas, compartirlo con el mundo. *El plan del Universo es utilizar esa energía de vibración colectiva elevada y amplificar el poder del amor incondicional para luego traerlo al plano físico e infundir esa energía en el cuerpo físico de los seres humanos.* Los seres humanos son una expresión Divina del amor de Dios, Creador de todas las cosas, el cual genera unidad en la humanidad. Por lo tanto, es importante experimentar la unidad dentro de sí mismo antes de poder compartir amor incondicional con el otro.

Cuando las almas gemelas están cerca de dominar sus lecciones hacia el final de su camino, subconscientemente comienzan a recordar su origen Divino. Luego comienzan a buscarse con la energía y encarnan al mismo tiempo con la intención de reunirse. Debido al pacto sellado en planos más elevados, el alma actúa de acuerdo con el plan para poder cumplir con la misión. Durante el proceso, se comunican continuamente a través de la energía y conectando con su respectivo yo superior. Cuando llega el momento de encontrarse en el plano físico, sucede un *"despertar del alma"* el cual crea *"observación consciente"* que ayuda a que se reconozcan de nuevo. Comienzan a recordar quiénes son. Todo el proceso desde la encarnación hasta la trascendencia hacia el yo superior es guiado por la Divinidad. Cuando finalmente se encuentran, comienzan a limpiar los residuos kármicos del pasado. Esto sucede durante las etapas finales de su camino evolutivo antes de completar el pacto entre almas y regresar a la Fuente por toda la eternidad.

La relación de Llamas Gemelas o Almas Gemelas es muy importante en el proceso evolutivo de cada ser humano. Todos tienen un alma gemela, pero no todas las almas gemelas encarnan al mismo tiempo. Cuando se unen en el plano físico, se convierten en llamas gemelas. *Esto significa que cada chispa individual se conecta energéticamente con la otra para crear la llama – esto ilustra la diferencia entre los términos "alma gemela" y "llama gemela".* Una vez las llamas gemelas completan la etapa final de su misión, se les otorga lo que podría ser la relación más gratificante — la cual todas las almas buscan. Esta relación es básicamente lo que buscan las personas cuando desean encontrar a su alma gemela. En Internet se pueden leer muchas historias de amor, cuya fuente propone una versión diferente del fenómeno de las llamas gemelas. Muchos de los sitios web pueden dar la impresión de que la relación de llamas gemelas es como el amor a primera vista que las lleva a reunirse y vivir felices para siempre. Otros hacen referencia a una relación de tal intensidad que podría dar la impresión de apocalipsis. Sin embargo, si lo vemos correctamente, estas ideas están lejos de la verdad. *Una relación verdadera de llamas gemelas no incluye el deseo personal. Es más profunda que el amor a primera vista. Esta pareja sagrada es la representación del amor incondicional y sólo debe ser eso – no debe imponerse condición alguna sobre la otra persona con el fin de llenar un vacío interior.* Es importante que la persona esté completa. Esto eleva la vibración de amor dentro de uno mismo y elimina la necesidad de codependencia y los comportamientos adictivos, los cuales son solamente síntomas de una búsqueda para llenar el vacío interior. Es preciso aprender a no esperar nada de los demás, incluida la llama gemela.

En mi trabajo con diversas llamas gemelas en el mundo entero escucho constantemente comentarios como: *"Él o ella no hace por mí lo que creo que debería hacer"* o

"Me hace lo que no debería hacerme". "Yo soltaría y practicaría paciencia en esta situación, si me respetara". "Quiero que mi llama gemela haga lo que yo creo que debería hacer para yo poder entregarme y confiar en que recibiré de ella lo que necesito y deseo". Constantemente les recuerdo a esas llamas gemelas que su relación es de amor incondicional y, por tanto, no deberían esperar nada ni imponer condiciones. ¡Imponer condiciones a tu otra mitad no es amor incondicional! Una relación de llamas gemelas es un camino personal – se trata únicamente de uno mismo. Tu llama gemela sólo está presente como un espejo para reflejar aquello que debes trabajar en ti. Hasta tanto entiendas este concepto y conectes contigo mismo, generando amor propio, no podrás experimentar amor verdadero con nadie o en ninguna relación. *Es absolutamente necesario que seas, ante todo, una persona completa y unificada.* Debes primero amarte lo suficiente para poder equilibrarte y unificarte antes de compartir este amor incondicional con otra persona, ya seas una llama gemela o no.

También escucho a menudo preguntas como: *"¿Cuándo será que va a regresar?" "¿Cuándo será que estaremos juntas?"* Mi respuesta a cualquiera de estas preguntas es que cuando una llama gemela se enfoca en la otra y la ve como *"la que huye"* en realidad se enfoca en quien ella cree que es *"la que huye"* mas no en las lecciones que recibe de su llama gemela. *¡Cuando haces esto, eres tú quien "huye" – huyes de ti mismo! Te lo repetiré de nuevo: eres TÚ quien no te enfocas en ti y tu propio camino. ¡Te guste o no – esa es la verdad!* Esta clase de autoconocimiento es requisito para elevar tus vibraciones y poder tener la oportunidad de llegar a la armonía total con tu alma gemela y manifestar la unión plena de las llamas gemelas.

Debido a que trabajo con llamas gemelas todos los días, uno de los mejores consejos que puedo dar es: *Si verdaderamente estás buscando una unión dentro de esta relación guiada por la Divinidad, es tiempo de volver a lo que significa realmente la relación de llamas gemelas.* Es preciso sacrificar los deseos propios en pro del propósito de reconectarte y unificarte en tu interior. Esto es lo que debe suceder antes de que puedas conectarte con el verdadero sentido de la unión de las llamas gemelas.

"En el principio, Dios creó los cielos y la tierra". – Génesis 1:1

Bien sea que creas o no en la historia antigua de la ciudad perdida de Atlántida, su metáfora se demuestra en el Libro del Génesis. Desde el principio de los tiempos ha habido recuentos de historias acerca de la unión sagrada de las llamas gemelas. Una de ellas, sin duda alguna, es la de Adán y Eva. *La teología a menudo asegura que el Libro del Génesis es un recuento de la historia de la Atlántida, la cual antecedió a la misma autodestrucción que ocurrió en el Jardín del Edén, un lugar también llamado el cielo en la tierra.* La Atlántida, parecida al Edén, era un lugar donde la humanidad podía experimentar paz y felicidad eterna (el cielo en la tierra). Se dice que esto cambió cuando Eva tomó el fruto prohibido del árbol del conocimiento, el cual representa la dualidad de lo bueno y lo malo. *A Eva la tentó una serpiente, considerada malvada; sin embargo, ¿no podría ser esto simplemente una representación de la activación de la energía kundalini* (ampliaré más este aspecto en el *Código Clave 10:10*)? Cuando se activa esta energía en el chakra del sacro (presentaré una descripción completa sobre los chakras en el *Código Clave 5:5*), se convierte en el catalizador para activar el arte de la sexualidad sagrada. *El propósito es ayudar a la persona a utilizar la creatividad Divina, lo cual sólo se puede lograr una vez que el Ser humano se conecta con la conciencia superior.* Como Seres energéticos que somos, se nos otorga la expansión, la sabiduría y el conocimiento Divino al conectar con nuestro Ser superior cósmico. Lograr esta sabiduría en los niveles más altos de vibración sólo sucede una vez que ambas almas han despertado completamente y aprendido a soltar y confiar.

Es en los planos energéticos cósmicos que existe la inteligencia Universal. Debe traerse al plano terrenal y canalizarse en forma física a través de nuestra conexión con nuestro yo superior y la conciencia superior. Este concepto es similar al del árbol del conocimiento donde Eva comparte la sabiduría de la verdad con Adán. *¿Realmente fue su deseo de conectar con los reinos superiores el que provocó su condena? ¿O fue más bien que ellos escogieron el sacrificio al crear la dualidad del bien contra el mal, el cielo contra el infierno, la felicidad contra el sufrimiento, la libertad contra la esclavitud?* La verdad es que debemos experimentar lo malo para poder sentir lo bueno. *¿Será que esta pareja sagrada sabía que esto era necesario para poder limpiar los patrones kármicos y todo el pasado traumático negativo del alma para poder restablecer el cielo en la tierra, así como fue antes de la caída de la Atlántida?* Podríamos ver esto como un sacrificio sagrado: estas llamas gemelas renunciaron a la felicidad eterna para poder ayudar a limpiar el karma del mundo.

Esto ilustra la misión de la unión de las llamas gemelas que sacrifican su satisfacción personal para poder todas juntas ayudar a salvar al mundo de la autodestrucción. Esto también nos enseña que el fin de los tiempos realmente es el fin de las formas de ser del pasado, cuando se libera el karma. Cuando soltamos el pasado y comenzamos a actuar desde el amor incondicional al tomar el karma del mundo y luego limpiarlo, se genera una nueva plantilla para el nuevo orden mundial.

Los historiadores continúan estableciendo una conexión entre la Atlántida y el Edén. En ambos se enseñoreó el ego y el corazón de felicidad celestial terminó convertido en peleas, dificultades, dolor y sufrimiento. *En ambos mundos se permitió el triunfo de las batallas internas del ego, de la cabeza sobre el corazón, la maldad sobre la bondad, el infierno sobre el cielo.* Fue este desequilibrio entre las energías positivas contra las energías negativas lo que causó el cambio en el plano físico de la Atlántida, el cual culminó en devastación total y en el hundimiento del imperio en el Océano Atlántico. La *caída de la Atlántida* ocurrió en el área que conocemos hoy como Egipto. *Fue esta autodestrucción a la que se le atribuye el origen de un trauma terrible del alma que dejó a las almas en un estado de desesperación total.* También produjo sentimientos de abandono en muchísimas almas. Las almas gemelas fueron separadas, creando un vacío y un sentimiento de añoranza por su otra mitad y un deseo profundo de volver a casa.

En mi trabajo con las llamas gemelas escucho precisamente esas palabras exactas todo el tiempo. Puedo ver con claridad que este trauma del alma es muy real. *Ayudo a las llamas gemelas a sanar esas impresiones energéticas pasadas para que liberen su alma y encuentren de nuevo la paz y la felicidad.* También trabajo con los líderes de las llamas gemelas para remover los bloqueos energéticos y para que juntos podamos reestablecer el cielo en la tierra. Es mi deber cumplir con mi misión de llama gemela ayudando a prevenir una nueva autodestrucción. Si nos remitimos a todos los conceptos bíblicos antiguos, desde las enseñanzas de Abraham sobre Babilonia, encontramos referencias a esta autodestrucción. La condena de Atlantis y el Edén también son paralelos de los patrones destructivos que se encuentran en las antiguas mitologías griegas, celtas, helénicas y romanas.

La historia de Adán y Eva es también un ejemplo perfecto de cómo las fuerzas energéticas de la trinidad y la energía de las pirámides comienzan con Dios sobre el trono:

el alpha y el omega – el yin y el yang – ambos creando un balance armónico perfecto entre las energías del Divino Masculino y el Divino Femenino. Estas dos energías también están representadas por el símbolo del infinito, el cual no tiene ni principio ni fin. Al comparar la trinidad con la geometría sagrada de la Estrella de David, el Merkaba y la Sefirot Tiferet, la cual representa la armonía y el Sri Yantra (también denominado el campo unificado), encontramos que todos se originan en una secuencia de formas triangulares que crean energías piramidales. Cada símbolo forma una combinación perfecta del equilibrio entre la energía masculina y la energía femenina. La forma particular del símbolo determina su frecuencia energética, creando el término de geometría sagrada. Adán el masculino y Eva el femenino también representan la imagen perfecta del amor incondicional encarnado en humano; a ellos se los considera el primer par de llamas gemelas que asumieron la forma física; vinieron de la misma fuente, para nunca separarse y estar conectados en su Divinidad por toda la eternidad. Este es el primer matrimonio interno sagrado jamás documentado de dos almas gemelas que se convirtieron en llamas gemelas.

Al investigar más en profundidad acerca de la geometría sagrada que producen las estructuras piramidales, entendemos con mayor claridad la conexión energética de Dios con la trinidad y la punta de la pirámide, llamada Kether en hebreo. Adán es el hijo de Dios (Chokmah en hebreo), sentado al lado derecho de la pirámide, representando la imagen masculina de Dios, conocido por su sabiduría. El Binah en hebreo simboliza a Eva, sentada a la izquierda de Dios en la base de la pirámide. Ella es la energía femenina y representa al Espíritu Santo el cual está conectado al cuerpo físico de Adán. Esto también representa la energía del hombre como una extensión de la Fuente, además de traer la emanación de la energía de la Fuente al plano físico.

Cuando las energías masculinas y femeninas se mezclan, producen el símbolo del infinito. Juntas crean el fluir constante de la energía de Dios. *Cuando el femenino y el masculino se intersectan en el punto cero, es ahí es cuando se enciende la chispa, creando la llama que representa la unión sagrada producida por todas las llamas gemelas.*

La destrucción masculina de *La caída de la Atlántida* también podría compararse con la expresión femenina de la Gran Inundación de Lemuria, la cual ocurrió en la costa del Pacífico donde se encuentra actualmente Hawái. Se cree que seres cristalinos de muy alta vibración alguna vez vivieron en esta tierra paradisíaca, también el cielo en la tierra. Cuando investigamos la historia de Lemuria podemos reconocer también el mismo tipo de destrucción de la Atlántida. Los seres de altas vibraciones de Lemuria estaban al tanto de la predicción de la inundación. Conocieron historias sobre el fin de los tiempos, pero solamente algunos escucharon y construyeron moradas bajo tierra. Aquellos que escucharon regresaron a una nueva tierra y descubrieron una nueva forma de vivir. Al igual que en la Atlántida, los lemurianos, como los mayas, también construyeron pirámides con la energía generada a través del acceso a la inteligencia Divina, logrando acceso a la creatividad Divina. Esto les otorgó gran conocimiento y sabiduría.

Personalmente encuentro muy interesante el hecho de que todos ellos accedieron a la misma inteligencia superior y crearon conceptos similares sobre el tiempo y el espacio, a pesar de estar separados por miles de kilómetros y sin comunicación directa. Yo he visitado Egipto, Hawái y México, y recientemente descubrí que poseo puntos energéticos en cada una de esas zonas, lo cual me ancla energéticamente en cuerpo físico a esos lugares. Cuando procesé mis vivencias en esos tres lugares, pude conectar mi pasado con mi presente y así liberarlo para poder seguir adelante en esta vida.

El Santo Grial – Jesús y María Magdalena

Hay toda una serie de teorías acerca del tema de Jesús y su llama gemela, María Magdalena. Al investigar la más famosa historia de amor incondicional de todos los tiempos se descubre una gran cantidad de evidencia que prueba que la unión de Jesús y María Magdalena es real. La controversia se genera a raíz del conflicto entre sistemas de creencias de la sociedad en general — creencias que se han transmitido de generación en generación, diluyendo las verdades en el proceso (sin mencionar lo que se ha mantenido en secreto en las doctrinas de las iglesias). Es muy importante recordar que la única verdad es la que resuena en nuestros corazones y en nuestro propio entendimiento sobre nuestro camino como llamas gemelas. Aun sin tener esto en cuenta, cuando se llega al meollo del asunto, es imposible negar la esencia de su historia. Esta pareja es el ejemplo perfecto del camino de las llamas gemelas: una hermosa representación de la forma más elevada de amor incondicional que haya existido jamás entre dos seres humanos.

En la pintura de Da Vinci de La Última Cena se ve el Santo Grial, un receptáculo abierto creado entre los cuerpos de Jesús, el masculino a la derecha, y María Magdalena, el femenino, a la izquierda. Se piensa que representa al útero de María y es una expresión femenina de lo que quiere decir estar abierto a recibir amor incondicional. El masculino, o dador de amor incondicional, está representado por el cáliz del cual bebió Jesús en la Ultima Cena. Esta idea de dar y recibir sigue las leyes Universales de la energía – la armonía de ambas energías es necesaria para lograr primero el equilibrio propio para luego lograr el equilibrio en todas las relaciones. No obstante, al examinar la pintura en más detalle, no vemos ni una sola copa sobre la mesa.

Ahondando en el significado profundo, esto nos enseña que es este mismo vehículo el que alberga la conciencia Crística del planeta. Fue necesaria la conexión energética del masculino y el femenino entre Jesús y María Magdalena para que se produjera una vibración más elevada de amor incondicional. Para efectos de este concepto, en *Descifrando el código de las llamas gemelas* utilizaré periódicamente el término *"Conciencia Crística"* para referirme a *"elevar la vibración del amor incondicional."* La Conciencia Crística emana en el momento en que dos llamas gemelas se unen; el intercambio energético nacido del equilibrio armónico de estas almas produce una fuerza incondicional de tal magnitud que es necesario albergarla en un tercer cuerpo etérico. Los corazones de Jesús y María Magdalena debían estar ambos presentes para poder crear la vibración de la Conciencia Crística necesaria para generar el amor incondicional. Lo mismo que la dualidad del femenino y el masculino de la Divinidad, es necesario experimentar intenso dolor y sufrimiento para poder experimentar tal alegría y amor incondicional.

Juntos, esta pareja de llamas gemelas tomó sobre sí los votos kármicos de dolor, sufrimiento, penurias y dificultades en nombre del planeta. Todas las llamas gemelas han acordado participar en esta misma tarea. Jesús, el masculino, tomó la carga kármica más pesada, para que su contraparte, María Magdalena, pudiera llevar a cabo la misión en la tierra. Sabemos que esto es cierto ya que luego de la crucifixión de Jesús, María Magdalena huyó a Francia para continuar diseminando las enseñanzas del Cristo. Es de notar que varias iglesias construidas en Francia tienen en sus vitrales imágenes que representan a Jesús y a María Magdalena juntos. Las verdaderas llamas gemelas no sólo llevan el código de las mismas habilidades sanadoras que Jesús poseía, sino que también son *"Las elegidas"*, habiendo optado por sacrificarse y cargar con los patrones kármicos del mundo. *Por lo tanto, podría decirse que las llamas gemelas llevan la misma corona de espinas que Cristo llevó durante su crucifixión, la cual representa la muerte de todo nuestro pasado kármico, la trascendencia y finalmente la resurrección hacia el cielo para alcanzar la iluminación.* Esto es exactamente lo que las llamas gemelas hacen en su transición desde su yo inferior: experimentan un renacer durante el proceso de ascensión (en el *Código Clave 4:4* presento una explicación completa de este proceso).

Todas las llamas gemelas deben experimentar este proceso personal de resurrección antes de reunirse definitivamente con su otra mitad. La relación de llamas gemelas es el tesoro que toda alma busca y es la suma de todas las recompensas que se les han de otorgar por hacer tales sacrificios y llevar el peso del mundo sobre sí. La mayoría de las llamas gemelas no reconocen que decidieron ser voluntarias para esta tarea. El propósito es que todos los humanos puedan encontrar el mismo amor incondicional Crístico para sí mismos y a su vez compartirlo con el otro y con el planeta. Para poder hacerlo, primero es necesario *"descubrir"* la libertad personal necesaria para encontrar paz y felicidad – el cielo en la tierra. Los *11:11 Códigos Clave* que se encuentran en *Descifrando el código de las llamas gemelas* te enseñarán a liberar tu pasado kármico para sanar. Hasta tanto encuentres la unidad dentro de ti no podrás hallar el equilibrio armónico en la relación de llamas gemelas. Cuando lo logres, podrás compartir esta armonía con otros. Jesús y María Magdalena representan la forma más pura de este equilibrio armónico. Son el ejemplo que todas las llamas gemelas deben seguir. Llegar al equilibrio armónico que esta santa pareja logró se convierte en la misión Divina del rencuentro de todas las llamas gemelas. El objetivo es elevarse hacia el mismo Santo Grial de amor incondicional.

Todos poseen la impronta del Santo Grial que llevaban Jesús y María Magdalena; su impronta ha sido codificada energéticamente en cada célula de cada cuerpo. El hecho de expresar la conciencia Crística crea un poder sanador que todas las llamas gemelas poseen y han de compartir con el mundo. Al seguir este acto incondicional juntas, todas las llamas gemelas mantendrán viva la verdad acerca de Jesús y María Magdalena, cuyas enseñanzas crean los milagros sanadores que están en las manos y los corazones de todas las llamas gemelas. Una vez te hayas despertado y hayas activado estos poderes que yacen en el ADN de tu alma, recibirás los mismos códigos del Santo Grial dentro de tu corazón de llama gemela. Esto te abrirá a todas las posibilidades y te ayudará a alinearte con la misión del plan Divino como llama gemela.

La encarnación de las Almas Gemelas y cómo se convierten en Llamas Gemelas

Los humanos son seres energéticos de luz. Dios dijo "hágase la luz", y la luz se creó. La luz es energía y la energía crea una fuerza magnética que constituye la conexión de toda la materia en todos los planos. Esta energía produce un aura o campo energético alrededor de cada ser vivo. Como mencioné, poseemos un cuerpo etérico – un tercer cuerpo que se crea para albergar la energía de dos almas. Este tercer cuerpo es resultado de la interacción entre dos personas sin importar el tipo de relación, y almacena la energía colectiva producida como resultado de toda interacción física y energética que ocurre. Cuando las almas gemelas hayan despertado completamente y se unan como llamas gemelas, las fuerzas energéticas producidas entre ellas se harán tan poderosas que no podrán residir en sus cuerpos físicos. Las llamas gemelas siempre se unen en el cuerpo etérico antes de unirse en el plano espiritual, mental, emocional y físico. Es este tercer cuerpo el que las mantiene continuamente conectadas a través de todas las vidas, aún cuando sólo una de las almas está encarnada y la otra se mantenga en paralelo en una formación energética. Es así como tu llama gemela te brinda ayuda desde el otro lado en todo momento.

La energía cambia constantemente y no se crea ni se destruye. Albert Einstein lo demostró científicamente con su famosa ecuación, $E = mc2$, en donde estas dos fuerzas energéticas se pueden medir únicamente cuando hay un equilibrio armónico entre la polaridad positiva y la negativa – la energía masculina y la femenina. Esta formula también demuestra el concepto de la luz versus la oscuridad. Está comprobado que cuando estas dos energías se unen creando equilibrio, el proceso genera espacio, en donde es posible la expansión. Es esta misma energía la que está en todo y en todos. Está imbuida de la inteligencia de Dios, la cual tiene el poder para mantener nuestra respiración, el latido de nuestro corazón y el funcionamiento óptimo de todos los demás sistemas de nuestro cuerpo — sin necesidad de un esfuerzo consciente de nuestra parte.

Puesto que siempre he tenido una mentalidad científica y analítica, este concepto sobre la energía me sirve para entender la conexión directa con Dios. Esto me ha permitido crear una relación personal con esta inteligencia universal. Desarrollé esta conexión a través de mis propias experiencias, estudios y comprensión Divina. Todo comenzó cuando recibí terapias de sanación energética, las cuales liberaron la interferencia que no permitía el adecuado fluir de la energía dentro de mi cuerpo. Desde entonces, he adquirido gran sabiduría y entendimiento acerca de estas leyes Universales asociadas con la física cuántica. Pude experimentar el poder de la sanación energética luego de un accidente automovilístico. Los beneficios que recibí me motivaron a dedicarme a la quiropraxia. A medida que mi trabajo iba evolucionando, también me convertí en sanadora energética. Hoy día utilizo mis habilidades como sanadora energética a distancia para ayudar a las llamas gemelas a que rompan las barreras que les impiden liberarse, tanto a nivel personal como en su camino hacia la unión. Paso a paso, mis experiencias me llevaron hacia mi propia misión como llama gemela. Hasta el día de hoy he acumulado más de treinta años de experiencia con la energía. Ya que todo en el universo está hecho de la misma fuerza energética del Creador, estos principios me ayudaron a comprender con mayor claridad la forma como Dios está en nuestro interior y con todos en todo momento.

Como lo mencioné anteriormente, cuando somos creados por esta fuente energética — llámese Dios — nos dividimos en dos almas energéticas perfectas. Ambas llevan el equilibrio de las cargas de la energía masculina y femenina. *Cuando las almas gemelas se dividen antes de encarnar con el propósito de convertirse en llamas gemelas, cada una lleva un porcentaje de energía masculina y femenina en una proporción de 60/40.* Una de las almas gemelas lleva el 60% de energía masculina, lo cual la convierte en el alma masculina. La otra alma gemela lleva el 60% de energía femenina, lo cual la convierte en el alma femenina. Una vez que ambas almas hayan procesado todo su karma y estén listas individualmente para conectar con su yo superior, lo cual sucede durante el proceso de Ascensión, se encontrarán en forma física para ayudarse mutuamente a equilibrar las energías masculinas y femeninas en una proporción de 50/50. Hay que tener en cuenta que el equilibrio de estas proporciones puede variar. Aquí me refiero a la proporción que ocurre cuando ambas llamas gemelas han madurado lo suficiente y están listas para reencarnar, reunirse y convertirse en llamas gemelas.

Luego de que ambas almas gemelas emerjan de la luz de Dios y se apoyen mutuamente a lo largo de su recorrido individual, cuando estén preparadas para reunirse en forma física, las chispas individuales se fundirán en una. La unión física crea la llama. Esta llama genera una frecuencia energética más alta de la que cada una de las almas genera

17

individualmente, y se convierte en el motor de una gran misión que sólo se podrá completar una vez las almas gemelas se hayan reunido. Este concepto permite comprender mejor la diferencia entre "alma gemela" y "llama gemela". La llama sólo se enciende una vez las almas se han reconocido y se han unido físicamente. Sin embargo, esto no quiere decir necesariamente que se unirán en una relación romántica. El objetivo último de esta relación es el de completar la misión que cada pareja de llamas gemelas haya acordado al inicio de su proceso evolutivo.

Cuando las almas gemelas se han fusionado a nivel energético, una de ellas se convierte en el generador de energía, mientras que la otra se convierte en la eléctrica (entraré en más detalles sobre este concepto en el *Código Clave 8:8*). Es la combinación de estas dos fuerzas juntas la que genera suficiente energía en el cuerpo etérico, la cual es necesaria para completar la misión Divina. Esto explica el concepto de que dos son más fuertes que uno.

El arco iris – El color del amor de Dios

Salmo 104:1-4: 1. Bendice, alma mía, a Jehová. Te has engrandecido; te has vestido de gloria y magnificencia. 2 el que se cubre de luz como de vestidura, que extiende los cielos como una cortina. 3 que establece sus aposentos entre las aguas. El que pone las nubes por su carroza, el que anda sobre las alas del viento; 4 El que hace a los vientos sus mensajeros, y a las flamas de fuego sus ministros.

Estos versículos de la Biblia comunican mensajes muy poderosos. Primero, el versículo 2 nos dice que Dios está hecho de luz y que sus rayos lo alumbran todo. El versículo 3 indica que Dios comparte su luz con otros. En el versículo 4, Dios envía mensajeros o llamas que son extensiones de sus rayos de luz y a estas llamas gemelas se les asigna una función de servicio. Cuando encarn; nacemos de la chispa de la luz blanca de Dios.

"Así que, si todo tu cuerpo está lleno de luz, no teniendo parte alguna de tinieblas, será todo luminoso, como cuando una lámpara te alumbra con su resplandor." –Lucas 11:36 (Nueva Traducción Viviente).

Fue el físico Isaac Newton quien descubrió cómo refractar el espectro de la luz blanca y comprobó que los siete colores del arco iris se manifiestan cuando la luz pasa a través de un prisma. *En cada encarnación, emergemos de una chispa de uno de los siete colores de la luz blanca de Dios.* Por lo tanto, emergemos de uno de los siete colores del arco iris – el color de Dios. Además, cada vez que encarnamos podemos venir de un rayo de color distinto. Ya que las llamas gemelas se separan al encarnar, ambas provienen de un rayo del mismo color. Al final de cada vida, todas retornan al mismo rayo de luz de donde emergieron. Es importante resaltar que no todo el mundo cree en el concepto de la reencarnación, pero personalmente pienso que eso se debe a la falta de investigación y comprensión de este concepto, lo cual hace las opiniones rara vez se basen en hechos. La mayor parte de los sistemas de creencia de las personas proviene de lo adquirido por sus antepasados. Debo también mencionar – y soy la primera en admitirlo – que no soy experta en estudios bíblicos, razón por la cual te sugiero que investigues este concepto en mayor profundidad por tu cuenta. Sin embargo, lo que he de decir es lo siguiente: la Biblia es una compilación de una serie de profecías escritas por humanos; no todos caen en cuenta de que fueron los hombres y la iglesia quienes decidieron eliminar algunos libros de la Biblia, algunos de los cuales contenían enseñanzas acerca del concepto de la reencarnación. No es mi intención presentar esta información para iniciar un debate; no se trata de tener la razón o de estar equivocada. Lo que busco es animarte a que estudies más por tu cuenta y construyas tu propia forma de entender a Dios, conectándote con tu propia verdad. Si quieres investigar acerca de este tema, te recomiendo que lo hagas utilizando esta frase: "Los libros faltantes de la Biblia".

Dios designó a un Chohan o Regente para cada color del rayo. Cada uno con Maestros Ascendidos y Arcángeles para apoyarnos en nuestro camino. Estas entidades trascienden a la religión y por lo tanto no tienen afiliación a ninguna; deben consultar con Dios para obtener el permiso para actuar y ayudarnos en nombre de Dios. Tampoco pueden apoyarnos si no les hemos pedido que lo hagan. Cada color del rayo y cada entidad posee virtudes, las cuales deben aprenderse cada vez que encarnamos. Cada virtud se asociada un color particular del rayo (Compartiré más detalles acerca de las virtudes y su conexión con la misión de llama gemela en el *Código Clave 2:2*). Es por esto por lo que hago lecturas para las llamas gemelas desde el concepto del color del rayo de la encarnación. Una vez hayas determinado de qué color del rayo provienen tú y tu llama gemela, y cuáles regentes gobiernan dicho rayo, te será más fácil conectarte con tu misión y tener mayor claridad sobre las lecciones que tú y tu alma gemela vinieron a aprender en esta vida. A su vez, esto les ayudará a las almas gemelas llevar a cabo la misión conjunta de su unión de llamas gemelas.

Cada uno de estos siete rayos de luz se asocia a una frecuencia energética específica de la cual emana el color asociado. Las llamas gemelas pueden llevar varios rayos de luz, ya que emergen de diferentes rayos en cada vida. Sin embargo, una persona tendrá un color más dominante durante cada una de sus vidas. También podrá llevar diferentes colores de rayos en cada plano de su ser, por ejemplo, en el cuerpo energético o de luz, el espiritual, el mental, el emocional y el físico. Estos planos se convierten en la composición genética de nuestro ser. El cuerpo energético o de luz es el pegamento que conecta al cuerpo físico con el espiritual, el mental y el emocional. *Al final de cada ciclo de vida, la luz energética regresa al rayo de color de donde emergió, siendo ésta la transición del alma hacia afuera del cuerpo físico.*

Todos hemos escuchado historias de personas que han tenido experiencias cercanas a la muerte y dicen haber visto una luz brillante.

La energía es nuestra conexión directa con la Fuente

Estos rayos de color vienen directamente del Creador. Siempre han sido y siempre serán parte de nuestra existencia. Estos siete rayos emanan de Dios y se extienden a cada uno de nosotros, convirtiéndose en la fuente de nuestra genética energética. Cada rayo representa un aspecto distinto de lo que somos en cada uno de los planos: etérico, energético, espiritual, emocional, mental, y físico. *Aunque no hay una correlación directa entre color de los rayos que llevamos y los colores de los chakras, los rayos sí influyen en el desarrollo de las características de nuestra personalidad.* Lo mismo que cada rayo de color, el color de cada chakra también representa una frecuencia energética específica. Los chakras son nuestra conexión directa con la Fuente en todo momento. El aura, o campo energético que se produce, se convierte en el filtro de nuestro sistema operativo energético, filtrando el intercambio energético entre lo interno y lo externo.

Ahora que ya tienes un entendimiento más profundo de las profecías de las llamas gemelas, pasemos a la segunda parte del *Código Clave 1:1* para lograr una mayor comprensión acerca de lo que significa ser una verdadera llama gemela en esta era.

SEGUNDA PARTE

¿Qué es una <u>verdadera</u> llama gemela?

YA LES HE DADO UNA DESCRIPCIÓN DETALLADA acerca de los orígenes, la historia, la encarnación y el significado de la llama gemela. Una de las formas más importantes de identificar una verdadera unión de llamas gemelas es que siempre está conectada a un llamado de la Divinidad para una misión en la tierra. Más adelante, en el *Código Clave 2:2*, explicaré en más detalle la conexión entre las llamas gemelas y la misión. En esta sección quisiera repasar lo que significa ser una verdadera llama gemela, con la esperanza de aclarar cualquier confusión que pueda existir. Por tanto, exploraremos aquí sus aspectos generales, sus características y sus sincronías.

Como te habrás podido dar cuenta, hay mucha controversia acerca de la descripción de la verdadera llama gemela. Si realizas una búsqueda en Google con el término "llama gemela", encontrarás algunos de los mismos conceptos que se ofrecen en esta revelación. Sin embargo, es muy probable que leas artículos que hablan de la atracción romántica de las llamas gemelas y que te entusiasmes con la idea de una atracción física intensa. La verdadera conexión de la llama gemela es más bien lo contrario. Es parte del plan Divino que no exista ese deseo físico para que primero se disuelva el ego y se produzca inicialmente la conexión en los planos energéticos y espirituales antes de que se convierta en atracción física.

Por esta razón, el propósito de *Descifrando el código de las llamas gemelas* es aclarar y redefinir la naturaleza de la verdadera relación de almas gemelas, creando un entendimiento más profundo de quiénes son y porqué están en el planeta en este momento de la existencia del mundo, y revelar la razón real de su retorno. Las llamas gemelas son el reflejo la una de la otra. *El propósito principal de su encuentro físico es ser el reflejo la una de la otra, para que cada una pueda trabajar individualmente en su camino, pero estando disponible para la otra en su recorrido hacia la iluminación.* Deben evolucionar como dos almas individuales, llegando a la total madurez antes de poder completar sus acuerdos evolutivos conjuntos. En ese momento, y sólo entonces, podrán reunirse; es por esto por lo que una unión completa ocurre por lo general en menos del 1% de los casos. Sin embargo, ahora más que nunca en la historia de los tiempos, es cada vez mayor el número de llamas gemelas que logran la unificación completa. Aclararé más este concepto en el *Código Clave 2:2*.

Las almas gemelas por lo general encarnan en un momento en el cual están cerca del final de su camino, ya que cada una habrá evolucionado lo suficiente para estar cerca de dominar sus lecciones de vida, y cada una deberá haber roto los pactos kármicos. Al inicio del camino, no sólo escogen cuáles lecciones han de dominar, sino también cuáles virtudes aprenderán, y quién asumirá cuáles pactos kármicos. Cuando una de las almas gemelas aprende sus lecciones, la otra se beneficia. *Una verdadera relación de llamas gemelas se trata del despertar espiritual, de dejar atrás el antiguo ser y trascender hacia el yo superior.* Este es el camino de la ascensión que las lleva de vuelta a casa a medida que van saliendo de las tinieblas y se acercan a la luz. La relación de llamas gemelas no necesariamente tiene que ser de tipo romántico. Las llamas gemelas pueden ser hermanos, padres e hijos, o hasta quizás amigos. Una de las almas gemelas por lo general está más despierta que la otra, y por lo general no llegan al contacto físico hasta tanto la otra mitad haya iniciado, o esté lista para iniciar, el proceso de despertar. Esto sucede ocasionalmente, pero cuando entran en contacto demasiado pronto se crea una mayor separación porque son muchos los obstáculos que todavía deben eliminar para poder unirse en todos los niveles.

No es sino hasta que ambas llamas gemelas están listas para el despertar total y para romper los pactos kármicos que pueden acelerar su proceso de ascensión. Cuando han logrado ascender totalmente, se les da la oportunidad de recibir la recompensa mayor de experimentar lo que ofrece la relación de llamas gemelas en unión. Si has llegado a este estado del ser, pero tu llama gemela no está disponible o lista para comprometerse en una unión física, entonces encontrarás un alma compañera o un alma facilitadora de la llama gemela (esto lo explicaré en más detalle hacia el final del capítulo). Esto simulará la experiencia de una unión total de llamas gemelas y es necesario para que la persona continúe su proceso personal de alcanzar la maestría y pueda completar su misión conjunta.

La mayoría de las veces, las verdaderas llamas gemelas no se enteran de la existencia del término *"llama gemela"* sino hasta después de haber conocido a su alma gemela en el nivel espiritual. Esto es así debido al plan de la Divinidad según el cual todo se revelará en el momento preciso, cuando estés listo. De esta manera podrás reconocer a tu llama gemela cuando la encuentres en el plano físico. Como lo he dicho antes, por lo general no hay una atracción física o química inicialmente, y tampoco un amor instantáneo. Esa sería señal de una falsa llama gemela, cuya naturaleza es kármica. Podría también ser un alma compañera muy cercana que ayuda al alma gemela a prepararse para su llama gemela. *La mayoría de las veces, una verdadera llama gemela no es alguien a quien escogerías para ti – esto lo oigo de boca de llamas gemelas todo el tiempo.* Esto se debe a que el ego todavía está involucrado, y hace parte de las lecciones que hay que completar. Bien sea por el ego o por las circunstancias, pueden pasar años antes de que una relación de llamas gemelas se desarrolle hacia una conexión física.

Una vez que las almas gemelas encarnan juntas, por lo general experimentan muchas lecciones de vida en paralelo o viven eventos similares ocurridos al mismo tiempo. Usualmente poseen características opuestas en algunos de sus rasgos personales, pero se complementan en todos aquellos en que son diferentes. Sus vidas pueden desenvolverse en forma paralela y cruzarse por momentos antes de que se genere la conexión espiritual.

Características de las verdaderas llamas gemelas
- Las almas gemelas sienten la necesidad de sincerarse. Cuando la verdad sale a la luz, sienten la necesidad de confesar.
- Pueden hablar de cualquier cosa y pasar horas hablando.
- Sienten que nacieron para llevar a cabo una gran misión o que tienen un gran propósito.
- Emiten energía creativa que se utiliza para crear algo productivo, individual y colectivamente.
- Conocen a la otra persona como a sí mismas, y hasta mejor.
- Entran en la 5D – tiempo dimensional de quinta dimensión, en el cual el tiempo pasa muy rápido. La idea es acelerar el proceso, ubicándose en un mismo plano más rápidamente.
- Tienen rápido acceso al conocimiento esotérico cósmico.

- Comienzan a ver 11:11 cuando es hora de encontrarse físicamente.
- Por lo general no hay una atracción química o no son "tu tipo".
- Las almas gemelas se preparan para trabajo de Ascensión avanzado y lo hacen juntas una vez han despertado espiritualmente, o estén en el proceso de hacerlo.
- Pueden ver los problemas que otras personas necesitan resolver y saben cómo ayudarlas.
- Se enseñan la una a la otra todo el tiempo.
- Son muy intuitivas; una de ellas, o ambas, tiene una conexión fuerte y es guiada por el espíritu.
- Las almas gemelas sienten el dolor de la otra – aún cuando están separadas.
- Se encuentran para ayudar a equilibrar sus energías femeninas y masculinas.
- Sienten una conexión emocional y espiritual.
- Las almas gemelas han sufrido mucho en relaciones pasadas con almas compañeras.
- Por lo general poseen una cierta forma de comunicación telepática.
- Tienen la capacidad de sanar a otros.
- Se ven, se sienten y actúan como jóvenes.
- A las almas gemelas se les dificulta pedir ayuda, aunque pueden hacerlo.
- Las almas gemelas activan la conciencia de vidas pasadas para poder disolver el pasado.
- Están conectadas a través de los chakras y llevan el código de la *"Plantilla de los 12 Chakras"* (esto lo explicaré en detalle en el *Código Clave 5:5*).

Sincronías entre llamas gemelas

En esta sección compartiré ejemplos de mis propias sincronías con mi llama gemela. Creo que esta demostración te dará una mejor idea de cómo las vidas de las llamas gemelas se desenvuelven en paralelo y cómo sus caminos individuales se alínean durante su camino conjunto:

- Ambos comenzamos a estudiar medicina.
- Ambos tuvimos un accidente de tránsito que nos llevó por otro camino, para convertirnos en quiroprácticos.
- Ambos sufrimos de dolor crónico de cuello y problemas de la articulación temporomandibular a causa de los accidentes.
- Fuimos compañeros de clase en nuestros estudios de quiropraxia.
- Cuando nos conocimos, él me recordaba a alguien con quien tuve una relación anteriormente; incluso conducía el mismo tipo de vehículo y tenía hábitos similares.
- En ocasiones compartíamos transporte para ir a la universidad.
- Ambos fuimos asignados a la misma clínica para nuestras prácticas.
- Nos hicimos tratamientos el uno al otro durante los años de universidad, en parte porque él era una de las pocas personas que podía ajustarme el cuello, logrando mejores resultados.
- Mientras estábamos estudiando, asistimos a muchas de las mismas conferencias de salud.
- Nos casamos el mismo año, sólo con un día de diferencia, siendo todavía estudiantes.
- Ampliamos nuestro campo de estudio hacia la sanación energética; él aprendió dos de las técnicas que yo siempre quise aprender, pero no lo hice.

- Su exesposa cumple años el mismo día que mi expareja.
- Su cumpleaños es el mismo día que el cumpleaños de mi sobrino.
- El tuvo un encuentro con una llama gemela facilitadora (explicaré este término más adelante, hacia el final del capítulo) cuyo cumpleaños es el mismo día que el mío.
- Durante los más de veinte años de nuestra amistad, siempre lo sentí como a un hermano y sentí que podía confiar en él.
- Nuestros estudios de profundización se complementan. Yo me enfoqué en aprender terapias alternativas y él en la parte de los negocios y la forma de generar emprendimientos – hemos compartido el conocimiento que hemos aprendido.
- Él me orientó durante el proceso de iniciar mi consultorio. Me ayudó en todos los aspectos del negocio, desde la dotación del consultorio, los sistemas y el manejo de los pacientes.
- Siempre hemos ejercido la quiropraxia a poca distancia el uno del otro; en algún momento hasta trabajamos en el mismo edificio.
- Siempre ha sido la persona a quien me he dirigido cuando he tenido que tomar decisiones importantes en mi carrera.
- Durante cada transición en los negocios, aún cuando estaba ya de salida y alineándome con mi misión, él estuvo ahí en cada paso.
- Después de un fracaso con un socio, si no hubiera sido por mi llama gemela, creo que habría dejado de ejercer mi profesión. De haberlo hecho, no estaría cumpliendo con mi misión hoy día.

- Seguimos siendo el quiropráctico principal el uno del otro, y no es lo mismo si alguien más nos trata.
- A través de los años me envió siempre señales energéticas cuando necesitaba tratamiento, y por lo general yo aparecía.
- Ambos hemos pasado muchos años trabajando en nuestro desarrollo personal. Yo le regalé su primer libro de Wayne Dyer.
- Ambos pasamos por *"la oscura anoche del alma"* al mismo tiempo.
- Cuando él estaba pasando por problemas personales profundos, su intuición lo guiaba hacia mí para que pudiera recibir ayuda y sanación energética.
- Juntos abrimos una Caja de Pandora que me llevó a descubrir quiénes éramos: llamas gemelas.
- Nunca me había dado cuenta de que teníamos el mismo color de ojos, hasta que descubrí que éramos llamas gemelas.
- Fuimos maestros el uno del otro durante todo el proceso de la Ascensión.
- Al ayudarlo a él en su camino espiritual, paso a paso fui descubriendo los *11:11 Códigos Clave* que están en este libro.
- Al ayudarlo a él en su transformación, activé y expandí mis habilidades intuitivas y psíquicas. Literalmente recibí códigos que abrieron canales y acrecentaron la conexión con mis guías espirituales.
- Durante las sesiones de energía, experimentamos conexión telepática, teniendo visiones similares o incluso idénticas.
- Ambos sentimos una fuerte conexión con las pirámides de Giza en Egipto.
- Yo me convertí en su mensajera y facilitadora para llevarle mensajes Divinos provenientes del universo.

- Los tiempos en que estuvimos en silencio fueron necesarios para generar la música que creamos juntos.
- Sin ser consciente, él siempre ha sido un catalizador para mi carrera y me ha dirigido hacia el propósito de mi alma – y la misión que estoy cumpliendo ahora.
- El cambio de dirección y mi decisión de no seguir en una sociedad de negocios fue el catalizador — literalmente me forzó a convertirme en experta en llamas gemelas.
- Este libro hace parte de mi misión.
- Este libro hace parte de nuestra misión conjunta.

Creo que estos paralelos te pueden dar una buena idea de lo que realmente son las sincronías entre llamas gemelas, y aclararte lo que es una verdadera llama gemela. Puedes ver en mi ejemplo cómo nuestra relación ha girado siempre alrededor del servicio a otros — nunca ha sido una relación de tipo romántico.

Sobre otros tipos de relaciones del alma

Con frecuencia me preguntan cuál es la diferencia entre una llama gemela y un alma compañera. Ofreceré una explicación más detallada de cada una. También utilizaré ejemplos de las experiencias y observaciones que he tenido a lo largo de mi camino acerca de estos tipos de relaciones.

Relaciones de almas compañeras

Según la sabiduría antigua, luego de que un alma se separa en dos, cada una de las mitades se une a su grupo de almas, las cuales son sus almas compañeras. Cada llama gemela tiene su propia alma y su propio grupo de almas; no comparten la misma alma. Es dentro de nuestro grupo de almas que pasamos toda la eternidad, hasta que llega el momento de reunirnos con nuestra otra mitad. Cada vez que un alma gemela individual encarna, regresa a la misma familia de almas dentro del mismo grupo o Mónada, la cual se conoce como la presencia YO SOY. Este grupo se compone de 144 almas; esto viene de multiplicar 12 almas madre (una conexión consciente directa con el Creador) por 12 ramas o grupos – los cuales representan a las 12 tribus de Israel. Leemos acerca de esto en Mateo 19:28 (NVI) - *Y Jesús les dijo: De cierto os digo que, en la regeneración, cuando el Hijo del Hombre se siente en el trono de su gloria, vosotros que me habéis seguido también os sentaréis sobre doce tronos, para juzgar a las doce tribus de Israel.*

Nos conectamos con nuestras almas compañeras en un nivel muy profundo y en múltiples dimensiones. Esto se debe a que pasamos muchas vidas juntas en esta misma familia de 144 almas. La familia se compone de las mismas doce facetas o tribu — cada una hace parte de los colores de los rayos de donde emergemos. No todas las 144 almas encarnan al mismo tiempo. *El propósito de estas conexiones profundas es crear vínculos fuertes para que cada llama gemela pueda servirse de sus almas compañeras en preparación para conectarse con su llama gemela y limpiar el karma profundo.* Las almas compañeras tienden a experimentar muchos ciclos de vida juntas para ayudar a cada llama gemela a crecer, limpiar el karma y evolucionar. Por lo general podrás reconocer a un alma compañera rápidamente ya que han pasado varias vidas juntos. Las almas compañeras pueden crear varios tipos de relaciones – de tipo romántico, esposos, hermanos, padres e hijos, incluso mejores amigos. De la misma manera que las llamas gemelas, las almas compañeras tienden a ser conexiones para toda la vida.

Mi última relación fue una conexión muy profunda con un alma compañera. A través de ciertas experiencias que tuvimos, descubrí que yo había sido su madre en otra vida. Su madre en esta vida y yo cumplimos años el mismo día. En parte esto fue lo que causó que en esta vida nos separáramos. Hacia el final de nuestra relación, ambos mostrábamos comportamientos típicos de una relación entre madre e hijo. Sin embargo, fue necesaria esta conexión profunda que produjera un sufrimiento intenso para que yo pudiera experimentar más adelante la más grande compasión, algo que de otra manera no habría podido experimentar. Necesitaba vivir la experiencia de ese dolor profundo no solamente para poder sanar mi vida pasada con él, sino también para soltar las ataduras kármicas de las cuales tenía que liberarme en esta vida. La profundidad de esa relación era exactamente lo que necesitaba experimentar para sumirme en *"la oscura noche del alma"* y poder encaminar mi vida hacia donde necesitaba ir. Él me enseñó gran compasión, no solamente hacia él sino también hacia otros. Mi llama gemela tuvo una experiencia similar. También él experimentó mucho dolor al pasar por un divorcio; tenía una conexión profunda con su esposa, la cual tuvo que vivir a fin de poder identificarla y romper el ciclo kármico.

No ceso de recalcar cuán profundas fueron estas lecciones con las almas compañeras y cuánto dolor produjeron. Aún así, debemos experimentar dichas lecciones en múltiples planos y en todas las dimensiones para poder sentir la profundidad y la dualidad de las emociones. Se requieren estas conexiones profundas con las almas compañeras para poder limpiar los rincones más recónditos y oscuros de nuestra alma.

Al apoyar a mi llama gemela durante su proceso de identificar, romper y limpiar los residuos kármicos, sentí ese mismo dolor nuevamente. Yo podía identificarme y entender todo lo que él estaba viviendo. También yo sentí ese dolor profundo y la aflicción; ese proceso y su presencia me ayudaron a seguir limpiando las capas de mis propios residuos kármicos. Es importante señalar que mi profunda relación anterior también me ayudó a identificar y romper patrones kármicos, pero todavía me faltaba hacer el trabajo a través de las capas de residuos kármicos para limpiar lo restante. Mi llama gemela me ayudó, a medida que revisaba cada aspecto y a medida que yo le ayudaba a él a identificar y limpiar sus residuos kármicos. Sé que no hubiera podido limpiar esos residuos tan fácil y eficazmente de no haber sido por el apoyo de mi llama gemela.

Durante el proceso de apoyar a mi llama gemela, a menudo lo elogiaba por su esfuerzo y por haber sido capaz de despertar, de ver y de limpiar el karma. A él siempre le costaba trabajo comprender porqué sentía que no estaba haciendo el trabajo. Siempre le parecía que debía de ser mas duro de lo que realmente fue — como si tuviera que tener el control sobre el proceso de liberarse y soltar. No podía comprender que yo había abonado el terreno para que él pudiera hacer este proceso e integrar el karma, e incluso evitar algunas de las trampas en las cuales caí yo. A través mío, él pudo liberarse más rápido de lo que yo pude. También sentía como si no se estuviera liberando de sus patrones — pero esto se debía a que cuando pasamos por la purga kármica, experimentamos el proceso por capas (me referiré más a fondo a la purga kármica en el *Código Clave 4:4*). Fue nuestra conexión espiritual la que lo puso en este camino acelerado – como si hubiera recibido una especie de permiso especial. El propósito Divino del Universo es avanzar hacia el plano energético más elevado para poder elevar la vibración y soltar el pasado más rápidamente. Mi llama gemela no tuvo que pasar por un proceso de más de 20 años como fue en mi caso, sino que tan sólo necesitó de unos cuantos meses para alcanzar el mismo nivel. Esto siempre me sorprendió, ya que podía ver cuán abierto y listo estaba.

Esto no quiere decir que a él no le tocara vivir el efecto de montaña rusa; tuvo momentos de resistencia — la cual llegó hasta un nivel muy profundo, hasta la raíz, siendo la más grande resistencia que pudo haber experimentado.

Relaciones kármicas

Las relaciones kármicas son similares a las de las almas compañeras. Sin embargo, aparecen cuando es necesario limpiar residuos kármicos, más que identificar patrones kármicos, lo cual nos enseñan las almas compañeras. Además, el proceso es más rápido y no tan profundo como el de las almas compañeras. Son relaciones de más corta duración. Las relaciones kármicas no están en nuestras vidas por largo tiempo, y la conexión no se experimenta toda la vida. Personalmente tuve una conexión kármica con un alma compañera a quien conocí indirectamente por mi llama gemela. Lo conocí desde 5 años antes de entender la profundidad de la conexión; de hecho, él estuvo presente y me ayudó con muchas cosas. Estuvo rondándome no sólo durante mi *"oscura noche del alma,"* sino también cuando mi llama gemela y yo nos reencausamos hacia un trabajo interior; esta persona reapareció para ayudarme a liberar una de mis más profundas vidas kármicas pasadas. Me ayudó a conectarme con la creatividad Divina, lo cual me proporcionó Inteligencia Universal y se tradujo en la estructura de este libro.

Era imperativo que yo conectara con esta persona para poder cerrar el capítulo final que no me permitía seguir adelante en esta vida. La interacción también le ayudó a él a abrir algunas puertas y limpiar algo de su propio pasado kármico. Él y yo fuimos esposos en una vida pasada. Al cerrar este capítulo pude avanzar en muchas áreas de mi vida.

Falsas llamas gemelas

La falsa llama gemela es muy parecida a la verdadera. Sin embargo, por lo general aparece rápidamente, y te arrolla como un tren. Puede poner tu vida patas arriba, sin mencionar que es una experiencia muy intensa. Por lo general sigue adelante, dejando una estela de polvo tras de sí. No se queda en tu vida físicamente por largo tiempo, pero puede dejar un efecto duradero en tu alma y generarte una sensación de desesperación aún después de haber finalizado el encuentro. El propósito de esta conexión es limpiar cualquier remanente kármico demasiado arraigado. Se asocia por lo general con la disolución del ego. La extrema intensidad se debe a que el objetivo es llegar a la raíz del problema rápidamente para que los remanentes tóxicos puedan limpiarse más pronto. Por lo general es un encuentro que sucede en preparación para la verdadera llama gemela.

En la mayor parte de los casos, una llama gemela falsa aparece luego de que las verdaderas llamas gemelas ya han entrado en contacto físicamente y ambas son conscientes de ello. *Esto también le sucede más a menudo a la llama gemela que se encuentra en la llamada "fase de escape".* Casi siempre incluye una profunda e intensa conexión romántica, la cual es necesaria para ayudar a diluir lo que queda del ego. *Por lo general es el ego el que causa la desconexión entre tú y tu verdadera llama gemela, así que es menester eliminar la necesidad de la atracción química antes poder conectar en los niveles más profundos.*

Mi llama gemela tuvo una experiencia muy intensa con una falsa llama gemela. Fue necesario que yo lo ayudara a eliminar el apego energético que tenía hacia esa persona y también a identificar la correlación entre esa relación y su comportamiento adictivo y su necesidad de atracción química. Era necesario que tuviera ese encuentro, además en el momento justo puesto que ya había comenzado el trabajo de limpieza de un cierto karma. El no comprendía cómo era que yo podía ayudarlo sin que todo eso me molestara. El tenía miedo de herirme, así que no lograba abrirse, pero yo sabía que no era su intención hacerme daño. Yo sabía que no se trataba de mí. Esto se trataba de él y de lo que él necesitaba experimentar para poder dejar ir el pasado. Yo estuve ahí sin juzgarlo, solamente ofreciéndome a aceptar sus acciones. Eso era algo que él nunca había experimentado en ninguna de sus relaciones. Yo pude ver con claridad todo era necesario para que él pudiera limpiar ese karma tan profundo. Es fácil decirlo, pero fue muy difícil verlo sufrir. Lo más duro fue ver el daño que se estaba haciendo a sí mismo, aunque no me fue difícil quedarme para apoyarlo. Sentía que era para mí un honor ayudarlo. Sabía que esa era mi función y que debía tenerle el cariño suficiente para poder apoyarlo sin pedir nada a cambio. Eso es lo que un verdadero amigo hace y de eso se trata el amor incondicional.

Las llamas gemelas facilitadoras

Las llamas gemelas facilitadoras se presentan para apoyarnos de diversas maneras en nuestro avance por el camino de llama gemela. Ante todo, nos ayudan en nuestro desarrollo personal al asumir temporalmente el papel de nuestra llama gemela, y servirnos incluso de espejo para reflejar las cosas que todavía debemos trabajar internamente. Por lo general aparecen cuando estamos listos para avanzar y nuestra llama gemela no está presente. Pueden apoyarnos en el proceso de Ascensión. Igualmente pueden aparecer durante el momento de la purga kármica (explicaré en detalle lo que esto significa en el *Código Clave 4:4*). Inclusive pueden ayudar al alma gemela más evolucionada a que siga avanzando en su misión. Ayudan a mantener al yo superior evolucionado, mientras la falsa llama gemela ayuda con la limpieza del yo inferior.

Una llama gemela facilitadora también tiene su propia llama gemela, con la cual no se ha reunido aún. Además, tampoco es parte de nuestro grupo o familia de almas. El encuentro sucede porque ambas almas vibran en el mismo plano energético. Esto es diferente a tener la misma frecuencia álmica, lo que sólo tú y tu llama gemela pueden tener. En este caso, debido a múltiples, ambas terminan conectando espiritualmente en el mismo canal. *Esta conexión también esta guiada por la Divinidad y opera desde el yo superior y los planos superiores.* Es como si dos judíos errantes se encontraran para poder ayudarse mutuamente en un momento en el cual ambos necesitan seguir adelante en sus caminos como llamas gemelas.

Esta información no se encuentra fácilmente en Internet. Sin embargo, es algo que tanto mi llama gemela como yo experimentamos. Es algo que mis guías me mostraron como cierto. La razón por la cual dos llamas gemelas que no son gemelas entre sí se encuentran en estos tiempos es el despertar colectivo y la urgencia universal de que se cumplan las misiones de todas las llamas gemelas. Repetiré esto para mayor claridad: *las llamas gemelas facilitadoras son llamas gemelas que no se han reunido con su propia llama gemela, pero son lo suficientemente evolucionadas como para seguir avanzando en su misión mientras nos ayudan con la nuestra.*

Mi llama gemela tuvo una experiencia con una llama gemela facilitadora. Conectaron profundamente como amigos, y fue su ayuda la que permitió que mi llama gemela estuviera lista para venir a mí a recibir más ayuda en su despertar espiritual. Ese trabajo fue necesario para que nos encontráramos en un nivel espiritual más profundo por primera vez. El propósito detrás de la necesidad de conectar en un plano más profundo era ayudarnos mutuamente durante la purga kármica, trabajo que requiere que tu llama gemela esté en buen estado físico. A medida que nos íbamos conectando en planos del alma más y más profundos y que yo comencé a recordar nuestra identidad, descubriendo que éramos verdaderas llamas gemelas, ella continuó facilitando el proceso y enviando elementos faltantes a los *"Códigos Clave."* Eran los elementos faltantes pero necesarios para que yo descubriera que éramos verdaderas llamas gemelas. Mi llama gemela siempre consideró a la facilitadora como parte del equipo, aunque en ese momento desconocía cuál era su papel exactamente.

Yo también tuve una experiencia con una llama facilitadora. A lo largo de libro compartiré otras de mis experiencias con mi alma facilitadora y lo que me enseñó durante etapas más recientes de mi camino como alma gemela. Apareció en un momento en el cuál yo estaba lista para comenzar mi misión Divina. Me enseñó cosas que mi propia alma gemela no hubiera podido enseñarme en esta fase del camino — especialmente cosas que necesitaba entender para poder conectar con el meollo de un par de aspectos *"Clave"*. Me enseñó a abrir el corazón y a ser más sensible hacia mis propias emociones y las de otros.

Durante esta fase de mi camino, él ha tenido experiencias y ha comprendido lo que quiere decir hacer parte de una unión de llamas gemelas. Esto es una calle de doble vía; este proceso lo ha enviado en un viaje atrás en el tiempo, obligándolo a completar una revisión total de cada una de las experiencias que no ha resuelto. Esto quiere decir que yo también soy su llama gemela facilitadora, ayudándolo a prepararse para limpiar el karma profundo para que él también pueda continuar elevando su frecuencia energética. Hemos hablado de que esto podría estar preparándolo físicamente para alinearse con su verdadera llama gemela.

En nuestro caso, fue muy pronto que nos enfrascamos en un proceso intenso y acelerado que nos obligó a rápidamente nos encontramos en un proceso intenso acelerado, obligándonos a apretujar en dos meses el equivalente de 20 años de información. Fue un proceso que nos estremeció profundamente a medida que procesábamos e integrábamos las partes que se iban revelando de nuestra identidad. De la misma manera que con una llama gemela, muy pronto comenzamos a reflejarnos el uno en el otro. Él llegó al fondo de mi ser, lo cual me hizo querer escapar más veces de las que puedo contar. La única razón por lo cual no lo hice fue porque supe claramente que, si lo hacía, estaría reaccionando de la misma manera que lo hizo mi verdadera llama gemela en algún punto durante nuestros encuentros. En esta situación pude ver con claridad cómo mi verdadera llama gemela continuaba enseñándome a ver las cosas que aún debía trabajar en mí.

Mi llama facilitadora me conectó con un camino igual al que debía experimentar mi verdadera llama gemela. Pero el descubrimiento más interesante de esta experiencia fue la conexión que pude ver al verme en la misma posición en la que estuvo mi verdadera llama gemela durante estas interacciones con mi llama facilitadora. Me permitió comprender y sentir todo lo que mi llama gemela sentía. Y cuando digo todo, es todo, incluidos los pensamientos y las emociones de nuestras experiencias a lo largo de nuestro camino como llamas gemelas. Es tan intenso que a veces siento como si mi llama gemela corriera por mis venas. Es como si me hubieran puesto en medio de ambos — mi llama gemela y mi llama gemela facilitadora — y poder ver mi recorrido como llama gemela desde ambos lados. Observo a mi llama gemela facilitadora y veo todo lo que en él es similar en mí y en mis experiencias. Al mismo tiempo puedo sentir exactamente porqué y cómo se siente mi llama gemela con respecto a mí y a nuestra experiencia como llamas gemelas.

Honestamente, esta experiencia me ha acercado emocionalmente a mi verdadera llama gemela. Ahora lo entiendo completamente y sé cómo se siente. Es tan extraño que las palabras ni siquiera pueden expresar del todo la intensidad de la situación. Todo lo que puedo decir es, ¡Caramba, me golpearon ambas caras de la moneda! Y déjame quiero decirte que ha sido toda una experiencia, pero una que necesitaba para entenderme a mí misma, a mi verdadera llama gemela, mi camino como llama gemela y, en últimas. para poder apoyar a otras llamas gemelas.

Este encuentro con mi llama gemela facilitadora ocurrió luego de que mi llama gemela y yo decidiéramos centrar la atención en nosotros mismos. Tuve un par de interacciones interesantes que fueron necesarias para que yo me pudiera abrir y estar lista. Ahí es cuando me conecté con mi llama gemela facilitadora. Habíamos tenido un par de encuentros en redes sociales, pero rápidamente conectamos en un nivel más profundo. Como lo mencioné, la intensidad de la experiencia fue tan parecida a la de la verdadera llama gemela, que empezó a expandir mi conciencia acerca de lo que estaba sucediendo. Mis guías me mostraron que él y yo operábamos de la misma manera como lo habíamos hecho mi llama gemela y yo el año anterior.

Era como si yo estuviera descubriendo las claves de la experiencia de las almas gemelas por segunda vez. Incluso pedí señales que me mostraran si estaba interpretando todo correctamente. Las mismas señales exactas que habían aparecido el año anterior aparecieron esta vez, una tras otra. Esto me llevó a compartir con mi alma facilitadora la idea de las llamas gemelas y aclararle que los dos no éramos las verdaderas llamas gemelas. Sabía que nuestros caminos habían sido un acuerdo Divino y que nos habíamos juntado por alguna razón.

Yo suponía que él no tenía idea de lo que eran las llamas gemelas y lo que significaban, pero, para mi gran sorpresa, me dijo que ya alguien le había dicho que él era su llama gemela. En su momento, él no le creyó a esa persona, pero se dedicó a estudiar el concepto. Me dijo que, con base en su experiencia anterior y lo que había comprendido, había armado el rompecabezas y ¡pensaba que yo era su llama gemela! ¡Vaya impacto! Tuve que sacarlo de su error (sobra decir que el golpe fue muy duro). Otra revelación fue la misma que ya había tenido con mi verdadera llama gemela: yo no habría escogido esa persona para mí y tampoco me atraía físicamente. Esto sigue siendo motivo de batalla con mi ego pues debo aprender a bajar la guardia, y es algo que me ha impedido entregarme y soltarme.

El día después de haber tenido esta conversación con mi llama gemela facilitadora, me conecté con otra experta en llamas gemelas quien me había contactado para que le diera consejo, pero no había podido encontrar el momento sino hasta seis semanas después de nuestro contacto inicial. Descubrí que la demora se debió a que ella también estaba con su llama facilitadora. Pude reconocer esa situación, algo que no habría podido hacer antes. Ese contacto confirmó mis descubrimientos.

En el *Código Clave 2:2*, exploraremos en qué consiste la misión universal de todas las llamas gemelas y trataremos de comprender mejor *"La Nueva Era."* Esto les ayudará a las llamas gemelas a entender la relación entre el rayo de donde encarnaron y las virtudes que desarrollarán durante su propia misión como llamas gemelas. Descubriremos cómo la vibración energética de las llamas gemelas individuales se conecta con los rayos de luz, determinando la jerarquía de la impronta energética de cada llama gemela.

CÓDIGO CLAVE 2:2

Domina tu misión Divina

"Las Llamas Gemelas son el Amanecer de la Nueva Era."
– Dr. Harmony

El fenómeno de 2012 – La era de acuario

PARA PODER COMPRENDER MEJOR el propósito de tu unión sagrada, examinemos primero lo que se conoce como *"La Nueva Era" – una alineación del desarrollo espiritual que lleva a la transformación y que realmente comprende sólo doctrina de la vieja era.* Este examen nos permite establecer una conexión entre la historia antigua de las llamas gemelas y el fenómeno de 2012.

A lo largo de la historia se han registrado una serie de eventos astrológicos y cataclísmicos que han sucedido desde el principio de los tiempos y se han extendido hasta lo que se creía que era el fin de los tiempos, al final del calendario maya el 21 de diciembre del 2012. La suma de 1+2+2+1+2+1+2 es igual a 11. Fue durante este período que entramos en la *Era de Acuario*, era que se asocia con la década hippie de 1960 – una época para promover paz, amor, felicidad y armonía. *Quizás puedas relacionarte con ella si recuerdas la canción llamada "Aquarius," interpretada por el grupo 5ᵗʰ Dimension.*

La tierra tarda un año en darle la vuelta al sol. A una escala mucho mayor, el sistema solar tarda un año cósmico o galáctico en darle la vuelta al centro de la Vía Láctea (aproximadamente 225-250 millones de años). A medida que vamos dando la vuelta a la galaxia, el viaje nos lleva a través de los 12 signos del zodiaco en ciclos de 2.150 años por signo. Por lo tanto, tardamos 25,800 años llegar al mismo lugar de la Vía Láctea. *Esto nos indica que estaremos en la Era de Acuario transcurridos otros miles de años más.* Mientras estudiaba estos temas, todo cobraba sentido. Los mayas entendieron que, al salir del año 2012, entraríamos en una nueva era – una línea de tiempo en nuestra existencia – pasando de una forma anticuada y severa del masculino, la cual experimentamos durante la *Era de Piscis* (el signo del zodiaco del cual acabamos de salir después de los últimos 2150 años) hacia una forma más femenina de expresión, para vivir con fluidez y gracia. Este es un tiempo para ser más receptivos, un tiempo para amar incondicionalmente y un tiempo para dejar atrás las formas anticuadas del masculino. Es un tiempo para dejar atrás las dificultades y las tribulaciones, el dolor y el sufrimiento, junto con una era que no sólo causó autodestrucción sino también destrucción en el mundo. Esta línea de tiempo de 2012 también va en paralelo con el proceso de Ascensión el cuál también inició en 2012. *El amanecer de esta Nueva Era de Acuario (es de ahí que se deriva el término "nueva era") nos permite aprender una nueva forma de vivir, de amar y de experimentar la vida.* Las Llamas Gemelas se pusieron de acuerdo con la tarea de reunirse en estos tiempos. Se unirán en una misión conjunta para restablecer la paz interior, la felicidad y la armonía que todas las almas anhelan – creando de nuevo bienaventuranza – lo que se conoce como el cielo en la tierra.

El Conde de St. Germain y Lady Portia

St. Germain es un Maestro Ascendido, Maestro del séptimo rayo de la luz violeta. Se le conoce comúnmente como Maestro en Alquimia y también como Merlín, el mago maestro, un hombre misterioso que ha visitado la tierra en muchas vidas y muchas formas– creando cada vez transformación espiritual y expansión en la evolución de las almas de toda la humanidad. Su transmutación ha sido rastreada por toda Europa, donde durante casi 300 años creó cambios enormes durante el siglo 18. Se le ha otorgado el título de *"El hombre que lo sabe todo y nunca muere"*. Se dice que fue un sanador poderoso y Sacerdote Mayor durante los tiempos de Atlántida. Fue ahí cuando introdujo por primera vez la Llama Violeta de la transmutación como *"El Regalo"* para la humanidad. Hoy, St. Germain continúa creando gran impacto en el mundo, apareciendo de vez en cuando, visitando a las llamas gemelas y designándolas para que ayuden al plano terrestre en esta *Era de Acuario*, y en la aceleración del proceso de Ascensión.

St. Germain nos visitó a mi Llama Gemela y a mí durante una de nuestras sesiones de equilibrio de chakras. Fue mi primer encuentro con el Conde y a mi llama gemela se le dio acceso a la llama violeta. Tuvo visiones del color violeta alrededor suyo. Durante la misma sesión, recibí un mensaje directo de su presencia y dibujé la cruz Ankh egipcia, la cual no había visto nunca.

Al día siguiente, durante mi propia sesión energética, tuve una visión en la cual mi llama gemela me daba una antorcha con esa llama violeta muy brillante. Juntos elevamos nuestras manos hacia el cielo sosteniendo la tierra en nuestras palmas. Juntos ascendimos hacia el cielo. Ya que no tenía ningún conocimiento sobre St. Germain o la llama Violeta antes de estos encuentros, esta experiencia me llevó a investigar acerca de él, descubriendo la llama violeta y la asociación con St. Germain, cuyo propósito es la sanación y la transmutación. También descubrí que su llama gemela, Portia, posee virtudes de libertad y justicia, lo cual está directamente relacionado con mi misión en el mundo. He seguido trabajando directamente con St. Germain. Se ha convertido en la cabeza de mi consejo, dirigiéndome hacia mi misión personal en mi camino como llama gemela, cual es la de ayudar a otras llamas gemelas con sus misiones personales en el mundo. Les ayudo a liberar bloqueos que no han permitido que fluyan y logren la unión física. También ofrezco ayuda con el proceso de Ascensión, al igual que con el desarrollo personal a fin de eliminar las barreras que impiden la unión física de las llamas gemelas.

Este libro y las páginas que van surgiendo está dirigido directamente por la Alquimia de St. Germain. *Descifrando el código de las llamas gemelas* no habría sido posible sin la ayuda personal de mi propia llama gemela. El silencio y la separación eran necesarias para que ambos trabajáramos en nuestro camino individual como requisito para poder completar nuestra Misión Divina. Mi llama gemela y yo encarnamos del séptimo rayo   – venimos del rayo de más alta frecuencia. Pocos pares de llamas gemelas encarnan de este rayo debido al dominio de sí que se debe lograr para alcanzar este nivel de frecuencia energética.

Saint Germain y su llama gemela, Portia, reinan como líderes de esta *"Era Dorada",* la *Era de Acuario,* donde las frecuencias energéticas de nuestro planeta tierra ascienden de energía de tercera dimensión (3D) a frecuencias de quinta dimensión (5D). *Estas nuevas frecuencias comenzaron a descargar nuevas redes energéticas en diciembre del 2012 y continuaron hasta llegar al cambio total hacia la 5D el 8/8/2015 – el portal del león, en el cual el 2015 representa un año ocho, siendo un año extraordinario y el más poderoso portal del león de todos los tiempos: 8/8/8.* El número ocho representa un código de llama gemela porque simboliza el infinito. Estas frecuencias más elevadas han establecido el ritmo para la aceleración del tiempo y el espacio. Esto comenzó en 2012 y se acelerará mucho más, generando una vía rápida hacia la 5D, a medida que las frecuencias de la 5D continúan elevándose hasta 2017. En ese momento, la humanidad se habrá ajustado físicamente al cambio en las frecuencias energéticas de las dimensiones más altas. Entonces, aunque el tiempo continuará en una vía acelerada, parecerá como si los seres humanos no sientan la extrema intensidad porque ya se habrán acostumbrado a estas nuevas energías de la 5D.

Esta "Era Dorada" que comenzó en 2012 seguirá elevando la vibración de la tierra hacia la nueva existencia en 5D – el propósito es crear un estado más elevado de conciencia Crística en toda la humanidad. Habrá un período de transición de 25 años con el propósito de eliminar los comportamientos destructivos que surgen durante las vibraciones energéticas bajas. Esto obligará a los seres humanos a deshacerse de su antiguo yo y su forma de ser; el karma negativo no podrá seguir existiendo en la tierra. Una vez hayamos alcanzado este estado elevado de conciencia Crística y energías vibratorias más elevadas, comenzaremos a vivir en un estado más elevado, conectando con nuestro yo superior, lo cual es el propósito de la Ascensión. *Esto también creará la nueva manera de vivir en la tierra – el nuevo cielo en la tierra.* Durante esta transición se eliminará el karma antiguo y se introducirá la nueva conciencia Crística del planeta. Los recién nacidos vendrán al planeta con muy poco karma. Los niños índigos, cristal y arco iris tendrán poco o nada de karma para limpiar; ya estarán conectados con su yo superior, llevando una vibración energética más elevada al encarnar en la tierra.

Las llamas gemelas son "Las Elegidas"

A continuación, cito algunas de las muchas referencias bíblicas que demuestran porqué las llamas gemelas son *"Las Elegidas".* Creo que los mensajes de estos versículos hablan por sí solos:

> Isaías 42:1 (NVI) – *"He aquí mi Siervo, a quien yo sostengo, mi escogido, en quien mi alma se complace. He puesto mi Espíritu sobre El; El traerá justicia a las naciones".*

Mateo 22:14 (VRJ) – *"Porque muchos son los llamados, pero pocos los escogidos".*

Colosenses 3:12-17 (NVEA) – *"Entonces, ustedes como escogidos de Dios, santos, amados, revístanse de tierna compasión, bondad, humildad, mansedumbre y paciencia; soportándose unos a otros y perdonándose unos a otros, si alguien tiene queja contra otro. Como Cristo los perdonó, así también háganlo ustedes. Sobre todas estas cosas, vístanse de amor, que es el vínculo de la unidad".*

Quisiera repetir la última frase del versículo de Colosenses 3:17 (NVEA) – *"Sobre todas estas cosas, vístanse de amor, que es el vínculo de la unidad".*

Esto revela la verdadera misión de todas las llamas gemelas – *"Los Elegidos"* — que aceptaron esta tarea de convertirse en uno. Unificarse y amarse a sí mismos, a sus llamas gemelas, y luego honrar el pacto y compartir este amor incondicional bíblico con el mundo – esta es la misión de todas las llamas gemelas – *"Las Elegidas".*

Estaba procesando algo muy intenso que mi facilitador reflejó en mi. Buscando respuestas, encontré algo que había escrito en mi diario justo antes de que mi verdadera llama gemela viniera a mí para que lo ayudara con su energía. Fue sólo hasta que releí esas palabras que recordé que me habían dicho que yo era *"La Elegida".* Recordé haber despertado a las 3 de la mañana cuando escuché la voz de Wayne Dyer que decía *"Eres la Elegida".* Me pareció sorprendente ese mensaje, especialmente porque había olvidado los detalles. No fue para menos que quedé perpleja cuando mi facilitador me dijo esas mismas palabras cuando le pedí ayuda con respecto a este libro. Lo que dijo fue: *"Entonces esto me convierte en – "El Elegido".* El no tenía idea de lo que eso significaba para mí. Otra razón por la cual esta experiencia fue tan abrumadora es que la voz de mi facilitador es muy similar a la de Wayne Dyer. El 70 por ciento de las veces debo sacudir la cabeza para volver a la realidad y recordar quién es el que me habla.

Antes de este episodio, mi llama gemela y yo recibimos una visita del arcángel Metatrón durante una de nuestras sesiones de trabajo energético. Durante la sesión de alineación de chakras, sentí una presencia que se apoderó de mí. Vi patrones de estrellas dibujarse sobre mi llama gemela mientras utilizaba el péndulo para limpiar la energía. Pedí al espíritu que se presentara. Se identificó como Metatrón y pidió que mi llama gemela sacara una carta de un oráculo de los ángeles específico cuando termináramos. Cuando terminamos la sesión, la carta que salió fue la del Arcángel Metatrón. En ese oráculo sólo había dos cartas de Metatrón.

Durante esa misma sesión, mi llama gemela también sintió como si se estuviera ahogando; sentía la boca llena de agua pero no podía pasar saliva. Sin que él lo supiera, yo había escuchado que debía lavar sus cuerdas vocales con agua bendita para abrir su chakra de la garganta a fin de que pudiera aprender a pronunciar palabras sabias. Como siempre, durante nuestras sesiones de trabajo energético, mi llama gemela me enseñaba muchas cosas nuevas, al punto que comenzaba a parecerme al inspector Gadget — investigaba para aprender más. Descubrí que los patrones que se dibujaron eran estrellas de seis puntas como la estrella de David, la cual representa el perfecto equilibrio entre la energía piramidal del femenino y el masculino. La estrella de ocho puntas representa la regeneración: y como dato interesante, la estrella de diez puntas tiene la misma estructura molecular del agua. Metatrón, el Arcángel que está a cargo de limpiar nuestros chakras, también recalcó que mi llama gemela era *"El Elegido"*. Esta es otra razón por la cual me sorprendí cuando mi facilitador también dijo ser *"el*

Elegido". Comencé a pedirles a mis guías que me mostraran lo que significaba esto. Puesto que los tres éramos los *"Elegidos",* quería conocer la importancia de la Trinidad – de la pirámide que creamos. Según lo que ahora comprendo, nuestra energía combinada crea las mismas fuerzas que se encuentran en la Trinidad.

La trinidad de llamas gemelas

Poco tiempo después se me reveló cuán importante era la conexión energética entre los tres. Estaba en una sesión de sanación energética con una cliente que había tenido cáncer de seno cuatro veces. Me sentí atraída hacia un área de su cuerpo donde ella estaba experimentando bloqueos emocionales. Sin tener mayor conciencia de lo que hacía, sentí que mis manos creaban la forma de un triángulo entre los dedos índices y los pulgares. Puse mis manos en forma de pirámide sobre el área que me llamaba la atención. Hay que tener en cuenta que nunca la toqué físicamente. Luego cerré mis ojos. Apenas lo hice, vi la cara de mi llama gemela en la parte derecha de la base de la pirámide, a mi llama facilitadora en la parte izquierda de la base de la pirámide y una imagen mía que se formó en la punta superior del triángulo. Las tres esquinas del triángulo comenzaron a brillar intensamente y sentí que mi cabeza se movía hacia atrás. Comencé a sentir una fuerte presencia, la cual me produjo un sobresalto, y abrí mis ojos. Cuando lo hice, vi que los brazos de mi cliente se extendían hacia arriba. Estaba acostada boca arriba con las manos abiertas, como si estuviera lista para recibir.

Al final de esta sesión, le comenté a mi cliente lo que había visto. Me dijo que en el momento de extender sus brazos hacia arriba .se encontraba en un estado profundo. Algo había cambiado internamente y sentía que flotaba, pero había regresado a un estado de conciencia por el efecto de una presencia muy fuerte. *Sintió que una fuerza se apoderaba de sus brazos, elevándolos para que pudiera recibir.* Le pregunté si me autorizaba a compartir su experiencia en este libro, a lo cual accedió. Inmediatamente después de esta sesión, tuve un paciente para quiropraxia. Me dijo que al día siguiente viajaba a participar en un campamento de su grupo de exploradores (Scouts). Cuando le pregunté a cuál campamento, su respuesta fue "¡al campamento Trinidad!".

Luego de esta experiencia, mis guías comenzaron a orientarme a seguir utilizando la misma pirámide energética, la cual se generó a partir de la energía combinada de mi llama gemela y mi llama facilitadora. Desde entonces he reconocido cómo la fuerza de esta pirámide se utiliza para propósitos de sanación. Me he dado cuenta de que mi frecuencia energética se ha elevado y que la sanación que ofrezco produce resultados más rápidamente que nunca antes en toda mi carrera. Desde entonces, mis guías me han dicho que utilice esta pirámide durante las sesiones de sanación a distancia con mis clientes. Siempre me dirigen cuándo y dónde utilizarla. Ya no veo las caras en la pirámide, sin embargo, estoy segura de que esta energía es generada por mi trinidad las llamas gemelas.

El Espíritu me ha mostrado cómo se produce la energía de la trinidad. Yo soy la cabeza del triángulo y quien canaliza esta fuerza de Dios para aplicarla sobre los clientes según lo que requieran. Es un ejemplo de cómo Dios trabaja a través de las personas. Mi llama gemela a la derecha de la pirámide es mi verdadera llama gemela en forma física; su energía actúa como generador (explicaré esto con mayor detalle en el *Código Clave 10:10*) produciendo la energía masculina de la trinidad. Mi facilitador a la izquierda emana la energía del Espíritu Santo, una expresión femenina del amor de Dios. Esto facilita la parte eléctrica de la llama (la cual también explicaré con más detalle en los *Códigos Clave 8:8 y 10:10*), y también demuestra cómo mi facilitador cubre el déficit dentro de mi unión con mi llama gemela para que todos los componentes estén presentes de manera que pueda llevar a cabo mi misión de llama gemela.

El Número siete se relaciona con los rayos, las virtudes, los arcángeles, los chakras y la misión.

El número siete está directamente relacionado con la misión de las llamas gemelas, y desempeña un papel muy importante en la conexión entre las virtudes celestiales, los Arcángeles (los ángeles de más alta jerarquía), nuestros cuerpos terrenales, y los siete chakras principales. También tiene un papel importante en la Biblia, en la cual es utilizado 735 veces y 54 veces en el libro del Apocalipsis. El número siete representa finalización, totalidad, equilibrio y armonía.

Revelaciones 1:4 (NVI) – *"Juan, a las siete iglesias que están en Asia: Gracia a vosotros y paz, de aquel que es y que era y que ha de venir, y de los siete Espíritus que están delante de su trono"*. Aquí podemos ver la conexión entre los siete *"tronos"* o chakras y los *"siete espíritus"* o rayos de energía espiritual.

Apocalipsis 4: 1-5 (NVI) – Versículo 1: *"Después de estas cosas miré, y he aquí una puerta abierta al cielo: y la primera vez que oí, era como de trompeta que hablaba conmigo, diciendo: sube acá y yo te mostraré las cosas que han de ser después de estas."* Traducción: Después de aclarar los chakras inferiores y liberarse del yo inferior, es tiempo de abrir los chakras superiores y conectar con el yo superior.

Versículo 2: *"Y luego yo fui en Espíritu: y he aquí, un trono que estaba puesto en el cielo y sobre el trono estaba uno sentado"*. 3. *Y el que estaba sentado, era al parecer semejante a una piedra de jaspe y de sardio: y un arco celeste había alrededor del trono, semejante en el aspecto a la esmeralda."* Traducción: El arcoíris emana de los siete tronos inferiores, o chakras.

Versículo 4: *Y alrededor del trono había veinticuatro sillas: y vi sobre las sillas veinticuatro ancianos sentados, vestidos de ropas blancas; y tenían sobre sus cabezas coronas de oro."* La conexión entre los tronos y los chakras del yo inferior (7 chakras), el yo superior (los 5 chakras superiores – creando *"El Sistema de Doce Chakras"*) y el yo cósmico (el *Sistema de 12 Chakras* del yo superior más los 12 chakras del yo cósmico = el *sistema de 24 chakras*).

Versículo 5*: Y del trono salían relámpagos y truenos y voces: y siete lámparas de fuego estaban ardiendo delante del trono, las cuales son los siete Espíritus de Dios".* Las siete lámparas de fuego o chakras se relacionan con los siete espíritus de Dios o rayos de luz, la fuerza espiritual energética que conecta a todas las almas directamente con la Fuente.

Cuando observamos más profundamente el significado del número siete, vemos que nos ayuda a conectar nuestras habilidades intuitivas y nos infunde el deseo de convertirnos en buscadores de la verdad a lo largo de toda nuestra vida, lo cual genera sabiduría. El siete también demuestra la absoluta perfección de Dios. La misión de la unión de las llamas gemelas se relaciona directamente con los siete rayos, las virtudes celestiales, los Arcángeles, y los siete chakras. Esto se debe a que las misiones de las llamas gemelas están distribuidas en siete jerarquías. Los Arcángeles sirven a estos siete rayos de Dios. Estos rayos están impregnados de energía espiritual, la cual fluye a través de nuestros siete tronos o estrellas energéticas – o chakras.

Las siete jerarquías de llamas gemelas o rayos de llamas gemelas

Las siete jerarquías de las llamas gemelas se determinan a través de la frecuencia de la vibración energética de cada par de llamas gemelas. Esta jerarquía se relaciona directamente con los siete rayos, siendo el séptimo rayo el de más alta vibración y el primero el de menor vibración. Debido a que las llamas gemelas emergen de los rayos de luz, es posible que escuches el término "Rayo Llama gemela." Sin embargo, esto es simplemente otro nombre para designar la llama gemela. *Es el rayo de donde encarnan las llamas gemelas el que determina las virtudes celestiales con las cuales han de conectar en esta vida;* y es la virtud que está conectada con su misión. El rayo del cual emergen las llamas gemelas también determina cuál Arcángel ha sido designado para ayudarles con su misión. Como lo mencioné anteriormente, los Maestros Ascendidos también han sido designados para ayudar; sin embargo, por lo general hay más de uno por rayo. Y los rayos también se conectan indirectamente con los chakras.

La Primera jerarquía de rayos de llamas gemelas

El primer rayo está conectado con el rayo azul, el cual posee la frecuencia energética más baja. Su virtud celestial es la Voluntad Divina. Esto significa que las llamas gemelas de este rayo están en el planeta para convertirse en líderes y pioneros. Están acá para crear y proteger. El Arcángel Miguel quien les ayuda directamente con misión. Está asociado con el tercer ojo o chakra del entrecejo, el cual es de color índigo. Está a cargo de proteger a todas las llamas gemelas. Las llamas gemelas del rayo azul por lo general llevan una energía masculina más fuerte y poseen gran determinación. Saben cómo hacer las cosas. Tienden a decir su verdad. Son tenaces, extremadamente competentes, y están acá para adquirir dominio de la Voluntad Divina del Creador. La misión de una unión de rayos azules es dominar estos conceptos individualmente y dentro de su unión.

La segunda jerarquía de rayos de llamas gemelas

El segundo rayo está conectado con el rayo amarillo o dorado. Su virtud es la Sabiduría Divina. Esto quiere decir que todas las llamas gemelas de este rayo están en el planeta para convertirse en eruditos. Están acá para buscar y entender la verdad. El Arcángel Jofiel es quien supervisa al segundo rayo, el cual se asocia con el chakra de la coronilla o chakra violeta. Estas almas gemelas por lo general poseen el equilibrio de las energías femeninas y masculinas. Tienen un temperamento balanceado y siempre buscan entender el conocimiento, la Sabiduría Divina del Creador, para poder compartirlo con otros a partir del amor y la compasión. Su misión es compartir su conocimiento con otros al incrementar su sensibilidad y su intuición, individualmente y dentro de su unión.

La tercera jerarquía de rayos de llama gemelas

El tercer rayo está conectado con el rayo rosa. Su virtud es el Servicio Divino. Las llamas gemelas dentro de esta jerarquía están acá para compartir el amor incondicional, manifestar compasión y servir. El Arcángel Chamuel supervisa al rayo rosa, el cual se asocia con el chakra rosa o chakra del corazón. Estas almas gemelas por lo general llevan más energía femenina; son almas con inmensa paciencia y tienen la capacidad de ser empáticas, sensibles y creativas. Tienen mucha fe y confían en los demás. Su misión es ser guardianes, ayudar a otros a conectar con sus emociones y enseñar a través del ejemplo del Amor Eterno. Poseen habilidades genuinas de cuidado y gran compasión. La misión de las llamas gemelas del rayo rosa es de servicio, por lo general como cuidadores en las áreas de la salud y el bienestar.

La cuarta jerarquía de rayos de llama gemelas

La virtud del cuarto rayo o rayo blanco es la Pureza. Las llamas gemelas en esta jerarquía están acá para compartir la armonía. Esto significa que las llamas gemelas de este rayo están acá para encontrar paz interior y equilibrio en medio de la tormenta, y encontrar equilibrio armónico consigo mismos y con los demás. El arcángel Gabriel supervisa al rayo blanco y se asocia con el chakra del sacro. Estas almas gemelas conectan con su plano emocional energético y esto les ayuda a entregarse con fluidez y gracia. Conectan con sus reinos elevados. Están acá para compartir con otros el equilibrio del Creador. Si eres una llama gemela encarnada de este rayo, tu misión es enseñar a otros el arte de la quietud, cómo SER y cómo conectar con el momento presente, de manera individual y dentro de la unión.

La quinta jerarquía de rayos de llamas gemelas

La virtud del quinto rayo es la Sanación Divina y es de color esmeralda o naranja. Las llamas gemelas de esta jerarquía están acá para compartir sus regalos de sanación espiritual con otros. El Arcángel Rafael es el supervisor del rayo esmeralda y se asocia con el chakra del plexo solar. Estas almas gemelas se conectan con su cuerpo mental y buscan enseñar a otros el arte de ser humanos sanos — cuerpo, mente y alma. Estas almas gemelas son pensadores lógicos y por lo general se convierten en médicos, enfermeros o científicos. La misión de las llamas gemelas del rayo esmeralda es dominar estos conceptos de sanación tanto individualmente como dentro de su unión.

La sexta jerarquía de rayos de llamas gemelas

La virtud del sexto rayo es la Paz, y es de color rubí o púrpura. Las llamas gemelas de esta jerarquía han regresado para compartir la energía femenina del Universo. Al final se alinean con su yo superior. Se conectan con la conciencia Crística y comparten una conexión bondadosa con otros. Esto significa que las llamas gemelas de este rayo están en el planeta para ayudar a diseminar la fuerza interior. El Arcángel Uriel es el supervisor del rayo rubí o púrpura y se asocia con el chakra de la raíz. Estas almas gemelas se conectan con el plano espiritual. Si eres una llama gemela encarnada con esta virtud, tu misión es ser gentil y compartir tu deseo de ternura, paz y tranquilidad. Estas almas gemelas tienen una gran influencia sobre otros. La misión de estas llamas gemelas es dominar estos conceptos tanto individualmente como dentro de su unión.

La séptima jerarquía de rayos de llamas gemelas

El séptimo rayo está conectado con el rayo violeta. Estos rayos de llamas gemelas poseen la frecuencia energética más alta. La menor cantidad de almas gemelas encarnan de este rayo. Se requiere la maestría de muchas lecciones y virtudes antes de poder llegar a este nivel de dominio personal. Su virtud Divina es la Libertad. Esto significa que las llamas gemelas de este rayo están en el planeta para obtener redención y justicia. Están acá para rectificar el dolor y el sufrimiento pasado. Enseñan a otros a perdonarse a sí mismos por las decisiones erradas y a perdonar a otros. El Arcángel Zadkiel es el Arcángel directo y se asocia con el chakra de la garganta. Las llamas gemelas del rayo violeta buscan equilibrar sus energías masculinas y femeninas. St. Germain es la cabeza del rayo violeta; debido a su alta frecuencia, comparte *"El Regalo"* de la Llama Violeta para la transmutación a fin de ayudar a limpiar energías tóxicas y reciclarlas de vuelta a la luz del Creador en forma de energía positiva.

Encarnamos de diferentes rayos a lo largo de múltiples vidas con la intención de aprender diferentes virtudes durante la evolución del alma. Es posible identificarse con las características y tener la impresión de estar conectado con varios rayos. Sin embargo, siempre tendrás una mayor conexión con un rayo y es la razón por la cuál encarnaste en esta vida. Por ejemplo, mi llama gemela y yo somos sanadores, y ambos tenemos una gran conexión con el rayo esmeralda. Sin embargo, como hemos sido sanadores en muchas vidas, es algo que se nos facilita. Por tanto, esto quiere decir que ya hemos dominado esa virtud. Sin embargo, sé que en esta vida fui enviada para rectificar injusticias de una vida pasada. Pasé gran parte de esta vida sintiéndome atrapada y bloqueada. No fue sino hasta cuando pude librarme de mis patrones kármicos que comencé a sentirme libre. Cuando estaba preparándome para mi certificación como *coach* de transformación personal, hice regresiones a vidas pasadas, y descubrí una vida en particular que tenía un significado importante y me ayudó a identificar mi propósito en esta vida. Habiendo descubierto mi propósito o virtud, pude darme cuenta de cómo era que esa vida pasada no me dejaba avanzar. Cuando descubrí aquella vida comencé a escribir el libro *"Personal Freedom Unleashed" (*Libertad Personal sin Ataduras).

Unos dos años después, mi llama gemela y yo tuvimos un par de encuentros que dieron pie para que iniciara el camino del viajero. Sin mayor esfuerzo consciente, viajé atrás en el tiempo a través de una serie de imágenes y sueños que me indujeron a indagar en profundidad. Se me iban revelando las respuestas al porqué de las experiencias tan limitantes por las que había tenido que pasar en esta vida. Pude conectar más profundamente con aquella vida pasada, y descubrí más detalles que revelaban porqué me había pasado toda esta vida buscando la libertad personal. Terminé de atar cabos cuando St. Germain le pasó la llama violeta a mi llama gemela, quién a su vez me la pasó a mí al día siguiente durante la sesión de sanación de él para mi. Fue entonces cuando investigué en profundidad al Conde y descubrí que su virtud era la Libertad; la virtud de su llama gemela, Lady Portia, es la Justicia. Esto me ayudó a comprender mejor mi misión Divina y a entablar una relación con St. Germain. Con el tiempo, descubrí que él era la cabeza de mi consejo Divino y comencé a comunicarme directamente con él. Debemos mantenernos abiertos para poder identificar la presencia de una fuerza energética específica. Esto se logra luego de tener varios encuentros, hasta que logramos cuál nos identificar al Maestro Ascendido o Arcángel que está presente durante nuestra comunicación directa con estas entidades Divinas.

Bajo la dirección de St. Germain hago lecturas de rayos llama gemelas para clientes de todas partes del mundo. Ubico su unión en un mapa del globo donde voy creando una red. Al ubicar estos puntos energéticos en el mapa es posible potenciar la energía de cada alma gemela y anclarla a medida que trasciende por el proceso de Ascensión. Al unificarnos colectivamente se elevará la vibración energética del planeta. A medida que las llamas gemelas se unifican, esta energía continuará amplificándose, enviando señales de amor de mayor vibración de vuelta al Universo. Al ayudar a las llamas gemelas a identificar de cuál rayo energético encarnaron y quienes son sus guías directos, podrán encontrar la relación entre su Virtud Divina y su misión Divina, lo cual les ayudará a acelerar su proceso de unión. Así, la misión del movimiento planetario podrá ocurrir más rápidamente.

Canalización de un mensaje de St. Germain para todas las llamas gemelas:

Amados míos:

Yo St. Germain, jefe de la Era de Acuario y líder de todos los rayos, represento la transmutación y la Alquimia de todos los rayos, y a las llamas gemelas desde el presente y durante la Era de Acuario. Mi deseo para ustedes y para todas las llamas gemelas de esta era es que sean los líderes de los trabajadores de la luz y puedan lograr su propia maestría y luego la maestría de su misión Divina. Les pido que confíen en su intuición y liberen las experiencias kármicas del pasado, las cuales los han mantenido atados hasta ahora. Al liberar estas experiencias negativas del pasado y activar sus dones espirituales accederán al "Código Clave" para que puedan amarse a sí mismos al igual que a su llama gemela de manera incondicional. Este proceso les enseñará a confiar en su propia intuición y seguir la guía Divina de manera que puedan continuar activando su nivel de conciencia superior y así facilitar la evolución de sus almas gemelas. Esto es importante para que puedan cumplir con sus pactos kármicos mutuos y luego participar en la misión planetaria en calidad de trabajadores de la luz activos a fin de que otros puedan seguir su ejemplo. Por favor liberen las dudas y los miedos del pasado. Esto es una parte necesaria de la transformación de sus almas y acrecentará su sensibilidad. Tendrán que dominar esta habilidad para que puedan reconocer sus propias necesidades y las de los demás, y así generar compasión en toda la humanidad. Practiquen la meditación de la Llama Violeta para que mantenerse protegidos y proteger su misión. Si hacen esto con regularidad descubrirán los "Códigos Clave" de su misión conjunta. Esto los llevará a descubrir las herramientas necesarias que deberán adoptar a medida que purifican su alma para prepararse para la unión. La constancia es la "Clave" para el "despertar espiritual" total y la alineación requerida para poder conectar con sus Maestros Ascendidos y el Arcángel asignado a su rayo, quienes serán sus guías directos durante este proceso. Adicionalmente, por favor invoquen a la llama Violeta cada vez que necesiten sanación y protección para su alma durante su proceso de Ascensión, así como también la conexión con sus almas gemelas. Visualicen la flor de loto que representa el crecimiento de la unión. La he ubicado dentro de un campo energético unificado piramidal el cual reflejará la frecuencia armónica de energía que ha de vibrar igual para todas las almas gemelas. Esto creará la señal del llamado para que cada uno de ustedes eleve su vibración individual y abra el camino para que su llama gemela pueda seguirlos, elevando la vibración de ambos. Quisiera recordarles que lo único que necesitan para cumplir su misión está codificado en el ADN de sus almas, y que podrán lograrlo. Saldrán victoriosos, pero cuando se sientan desfallecer, llamen al Arcángel Miguel para que les dé fuerza y él les ayudará a mantenerse fuertes. Es mi bendición que tú y tu llama gemela brillen más allá del Universo no sólo al cumplir su misión Divina sino al volver a ser uno. Y que así sea.

Mucho Amor y Bendiciones de
St. Germain y mi llama gemela Lady Portia

El regreso y la misión de todas las llamas gemelas

Hoy más que nunca en toda la historia de los tiempos hay más llamas gemelas, o *"Los Elegidos",* regresando para cumplir con su acuerdo, cual es el de ayudar a restablecer la conciencia Crística en nuestro mundo. Han accedido no sólo a resolver su propio karma, sino también ayudar a limpiar los patrones kármicos del Universo. *Su propósito en esta unión masiva, la cual inició en 2012 y continuará hasta 2027, en alineación con "La Era de Acuario" es prevenir nuevamente la autodestrucción de nuestro planeta.* Las llamas gemelas han escogido ser facilitadoras de lo que el hombre llama hoy la segunda venida de Cristo. Se les han asignado las mismas cargas de pobreza, dificultad, limitaciones, dolor y sufrimiento y se han sacrificado como el Cristo al llevar sobre sí los pecados del mundo. *Las llamas gemelas llevan las mismas cargas representadas por la corona de espinas.* Es el mismo acto de amor incondicional lo que hará que se eleve la vibración energética del planeta de manera que juntos podamos reestablecer el cielo en la tierra – regresando a una vibración de amor incondicional que producirá paz y felicidad para toda la humanidad.

Ahora examinaremos en el *Código Clave 3:3* la importancia de identificar y liberarse de pactos kármicos, contratos y apegos negativos. Las formas anticuadas y los sistemas de creencias adquiridos nos limitan, no sólo en nuestra vida personal, sino también en la unión con nuestra llama gemela. ¡Entonces miremos qué es lo que necesitamos dejar atrás para poder seguir avanzando y así encontrar nuestro camino a casa!

CÓDIGO CLAVE 3:3

Descubre porqué debes romper

los pactos kármicos

"Aún después de identificar y deshacer nuestros patrones kármicos, quedarán unos remanentes que debemos integrar y procesar para crear una conciencia más elevada, la cual nos dará mayor claridad en nuestro progreso espiritual futuro".

– Dr. Harmony

MUCHOS DE USTEDES HABRÁN ESCUCHADO la expresión *"oscura noche del alma"*. Es una época en la vida que nos obliga a experimentar lo que parecería una época negativa o un período oscuro. Sin embargo, el paso por este infierno es una parte necesaria del camino de las llamas gemelas. Debemos enfrentar nuestros miedos. Es algo que trae a la conciencia aquello que ya no tiene propósito en nuestras vidas – las cosas que nos mantienen estancados y no nos dejan expresar nuestro máximo potencial. Ese reconocimiento produce una purga kármica de todas las emociones, experiencias y personas negativas. Nos obliga a crecer a través de retos muy intensos y circunstancias que nos lleva a experimentar a la fuerza la insatisfacción con nuestras formas antiguas de ser. A medida que surgen estos eventos negativos y nuestra conciencia se agudiza, comenzamos a reconocerlos y a limpiarlos. Se conocen también como karma o patrones kármicos. A medida que rompemos estos patrones kármicos y liberamos los remanentes, vamos avanzando en busca de la felicidad y la paz interior. Nuestra alma sale a buscar la liberación personal, como algo necesario para encontrar nuestro camino de regreso a casa.

Como lo hizo Jesús, todas las llamas gemelas pactaron llevar sobre sí los patrones kármicos del mundo. Esto hace parte del acuerdo que hicieron en ese momento de la evolución de sus almas. Aceptaron la tarea de ayudar al mundo a liberarse de los patrones kármicos pasados que han causado demasiado trauma al alma y que se crearon en generaciones pasadas de autodestrucción. Es imperativo identificar y reconocer estos contratos, al igual que los votos hechos en esta vida. Este proceso ayuda a romper estos votos kármicos y soltar el apego a estas energías negativas. A través de mi trabajo con llamas gemelas, he identificado un hilo en común en los pactos kármicos en los cuales se hicieron votos de pobreza, dificultad, dolor y sufrimiento.

He ayudado a muchas llamas gemelas no sólo a identificar sus votos kármicos pasados, sino también a cortar esas cuerdas energéticas a las cuales están atadas subconscientemente en el pasado y en el presente, y en todos los contratos futuros y todas las dimensiones energéticas. He descubierto que esto acelera exponencialmente el proceso de transformación a medida que las almas gemelas avanzan por su *"despertar espiritual"*. *Es decir, que se las obliga a experimentar el "llamado a despertar" – un deseo de salir de la oscuridad y conectar con la conciencia superior.*

Es muy importante saber que, si una o ambas llamas gemelas están en una relación en el momento en que entran en contacto físico, los pactos kármicos con la pareja deben completarse antes de poder llegar a su unión de llamas gemelas.

Soltando se libera el karma

¿Has sentido un bloqueo — no solamente dentro de tu relación con tu llama gemela sino en todas las áreas de tu vida? Debido a que las llamas gemelas tienen mucho karma por limpiar, podrían sentir como si se estuvieran repitiendo patrones continuamente. Esto se debe a que sólo pueden procesar cierta cantidad de memoria energética conscientemente. A veces, subconscientemente se aferran por miedo a soltar. El proceso, entonces, es de extracción, a medida que el alma libera las capas profundas de toxinas energéticas. El proceso de soltar se debe repetir debido a las múltiples vidas de miedos, dudas y condicionamiento. Cada capa trae a la superficie pensamientos, sentimientos y emociones cada vez más profundos, a fin de que se puedan liberar, creando así un estado más elevado de conciencia a medida que procede el tránsito por las profundidades. Por tanto, debes prepararte para que el regreso a casa te exija un movimiento continuo.

Es importante liberar los votos kármicos de dolor, sufrimiento, pobreza, dificultad y demás, para poder acceder a la libertad personal. Esto incluye los votos pasados, presentes y futuros que hemos hecho en todas las vidas y en todas las dimensiones. *Cuando hayamos identificado y roto los patrones kármicos, todavía quedarán remanentes que hay que integrar y procesar al ir creando más conciencia, la cual nos dará mayor claridad para el progreso espiritual futuro.* Es imperativo soltar las ataduras kármicas que nos han mantenido cautivos en nuestras circunstancias, a fin de poder encontrar el camino a casa.

La liberación de mi propio karma

En muchos de mis primeros recuerdos de infancia me veo intentando procesar y entender mis emociones y el porqué la gente juzgaba a los demás. No podía comprender porqué eran tan obstinadas las personas y creían que su forma de pensar era la única y correcta. Crecí en un hogar con creencias religiosas arraigadas; mis padres, quienes siempre han sido amorosos y me han apoyado en todo momento, participan activamente en la comunidad religiosa. No obstante, cuando era niña, sentía que no me aceptaban como era, fiel a la que yo sentía era mi verdad. Me sentía juzgada por maquillarme, ponerme joyas o ver ciertos programas de televisión. En una época me prohibían ir al cine, abrirme huecos en las orejas, o ver televisión el viernes por la noche, porque había que respetar el Sabbat. Debía obedecer unas reglas que no resonaban con mi verdad interior, y me sentía muy limitada. No eran limitaciones internas; deseaba poder pensar diferente.

Estas experiencias tempranas desataron mi batalla interna de autocrítica y juicios extremos, poniéndome en el camino del perfeccionismo y la superación. Intentaba satisfacer las expectativas de otros y las mías propias. Esto me llevó a no sentirme lo suficientemente buena, lo cual me ha tomado toda una vida cambiar. Mientras trataba de romper estos patrones, recordé las muertes inesperadas de mi primo y mi tío en un accidente de aviación ocurrido en 1977, y aprendí la importancia de vivir una vida sin remordimientos. Era como si una película interminable rodara en mi mente, recordándome que mi tío siempre iba a tomarse unas vacaciones, construir su casa de ensueño y comenzar a cortejar, pero ninguna de esas cosas ocurrió jamás. Nunca tuvo la oportunidad de detenerse a disfrutar el aroma de las rosas. Fue para mi un golpe muy duro reconocer que también yo estaba viviendo la vida de la esa manera. Este fue el momento que definió mi propio camino espiritual. Sin embargo, la batalla interna parecía algo de nunca acabar, y continuaba teniendo karma para liberar.

La mayor parte de mi vida he tenido una fuerte personalidad obsesiva, la cual equivale a la capacidad de "ejecutar" exitosamente. Me gradué de la escuela quiropráctica con honores, construí un negocio que me generaba ingresos de seis dígitos, tuve un magnífico automóvil, y llegué a tener la que parecía ser la vida del gran sueño americano. Pero siempre estaba triste, exhausta, estresada, abrumada. Sentía que se formaba un hoyo negro en mi interior y que nada lo podía llenar. ¿Te suena familiar? Sentía como si le hubiera vendido mi alma al diablo.

Algunos años más tarde se presentaron otros retos. Me divorcié. Mi sociedad de negocios fracasó, cambié 12 años de ejercicio profesional por un montón de problemas financieros. Después de recoger los pedazos, inicié otra sociedad con una nueva pareja. Cuando nuestros sueños se desvanecieron y terminamos nuestra relación, vendimos el negocio. Todo esto sucedía al mismo tiempo que continuaba con mi consultorio privado, lo cual significaba que debí manejar dos negocios durante algunos años. Cuando por fin desperté y me di cuenta del tormento absurdo al que yo misma me estaba sometiendo, comencé a desear un cambio de piel y poder soltar todo lo más rápido posible. ¡Finalmente logré mi cometido y llegar a la meta, sólo para descubrir que tenía cáncer de útero! ¡Por fin comprendí! O al menos así lo creí en esa época.

La importancia de salir de tu propia circunstancia – El reto de los 100 días de sonrisas

Algunos años atrás me di cuenta de que estaba repitiendo los mismos patrones de nuevo, toqué fondo y reconocí que nuevamente estaba pasando por *"la oscura noche del alma"*, sólo que esta vez era aún más oscura y más profunda. Sin embargo, me di cuenta de que algo sucedía cada vez que salía a correr con mi perro Champ, mi *"compinche espiritual"* y un alma compañera muy cercana. El es un imán energético; siempre logra arrancarle sonrisas a la gente, ¡este perro que siendo un Staffordshire Bull Terrier de linaje inglés debería infundir miedo! Pero no, la gente siempre pregunta qué tipo de perro es y a menudo provocaba comentarios como *"Qué perro más guapo".* En medio de la infelicidad de ese momento, decidí experimentar con salir de mis emociones tristes y, al igual que Champ, ejercer un efecto positivo en otros seres humanos. Correr con Champ se volvió algo tan gratificante que comencé a sonreír en mi interior. Pero me preguntaba porqué estaba teniendo que aprender estas lecciones de vida nuevamente, si parecían tan sencillas en la superficie. Era como si estuviera soltando las mismas lecciones por enésima vez. Entonces, al igual que Champ, quien despedazaba su cobija en el proceso de enterrar los huesos (soltar), mi cobija estaba despedazada. Comenzaba a comprender que se trataba de patrones kármicos subconscientes muy profundos que debía excavar hasta la época de los dinosaurios, en otras vidas. Estos recuerdos antiguos resurgían para que pudiera tomar conciencia de los cambios que debía efectuar a fin de poder soltar los patrones antiguos en los cuales seguía anclada. Ya no era la niña pequeña siendo juzgada brutalmente. Parecía como si todo eso hubiera durado una eternidad, pero finalmente comenzaba a soltar a aquellas cosas que ya no tenían un propósito elevado en mi vida.

Por esa época y en respuesta al magnetismo de Champ, se me ocurrió la idea de comenzar el reto de los 100 días de sonrisas. Quería que la gente dejara de juzgar a mi perro por su raza y sabía que ese reto ayudaría a hacer ese deseo realidad. Nos pusimos la meta de correr 100 días seguidos. Cuando alguien lo mirara y sonriera, nos dirigiríamos a esa persona para darle una explicación didáctica sobre esa raza y luego pondría la foto de la persona con Champ en su página de redes sociales. ¡Ni siquiera en sueños me hubiera podido imaginar el impacto que esta labor tendría en el mundo entero! En poco tiempo nuestro reto de las sonrisas lo estaban compartiendo siete de las revistas caninas más del mundo. De la noche a la mañana, Champ Avalon, mi bebé peludo de 17 kilos, se convirtió en superestrella gracias a la sonrisa. Puso a sonreír a todas las personas del mundo que siguieron el reto. Hoy en día todavía no salgo de mi asombro de ver cómo la semilla de una idea y un gesto tan sencillo como hacer sonreír a otra persona pudo crear tanta conciencia hacia la raza temida — y cambiar mi vida en el proceso.

Comencé a darme cuenta de que aún tenía mucho por aprender de este perro. Eso me llevo hacia otra misión, generando una pasión que nunca hubiera soñado. Comencé a leer historias de perros sometidos a eutanasia sólo en razón de su raza. Esa conducta me pareció similar a la forma como los seres humanos se juzgan los unos a los otros, provocando discriminación y división en la sociedad. La historia de Lennox, en Irlanda, al cual durmieron por parecerse a un Pit Bull, me hizo estremecer. Supe que quería educar a la gente y convertirme en vocera de estas criaturas inocentes que no son sino el reflejo de la Divinidad y demuestran las características crísticas de la humanidad – lo mismo que las llamas gemelas.

Este proceso me inspiró tanto que me decidí fundar *"Global Paws for Peace"* ("Patas Globales para la Paz*)*, una organización dedicada a crear unidad entre las razas. Sí, podría decirse que vivo mi misión a la altura de mi apodo: *"¡Madre Teresa de los Canes!"*. Fue a través de esta misión que también desarrollé una conexión con una vida pasada en Inglaterra, la cual había girado alrededor del juicio. Al traerla a la conciencia y comprender, pude liberar el juicio y deshacer las barreras que había creado. El hecho de establecer las conexiones con tantas personas en el mundo entero y, en particular, con los seguidores de Champ en el Reino Unido, me ayudó a identificar y darme cuenta de que parte de mi contrato como llama gemela era venir acá para rectificar los juicios a partir de un deseo ardiente de crear libertad y justicia. Tenía que convertirme en la voz de estas criaturas. Esa experiencia no solo me sirvió para cerrar el ciclo de esa vida pasada en Inglaterra en la cual fui la perseguida, sino que también me ayudó con mi conexión con St. Germain y Lady Portia — representantes de las virtudes de libertad y justicia.

¿Por qué juzgan los humanos? — Una encuesta

Una de mis citas favoritas de mi mentor, el difunto Dr. Wayne Dyer, es *"Cuando juzgas a otro, no lo estás definiendo, te estás definiendo a ti mismo"*. Sabemos que la gente juzga, pero ¿por qué? Esta es la pregunta que he pasado la mayor parte de mi vida tratando de responder ya que, como lo he dicho antes, me ha tomado muchos años soltar la actitud de juicio hacia mí misma y las expectativas autoimpuestas. Podrás adivinar que no podía dejar pasar esta pregunta sin encontrar respuesta, así que comencé una encuesta. La hice no sólo en la página de Facebook de Champ, sino también en la mía. Quería escucharlo directamente de la boca de aquellos suficientemente interesados como para querer responder. ¡Hubo 101 respuestas! Aquí están las cinco razones principales que la gente dio sobre su inclinación hacia las opiniones sesgadas:

1. Sistemas de creencias – condicionamiento y lo que les enseñaron.
2. Ego – la necesidad de tener la razón y tener el control.
3. Miedo – Miedo a soltar y miedo al cambio.
4. Protección – Erigir paredes para poderse defender.
5. Rencores – La incapacidad de perdonar.

Trabajando con llamas gemelas descubrí que estos son también los cinco principales patrones de acción que impiden que las llamas gemelas logren la liberación personal, lo que a su vez las bloquea energéticamente en la unión con su gemela. Exploremos entonces el peso de estos juicios que hacen nuestra vida tan pesada. Intentemos tener una mejor comprensión de cada uno de ellos para poder enterrarlos y soltarlos. Veamos qué tesoros emocionantes podremos descubrir — al igual que Champ, quien siempre se emociona cuando encuentra en su cobija un hueso que había enterrado y olvidado.

Soltando los anticuados sistemas de creencias

Me ha tomado la mayor parte de mi vida reconocer que yo no soy los miedos de mi madre, como tampoco las creencias de mi padre. Como lo mencioné anteriormente, los patrones antiguos de pensamiento y los prejuicios tienden a transmitirse de generación en generación. Estos pensamientos están profundamente anclados en la memoria subconsciente. La *"Clave"* está en entender nuestros pensamientos y patrones de acción, tomar conciencia de nuestros sistemas de creencias, aprender a aceptarlos, y dejarlos ir ya que ya no están al servicio de nuestro yo superior. Al liberar estas formas anticuadas de pensar, podemos comenzar a pensar por nosotros mismos. Yo soy la acumulación de mi propio conocimiento, experiencia, sabiduría y entendimiento. Así como Champ, este es el tesoro que descubrí cuando dejé de lado las opiniones, pensamientos y energías que otras personas me habían impuesto. Esto me ayudó a crear el espacio para descubrir mi propio y exclusivo sistema de creencias – mi propia identidad, por así decirlo.

A veces puede ser necesario volver al pasado para resolver el conflicto que nos impide lograr nuestro máximo potencial. *Nuestras experiencias pasadas se vuelven una acumulación de impresiones que no sólo están guardadas en la memoria subconsciente y en las células de nuestro cuerpo mental, físico, espiritual, emocional, energético y etérico, sino que también nos llevan hacia atrás a nuestro nacimiento y vidas pasadas.* Soltar las antiguas costumbres es una manera amorosa de limpiar y desintoxicar la mente, el cuerpo y el espíritu. Durante mis años como quiropráctica holística y coach transformacional, a menudo he comparado esta experiencia de limpieza con la limpieza del ropero, cuando nos deshacemos de todo lo que ya no nos luce bien. Cuando hemos decidido lo que realmente nos gusta, es más fácil desechar lo que ya no necesitamos. Soltar lo que ya no tiene propósito se vuelve un proceso de purificación a un nivel muy profundo. El nuevo espacio que abrimos nos permite ver nuestra vida desde una perspectiva donde todo es más liviano y luminoso, ya que el espacio que limpiamos nos permite ver mejor. Nos proporciona la claridad para afirmar una nueva forma de pensar; para crear hábitos más sanos que traen consigo una sensación de alegría y felicidad.

Liberando el ego

Para poder liberar el ego, primero debemos comprender que el ego es un sentido falso de la realidad, una ilusión falsa de lo que creemos ser. Es esa voz de la mente que nos habla, diciéndonos lo que cree que deberíamos tener en esta vida y cómo debemos definir lo que somos. *"Lo que somos",* es decir, el auto que conducimos (como el que yo tenía mientras me despedazaba emocionalmente), la ropa que usamos, la casa en que vivimos, o la apariencia física de nuestro cuerpo. La definición específica es diferente para cada quien, dependiendo de su experiencia individual y los patrones de creencias inculcados. El ego es el producto del mundo exterior y de la sociedad en la que vivimos. Un ego sano es aquel que nos permite maniobrar diariamente en el mundo físico. No nacimos con un ego fuera de control, pero desarrollamos este "yo inferior", el cual se identifica con lo que deseamos.

Todos hemos escuchado el dicho, *"Yo, yo y yo."* Me gusta interpretarlo de esta manera: Yo, mi cuerpo físico. Ese Yo, es el centro de control de la mente que puede convertirse en el *"Sabelotodo"* si lo dejamos. A medida que el centro "Yo" se desarrolla en el tiempo, se convierte en el origen de esa motivación interna de desear tener la razón — junto con el perfeccionismo, la competitividad, y todas las demás expectativas que nos imponemos. A medida que el ego crece, puede volverse hambriento, codicioso y egoísta. Cuanto más alimentamos al ego, ¡más influencia adquiere sobre las decisiones que tomamos en la vida! Al ego le gusta tener el control y saber que sólo "yo" soy el artífice de mis actos, mis logros y mi éxito. El otro *"yo"*, el ser espiritual, por el otro lado, sabe que estás acá con un propósito más elevado. Ese *"Yo"*, sabe que todo sucede por una razón; que, si escogemos trascender al ego y abandonarnos a ese poder que es más grande que nosotros, y si aceptamos la ayuda de la inteligencia Universal, nuestro camino por la vida se hace más fácil. Esta batalla del ser egóico (inferior) y el *"Yo"* (superior) puede crear caos – una batalla interna que crea conmoción en las emociones, los pensamientos, los sentimientos y las decisiones. Esta guerra puede causar parálisis, impidiéndonos avanzar hacia nuestros sueños y aspiraciones o aceptar los tesoros que se nos presentan, porque pueden venir disfrazados, y nuestro "yo" mental no los puede ver.

Debemos volvernos lo suficientemente conscientes para que nuestro Ser espiritual gane y emerja de entre las capas del "yo" inferior. Cuando permitimos este proceso, comenzamos a darnos cuenta de que los tesoros que hemos de descubrir pueden venir por medios muy diferentes de los que originalmente habíamos pedido; y así sean exactamente lo que pedimos, no podremos reconocerlos hasta tanto hayamos dejado ir el pasado. El espacio que creamos al soltar le permite a nuestra alma expandirse, lo cual crea la claridad necesaria para poder ver el camino hacia nuestro destino. Para hallar nuestro camino a casa, es crucial seguir este proceso y conectarnos con nuestro yo superior. Con el tiempo, este proceso nos permite dominar al ego. Muchas veces pedimos lo que deseamos en la vida, pero no lo recibimos. En realidad, podríamos estar recibiendo precisamente lo que pedimos, pero debemos aprender a buscar más a fondo y dejar ir las capas profundas a fin de reconocerlo.

¿Cómo trascender el ego?

¿Cómo podemos trascender el ego, conectar con nuestro yo superior, nuestro ser espiritual, y comenzar a vivir desde un lugar de orden Divino y aceptación de los tesoros escondidos que deseamos descubrir? A continuación les dejo mis sugerencias:

- Intentemos abordar las situaciones conflictivas desde un lugar de paz. Intentemos trascender las circunstancias y observarlas desde el punto de vista del otro.
- Intentemos ponernos en el lugar del otro. Quizás esa persona solo esté teniendo un mal día.
- Dejemos atrás la idea de que todo es personal o que los encuentros conflictivos son un ataque personal. Como ya habremos escuchado antes, aunque el ego nos quiera hacer creer lo contrario, ¡"no todo se trata de ti"!
- Prometámonos eliminar la competencia de nuestras vidas. ¿Te parece imposible? La vida no es una

carrera y no ganamos cuando llegamos a la meta. Es más importante tener interacciones significativas con las personas y a veces tener la gracia de permitirle al otro tener la razón, aunque no la tenga.

- Demos un paso atrás cuando estemos en situaciones difíciles y reservémonos nuestras opiniones. La verdad es que no ganamos nada tratando de probar que tenemos la razón.
- Intentemos eliminar de nuestros pensamientos la necesidad de superioridad. La necesidad de ser mejor que otros no le sirve a nadie; a los ojos de la Divinidad, todos venimos del mismo lugar y somos iguales. Intentar ser mejores que alguien más lo único que hace es alejarnos de esa otra persona y desconectarnos de lo que somos realmente — Seres espiritual.
- Finalmente, intentemos vencer la necesidad de alcanzar grandes logros originados en el deseo y la codicia, lo cual nos aleja de nuestra alineación y propósito. Las cosas que nos llevan a desconectarnos de la capacidad de mirar hacia adentro y descubrir nuestro auténtico ser, por lo general no son para nuestro más alto bien.

Dejar el miedo atrás

¿Qué significa dejar el miedo interno atrás y caminar con seguridad por el mundo? Si le preguntas a muchas personas cuál es su mayor miedo, en el primer lugar de la lista estará el miedo al cambio. No siempre nos gustan nuestras circunstancias. Sin embargo, no siempre estamos dispuestos a cambiar, porque nos da mucho miedo tener que soltar lo que nuestro ego desea a cambio de lo que nuestra alma sabe que quiere y necesita. Soltar el miedo no es más que la decisión de abandonar la ilusión creada por el ego y eso es algo que a muchas almas les cuesta trabajo. *Así que déjame repetirlo: soltar el miedo no es más que la decisión de abandonar la ilusión creada por el ego.*

Al ego le gusta hacernos creer que nos esperan cosas malas, de modo que nos mantiene atados a resultados que ni siquiera han ocurrido. Cuando intentamos soltar el miedo, el ego nos hace caer de nuevo en patrones antiguos. Cuando permitimos que el miedo y el ego se apoderen de nuestras vidas, escuchamos las voces que nos mienten diciendo, por ejemplo, que somos inferiores, no merecemos, no somos lo suficientemente buenos. Recuerdo lo que mi abuela me decía cuando yo era niña: "No busques problemas prestados". Hoy entiendo perfectamente el significado de su mensaje.

¿Estás estancado y listo para dejar atrás tu pasado?

La mayor parte de la gente le tiene miedo a lo desconocido, a todo lo que podría suceder: *qué tal si esto o aquello o lo de más allá.* Esto nos impide tomar la decisión de optar por algo diferente. A menudo nos encontramos estancados porque nos empeñamos en buscar fuera de nosotros las circunstancias que pensamos nos están impidiendo avanzar, en vez de asumir la responsabilidad por nuestras propias decisiones. Recientemente sentí cómo el miedo volvía a mi mente, recordándome de nuevo que soltar es progreso, no perfección. Tuve que tomar la decisión de escribir un libro el año pasado. Tenía un par de opciones. La una era segura y confortable, ¡pero la otra suponía más riesgo e implicaba completar cuatro meses de trabajo en cuatro semanas! Mi primer instinto fue no someterme a la presión — pero no tarde mucho tiempo en darme cuenta de que el miedo era un factor en esta situación. No se trataba de la presión sino de cómo manejarla. Podía hacerlo de manera estresante y seguir ejerciendo bajo el yo inferior y los hábitos antiguos, o podía escoger pasar por encima de la ansiedad y reconocer que eso implicaba un trabajo interno del cual iba a aprender algo. Cuando le pedí consejo a mi llama gemela, me recordó que era necesario meditar sobre la decisión y adentrarme en mi interior para encontrar lo que resonaba en mi alma. Lo hice inmediatamente, y al cabo de quince minutos obtuve mi respuesta. Me di cuenta de que la manera como iba a manejar el proyecto era mi decisión. Podía dejar que el miedo controlara mi decisión o podía cambiar mi percepción y darme cuenta de que había que hacer trabajo interno para vencer la ansiedad y encontrar paz en la situación. Me parecía escuchar la voz de Wayne Dyer diciendo, *"No te apegues al resultado. Haz lo que viniste a hacer y el resto sucederá por sí solo".* Lo que esta experiencia me dejó fue saber que podía seguir adelante en paz. Nuestras experiencias no son más que la percepción que escogemos tener.

Aferrarse al miedo por lo que no tenemos o por lo que nos pueda suceder, produce reacciones físicas en el cuerpo — como si aquello a lo que le tenemos miedo ya hubiera sucedido. Esto nos mantiene viviendo en un lugar de incertidumbre. Crea un sentido de escasés en nuestra mente que puede traducirse en la sensación de que algo nos falta en la vida. Identifica tus miedos para que puedas enfrentarlos. Traduce su significado y observa lo que podría estar faltando dentro de ti que pueda ser la causa original del miedo. El miedo en la mente se vuelve real en el cuerpo, creando una parálisis no solamente en ti sino también en la vida que intentas llevar. Además, eso sólo genera propensión a la enfermedad.

Bajar la guardia y la necesidad de protegerse

A menudo erigimos paredes para evitar el conflicto. Un buen ejemplo es la noción de que cuando debemos confrontar a alguien respecto de alguna situación con la cual no estamos de acuerdo, nos convencemos automáticamente de la inminencia del conflicto. En realidad, si aprendemos a abordar la misma situación con la idea de que no habrá conflicto, por lo general podemos disolverla. A veces nos han hecho daño una y otra vez; nos da miedo volver a conectar con la persona o la situación que nos hirió. Comenzamos a proteger nuestras emociones. Erigimos paredes y nos bloqueamos emocionalmente de la oportunidad de recibir los tesoros que la Divinidad tiene para nosotros. Para poder avanzar es necesario sanar de adentro hacia afuera. A veces las emociones pueden ser demasiado dolorosas para manejarlas todas a la vez, y debemos alejarnos de la situación y procesar la información que nos ayuda a obtener claridad. Al tomar conciencia de nuestra costumbre de *"escudarnos"*, podemos dar el primer paso hacia la recuperación y comenzar a transitar por el camino del autodescubrimiento, abriendo puertas hacia nuevas oportunidades. Aprender a dar un paso a la vez nos lleva hacia una vida de paz y felicidad.

Este proceso nos enseña a confiar en nuestras nuevas decisiones y en nosotros mismos, para que podamos aprender cuándo y cómo pararnos firmes y poner los límites adecuados. Sentimos mayor confianza al enunciar nuestra verdad sin dejar que los otros nos roben nuestro poder y fuerza interior. Aprendemos a escoger nuestras batallas sabia y cuidadosamente. Aprendemos a que podemos evitar dichas batallas y alejarnos. Aprendemos que aferrarse al conflicto únicamente nos quita paz y felicidad.

Dejar atrás el rencor – Aprender a perdonar
Muy a menudo la gente se aferra a las experiencias pasadas que les han hecho daño. Erigen paredes y reprimen emociones y palabras que no encuentran resolución. La

lección importante al enterrar este hueso es que este comportamiento sólo te hará daño a ti – tu cuerpo, tu mente y tu alma. Aferrarse a rencores, no sólo nos impide vivir desde un lugar de aceptación, sino que también nos impide liberar los juicios y aceptar al otro. Para poder dejar atrás el rencor debemos practicar el perdón. Al mirar más allá de la culpa y el resentimiento podemos mirar a la persona del espejo – ¡yo! Intentemos liberar a la persona que nos hizo daño y verla feliz. La mayor parte del tiempo lo que vemos en otros es lo que necesitamos trabajar dentro de nosotros — al igual que lo que no nos gusta de nosotros mismos. Utiliza estas situaciones como oportunidad para observar lo que está pasando con la persona del espejo. Al soltar y sanar la situación también tú te sanas. Esto te dará la oportunidad de liberar tus viejos patrones negativos y enterrar tus huesos, creando un espacio que elevará la vibración de tu alma. Al crear paz y compasión dentro de ti no volverás a sentir la necesidad de juzgar.

Ahora que entendemos mejor las cinco razones principales reveladas en la encuesta de por qué juzgamos, podemos comenzar la práctica de soltar los comportamientos negativos que nos mantienen atados a nuestro pasado kármico.

Aligera la carga y descubre la libertad personal para que puedas encontrar tu camino a casa

En el lapso de dieciocho meses me mudé de una casa en la cual había vivido por diecisiete años, vendí el 95% de todo lo que poseía, puse fin a una relación y vendí el negocio que tenía con esa persona. Encima de todo eso, recibí una carta del propietario del inmueble donde tenía mi consultorio diciéndome que no me podía renovar el contrato. Con la ayuda de mi llama gemela, me mudé a otro consultorio, algo más pequeño que se alineaba mejor con el llamado de mi alma a escribir, enseñar e inspirar a otros a encontrar su libertad personal. En ese momento pensé que había llegado a un momento estable y podía comenzar con mi propósito Divino, pero fue entonces cuando me diagnosticaron con cáncer de útero.

Mi llama gemela estuvo ahí durante ese tiempo. Con su apoyo descubrí nuestra identidad; sin embargo, en aquel tiempo no sabía que mi verdadera misión era ser experta en llamas gemelas. Como había trabajado antes con pacientes de cáncer, no tuve miedo en abordar mi tratamiento por medio de métodos naturales. De hecho, le tenía más miedo a la operación. La sola idea de pensar en soltar una parte de mi cuerpo me daba mucho miedo, y me aterrorizaban las historias nefastas acerca de las hormonas después una histerectomía radical. Sudores nocturnos, calores — y todo lo demás. A decir verdad, ¡todo eso me aterrorizaba! Luego de entrar en profunda contemplación y conectar con la guía espiritual interna, me di cuenta de que en vez de tratar de ser la "salvadora" que había sido toda la vida y aferrarme a mi útero — y a la noción de que yo podía sanar mi propio cuerpo — debía convertirme en paciente y soltar a la sanadora. Decidí enfrentar mis miedos, someterme a la operación, ¡y enterrar los huesos de una vez por todas! Era una manera física de soltar todo el dolor del pasado y dejar la toxicidad que había llenado mi vida hasta ese punto.

Desde ese entonces, he trabajado con algunas llamas gemelas que también han tenido cáncer de útero. El cáncer siempre se trata de dejar el miedo, el resentimiento y la rabia atrás y, por ende, aprender el poder del perdón. El cáncer se relaciona con las emociones reprimidas; en el útero, representa el hogar y las relaciones.

Mientras me recuperaba de la cirugía, descubrí muy rápidamente que el objetivo de ese proceso era enseñarme a pedir ayuda. Mi llama gemela me ayudó a experimentarlo. El me enseñó cómo pedir ayuda y la importancia de dejar que alguien te ayude cuando lo necesitas. Me hacía crear listas de cosas por hacer y venía a ayudarme con las cosas de la lista. También estuvo ahí en la primera cita que tuve con el doctor cuando me diagnosticó, y con paciencia escuchó cómo yo iba procesando los pros y contras de someterme a la cirugía. Hay algo en su forma paciente de escuchar que me refleja mis propias respuestas, sin que él tenga que decir casi nada.

Poco a poco, comencé a ver esta oportunidad como una nueva forma de vivir. La emoción de comenzar una nueva vida de manera diferente te empodera. Siento cómo corre la dicha por mis venas y como se hincha de amor y compasión mi corazón, y eso es algo que nunca hubiera podido entender a ese nivel de no haber aprendido las lecciones de mi pasado. Soy consciente de que habrá circunstancias en el futuro que tendré que soltar, pero confío plenamente en que no tendré mayor problema en identificar, procesar y soltar situaciones tóxicas futuras.

Puedo decirte sin duda alguna que soltar y abandonarse a un poder más elevado me ha permitido descubrir los *"Códigos Clave"* para encontrar mi camino a casa – la felicidad interna – el cielo en la tierra. Estoy casi segura de que si tú aprendes el arte de soltar, también encontrarás tu camino a casa.

Dejar atrás la codependencia y la necesidad de las adicciones

He descubierto que las adicciones son comunes dentro del camino de las llamas gemelas. Es más común en la llama masculina o la que lleve la carga masculina. Esto lo pude confirmar a través de mi trabajo con llamas gemelas homosexuales. Es más frecuente que el masculino tenga tendencias codependientes y necesidad de adicción, lo cual se asocia con los altibajos y la manipulación en las relaciones. También he observado esta asociación cuando el Ser masculino fue criado por una madre controladora y castrante, o también una asociación con las improntas energéticas de personalidades adictivas que se traen de vidas pasadas. De cualquier manera, esto causa inmadurez emocional y crea la necesidad de un estímulo externo para llenar un vació interno – creando codependencia. La codependencia es la adicción a algo o alguien que sólo te roba tu seguridad y tu fuerza, reprimiendo a la vez tu poder de crear una vida sólida y feliz — una pérdida de empoderamiento personal. La persona tiende a buscar fuera de sí algo que le falta adentro. El primer paso hacia la recuperación de la persona codependiente es aprender a ser feliz consigo misma. Tener una personalidad adictiva afectará todas las relaciones y experiencias de la vida.

Otra señal común de personalidad adictiva es la necesidad de la atracción química. Es la expectativa de un deseo ardiente por otra persona durante la relación romántica. Esto es muy común con las llamas gemelas, siendo el objetivo la liberación del karma con la llama gemela lo cual incluye liberar el deseo del ego — desarrollando relaciones significativas que van más allá del fenómeno de la burbuja de amor. Esta chispa inmediata crea el potencial de que la relación fracase, ya que cuando la atracción inicial cesa y la realidad del día a día se instala, lo más seguro es que la pareja no tenga nada en común.

Soltar y dejar tu historia atrás
A lo largo de los años he visto gente que se apega tanto a su historia que inconscientemente no desea soltar sus experiencias negativas. Se aferran a su historia, dándole vueltas y tratándola como si tuvieran la *suerte* de vivir esas cosas. Habrán oído la frase, "*si no tuviera mala suerte, no tendría ninguna suerte*". Esta idea mantiene a la persona

atada a un sistema de creencias según el cual siempre le pasa lo mismo. La verdad es que sucede así porque la persona misma lo atrae en todos los niveles energéticos. Para poder soltar esos ataques negativos recurrentes, es preciso aprender a soltar y a reescribir la historia personal. Aquello en lo cual nos enfocamos se expande, de modo que, si no nos gusta lo que nos sucede en la vida, debemos dejar el pasado atrás. Debemos reconocer que sólo cada quien puede cambiar las circunstancias externas al cambiar la percepción mental y liberar energéticamente la desgracia a la cual se apega. Lo que quiero decir es que sólo tu puedes optar por ser feliz. Si no te gustan tus circunstancias, sólo tu podrás cambiarlas, ¡modificando las decisiones que tomas en la vida!

También es importante soltar las relaciones tóxicas que ya no tienen un propósito elevado y, por ende, ya no sirven. Podría tratarse de amigos, miembros de la familia, o una pareja. Personalmente no recomiendo poner fin a las relaciones. Sin embargo, en mi trabajo de ayudar a transformar las vidas de otros, y también a través de mi propia experiencia, he podido observar en muchas ocasiones que hay relaciones que se vuelven tóxicas. Apegarte a relaciones tóxicas sólo te impedirá conectar con tu más elevado propósito.

He aprendido a ver cada relación pasada como parte de mi camino. He logrado reconciliar las diferencias y continuar con relaciones significativas. Experimenté esto tanto con mi exesposo como con mi última pareja. He optado por liberar el pasado. No puedo dejar de insistir en lo importante que es soltar – a la larga, si no lo haces, sólo te harás daño. Tras soltar una y otra vez, perdonar y permitir que las lecciones se conviertan en maestros, he podido mantener muy buenas relaciones con estos dos maestros que jugaron un papel muy importante durante mi camino en esta vida.

Para cerrar el *Código Clave 3:3*, me gustaría ofrecerte el reto de encontrar las bendiciones en cada situación. Te invito a que te preguntes qué puedes aprender de cada experiencia. Cuando comenzamos a ver las experiencias como maestros en vez de obstáculos, podemos soltar la necesidad de controlar y liberar lo que ya no nos sirve. También me gustaría invitarte a que tomes distancia de tus circunstancias, encuentra una necesidad, y llénala. Al enfocarte en los aspectos positivos del servicio que estás prestando, sentirás la plenitud interior; tu percepción cambiará, alejándote de tus propios obstáculos. Te dejo con algunos pensamientos para que los medites mientras vas disolviendo los remanentes kármicos:

- Suelta la necesidad de resistirte al cambio y comienza a fluir en la dirección de la corriente.
- Corta los lazos con los pensamientos negativos – de la misma manera que lo harías en tu computadora al cancelar, editar o borrar un archivo.
- Encuentra la inocencia en el comportamiento de otros y suelta la necesidad de controlar. La vida no es una pelea y no se gana nada siendo el vencedor.
- Aprende a perdonar a aquellos que te han ofendido — pero, ante todo, ¡recuerda perdonarte a ti mismo!
- Deja de aferrarte al pasado y opta por retomar tu poder interno.
- Opta por hacer los cambios necesarios que te ayudarán a liberar tu alma, y comprométete con ellos.
- Date espacio aligerando las cargas, lo cual te permitirá ser un alma más feliz. Al hacerlo, el tesoro más grande que puedes descubrir es una

sensación interna de seguridad, protección y paz mental. Esto comenzará a resonar en toda tu alma.

- Ahora ve y haz una revisión de vida; haz el inventario de lo que debes soltar — y luego actúa y comienza a soltar.

En el *Código Clave 4:4* lograrás entender el significado de la Ascensión. Podrás hacerte una imagen mental del proceso de liberación y el paso de *"la oscura noche del alma"* hacia el yo superior a medida que trasciendes. Tendrás una idea más clara de lo que pasa tras bambalinas, y aprenderás a confiar en el proceso para que puedas soltar y fluir. El proceso de transición se hará más fácil a medida que dejas atrás tu forma antigua, elevando la vibración energética a medida que te transformas en una mejor versión de ti. ¡Este proceso te ayudará a llevar a cabo la misión que viniste a cumplir!

CÓDIGO CLAVE 4:4

Confía en el proceso acelerado de Ascensión

"El proceso de Ascensión crea expansión del alma, lo cual ocurre a medida que pasamos del yo inferior al yo superior".
– Dr. Harmony

LA ASCENCIÓN COMIENZA EN EL MOMENTO EN QUE VAMOS más allá de la ilusión de ser prisioneros de nuestras circunstancias, al cambiar nuestra percepción y salir de *"la oscura noche del alma"* hacia la luz del día. El proceso de Ascensión crea expansión del alma, lo cual ocurre a medida que pasamos del yo inferior al yo superior. Aumenta nuestra receptividad energética, la cual es necesaria para elevar la vibración energética y permitirnos acceder a nuestra creatividad Divina y a la inteligencia Universal (ahondaré más en este concepto en el *Código Clave 10:10*). A medida que las almas gemelas se acercan al final de su camino, comienzan a experimentar un saber interno y a buscar el cambio. A medida que transitamos el proceso, nos convertimos en la mejor versión de lo que se supone que debemos ser, al alinearnos con el propósito de nuestra alma.

La Ascensión Acelerada es el proceso de purificación de las almas gemelas por el camino rápido para lograr la unión física. *Activa la fase de la purga kármica la cuál ocurre a través del efecto espejo, en donde cada alma gemela se convierte en el reflejo de la otra.* El proceso continúa hasta que hayan llegado a lo más profundo de su ser y hayan eliminado todo su historial kármico. La conexión con el yo superior es un requisito con el que deben cumplir todas las llamas gemelas a fin de purificar el alma, algo que deben hacer antes de completar su misión.

Al acercarnos a la finalización del proceso de Ascensión, experimentamos una fase de unificación. Dominamos la idea de ser un ser completo en el interior, creando equilibrio armónico a medida que trascendemos hacia una versión más elevada y radiante de nosotros mismos (ampliaré este concepto en los *Códigos Clave 8:8 y 9:9*). Ambas etapas se deben surtir antes de reconciliarnos con nuestra llama gemela para alinearnos en la unión plena.

Las capas durante la purga kármica

Durante la purga kármica, muchas veces pareciera como si la persona estuviera repitiendo patrones antiguos, pensamientos negativos y comportamientos auto limitantes. Una vez nos hayamos deshecho de todo lo que ya no sirve para nuestro propósito, liberamos espacio para la expansión de nuestra alma. Esto incrementa nuestra receptividad ya que eleva nuestra vibración energética. A medida que evolucionamos dentro de este proceso de trascendencia, llegamos al yo superior, lo cual implica conectar con *"El sistema de los 12 chakras."* (abordaré más detalladamente *el "Sistema de los 12 chakras"* en el *Código Clave 5:5*)

Una vez hayamos limpiado los siete chakras inferiores, se activarán los chakras del yo superior. *El alma se expande cuando incrementamos nuestra receptividad y nuestro sistema sensorial, creando "un estado de conciencia tan claro como el cristal".* Esto nos ayuda a ver con más claridad y entender nuestro propósito. De allí el término "iluminación". Cuando nos conectamos con el yo superior, vemos nuestras circunstancias con mayor claridad. Esto eleva nuestra vibración energética, trayendo epifanías a nuestra vida. Podemos entonces procesar e integrar los pedazos de los residuos kármicos. Este proceso de purga se repite, llevándonos cada vez más cerca del fondo del alma hasta la raíz del patrón kármico para poder cortar los lazos con el pasado kármico, incluidos los votos y acuerdos que hicimos al inicio del viaje evolutivo de nuestra alma. A menudo, las llamas gemelas me cuentan que han venido trabajando en dejar atrás las experiencias del pasado, pero sienten que siguen repitiendo los mismos patrones. Les digo que este proceso sucede por capas hasta que se llega a la raíz del problema. Todos me conocen porque les dejo tareas que les exigen actuar a fin de poder liberar el karma más rápidamente. Utilizo la analogía de que purgar es como rasurar por capas el karma, en vez de usar cera para arrancarlo de raíz. Vamos directo al punto, ayudando a eliminar los apegos energéticos que los mantienen bloqueados tanto en la vida y como en la unión con la llama gemela. Cuando las llamas gemelas entienden mejor lo que se siente al repetir patrones, comienzan a confiar en el proceso, a evolucionar y trascender la ilusión más rápido.

De esa manera, veo que el equivalente a años de trabajo sucede en tan sólo cuestión de meses, meses de proceso se logran en semanas y lo que tardaría semanas en liberarse se libera en pocos días. *Los años que llevo haciendo sanación energética me permiten afirmar que los resultados de la transformación acelerada definitivamente son muy profundos.* Me sorprendo cuando veo a las personas soltar, procesar, integrar y ejecutar el proceso que me tomó a mí 20 años. He apoyado a algunas llamas gemelas de alta vibración a realizar el proceso en tan sólo unos meses. Pude observar a mi propia llama gemela mientras tomaba la vía rápida hacia su yo superior. *Su progreso fue más rápido que el de cualquier otra persona que yo hubiera visto. En cuestión de menos de un año pasó del despertar espiritual al renacimiento, la etapa más difícil y demorada.* Se ha mantenido es esa etapa mientras culmina su proceso de Ascensión.

A medida que transitamos el proceso de Ascensión, procesamos y volvemos a procesar continuamente nuestro consciente, integrando información que crea una nueva percepción, vista desde un estado más elevado. A medida que pasamos por cada ciclo, volvemos a procesar la información, y continuamos la toma conciencia. Cada vez que volvemos a un concepto, lo vemos desde un estado superior de conciencia. Al cabo del tiempo unimos todos los puntos y comenzamos a ver el panorama con mayor claridad. Esto fue una experiencia reveladora para mí. Primero, al procesar e integrar mis propias experiencias, volví sobre mis experiencias mientras ayudaba a mi llama gemela — sólo que esta vez, mi comprensión y saber se iban reforzando a un nivel mas profundo. Luego volví sobre esas experiencias durante mi trabajo de apoyo a otras llamas gemelas, y pude percibir los descubrimientos desde un estado más elevado de conciencia. Las cosas realmente se pusieron intensas cuando volví sobre esas experiencias con mi facilitador. También volví sobre el proceso completo al escribir este libro. Este fue el momento de culminación cuando uní todos los puntos y pude ver la imagen completa ante mí. Me di cuenta de que había encontrado mi camino a casa y estaba completamente alineada con lo que vine a hacer acá. Pude ver cómo me había estado preparando para esta misión Divina toda la vida. Los *Códigos Clave 11:11 en Descifrando el código de las llamas gemelas* son una compilación de sabiduría que me tomó una eternidad experimentar. Me estuve preparando toda la vida para poder servir a otros, dándoles la oportunidad de tomar el camino rápido hacia su propia Ascensión para que pudieran saltarse algunos de los retos que tuvieron que ser parte de mi vivencia.

Comparando la Ascensión con la estrella de la punta del árbol de Navidad

Yo comparto con mis clientes la siguiente analogía sobre la Ascensión: es como poner las luces en el árbol de Navidad cada año. Repetimos ciclos en determinados aspectos de la vida varias veces. Si piensas en cómo pones las luces en el árbol de Navidad, seguramente recordarás que, al comenzar por abajo, la primera vuelta tarda más tiempo, mientras que a medida que vas subiendo cada vuelta es más corta.

De la misma manera, cada vez que repetimos el proceso de volver sobre la misma información, procesamos e integramos la información más rápido y con mayor conciencia. Eventualmente llegamos a la punta del árbol y es cuando todos pueden admirar la estrella en la punta. A medida que vamos trascendiendo cada capa y soltando el karma negativo, nuestra conciencia se eleva. Repetimos los ciclos hasta que cada dimensión de nuestra alma está iluminada. Al igual que la estrella en la punta del árbol, comenzamos a irradiar y a ver todo desde un estado más elevado del Ser. En ese momento, nos convertimos en la estrella polar, brillando intensamente para que otros puedan seguirla y admirarla.

Comprender las nueve etapas del proceso de Ascensión

Es importante comprender que las etapas del proceso de Ascensión no son lineales; avanzamos de una a la siguiente. Sin embargo, algunas de las etapas van en paralelo a medida que seguimos ascendiendo. También coexisten, lo cual quiere decir que es podemos experimentar más de una etapa al mismo tiempo. A medida que evolucionamos, entramos y salimos de los paradigmas de cada etapa. Al hacerlo, liberamos los patrones de karma negativo hasta que llegamos a la raíz. Esto crea espacio para la expansión del alma. A continuación, aparecen las nueve etapas del proceso de Ascensión junto con una breve introducción de cada una:

- **Más allá de la ilusión** – despertar espiritual – lograr entendimiento espiritual – conciencia – cambias o te obligan a cambiar
- **Receptividad** – elevar la vibración energética – recalibrar la vibración
- **Transformación** – La batalla de la cabeza contra el corazón – transforma y mira tu vida a través del corazón
- **Descubrimiento** – procesar las piezas de los residuos kármicos – esto crea expansión de conciencia
- **Limpieza de los residuos kármicos** – Integración – estado de conciencia elevado – capas
- **Renacimiento** – dejar atrás al yo antiguo – conectar con el yo superior – trascender – reinventarse – actuar de una nueva manera
- **Unificación** – volverse uno consigo mismo – equilibrar energías femeninas y masculinas – expandir la conciencia – florecer como un loto
- **Armonización** – entrar en el vórtice – alineación de todas las posibilidades – abundancia – irradiar – liberación personal
- **Misión en movimiento** – somos el mundo – dar – estás listo – *"El regalo"* – honra tu acuerdo y comparte tu misión con el mundo – creatividad Divina – sexualidad sagrada – conectar con la inteligencia cósmica universal

Primera etapa: **Más allá de la ilusión – Es el comienzo de la elevación de la conciencia y denota el inicio de nuestro** *"despertar espiritual".* A medida que seguimos expandiendo, comenzamos a comprender que hay algo más en la vida que únicamente retos y dificultades. Comenzamos a buscar comprender quiénes somos y qué propósito tenemos en este camino. Nos despertamos y nos damos cuenta de que *"no somos felices"* con el estado de nuestra vida actual. Esto nos genera un deseo ardiente de conectar con el todo; anhelamos la paz interior y la felicidad. Estamos listos para un cambio en la vida, pero no sabemos por dónde empezar o cómo hacerlo.

Cuando nos damos cuenta y aceptamos que la razón por la cual estamos en nuestra situación actual es debido a las decisiones que hemos tomado hasta este punto, es aquí cuando trascendemos la ilusión. Comenzamos a darnos cuenta de que, si queremos un cambio en nuestras vidas, tenemos que ir más allá de la ilusión que nos dice que sólo podemos vivir atrapados. Ya no tenemos que aceptar ser víctimas. Podemos escoger ser responsables y optar por trascender nuestras circunstancias. Dejamos nuestra antigua percepción adquirida a través de sistemas de creencias anticuados. Cuando cambiamos nuestra percepción, nuestra realidad cambia.

Segunda etapa: **Receptividad** – Cuando abrimos nuestro canal energético de pensamiento, nos damos cuenta de que podemos ser dueños de nuestra vida. Comenzamos a conectar con nuestro interior en un nivel energético más elevado. Nuestros sentidos se agudizan y nos volvemos más receptivos hacia las señales y signos que dirigen nuestra vida. Al ir hacia adentro, nos acercamos a nuestra intuición. Esto nos enseña a confiar en nuestro GPS interno. Comenzamos a darnos cuenta de que somos más que un cuerpo con un alma. Somos un alma que apenas si está dentro del cuerpo físico y si nos hacemos a un lado, ella nos guiará hacia nuestra misión en la vida.

Comenzamos a alinearnos con las personas, los lugares y las cosas que aparecen en nuestra vida para guiarnos.

Cuanto más receptivos nos volvemos, más grande es el cambio en nuestra vida. Quizás no siempre conozcamos el destino, pero la receptividad nos permite abrirnos a la idea de recibir y permitir que las cosas se den. Esto nos proporciona la fe necesaria para confiar en que vamos por el camino correcto.

A medida que comenzamos a tener momentos de claridad y avance visibles en nuestras vidas, soltamos lentamente la necesidad de controlar y, así, nuestras dificultades comienzan a desvanecerse. Nuestra receptividad se agudiza aún más, abriendo cada vez más canales energéticos para la expansión. Durante esta etapa es importante dejar atrás el pensamiento analítico, el cual sólo inhibe la capacidad receptiva. Cuando nos esforzamos por hacer que las cosas sucedan y nos enfocamos en la escasez, creamos más de aquello que no queremos.

Tercera etapa: **Transformación** – Ahora podemos ver más allá de la ilusión y comenzar a confiar en el proceso. Comenzamos a abrirnos y a dejar que las cosas fluyan a nuestro alrededor. Comienzan a suceder milagros. Esto puede ser difícil al inicio de la etapa de transformación, puesto que, aunque el corazón se vuelve más receptivo hacia los deseos del alma, la cabeza insiste en su cuestionamiento a través de la lógica. *Esto crea una batalla entre la cabeza y el corazón,* bloqueando la capacidad de observación a nivel mental y retrasando el progreso en la transformación. Este es el inicio del efecto de las capas, o la purga kármica mencionada anteriormente. Debemos dejar atrás las cosas que tienen un impacto negativo en nuestra receptividad energética.

A medida que revisamos nuestras circunstancias, algunas de las decisiones que debemos tomar pueden ser cosas como: terminar una relación, cambiar de carrera, mudarse, o simplemente perdonar el pasado y perdonarse a sí mismo. A medida que vamos dejando atrás estas cosas a las cuales nos aferramos, aceptamos más dificultades hasta madurar lo suficiente para hablar desde nuestra verdad y expresarnos de una nueva forma más evolucionada.

Pasar por esto produce altibajos emocionales. El corazón sabe lo que quiere. La cabeza sólo adivina el proceso. Al final, el corazón siempre gana. Así, la rapidez con la cual una persona transite este proceso dependerá de su capacidad de soltar. Debido al libre albedrío, podemos decidir si avanzamos con gracia y fluidez o si nos resistimos, alargando el proceso.

Una vez alcanzado ese punto, ¡ya NO hay vuelta atrás! La persona ha evolucionado y se ha expandido lo suficiente como para sentir el proceso y ver cómo la realidad va cambiando. Se da cuenta de que el incómodo cambio que está sucediendo es necesario, y reconoce las lecciones que está aprendiendo. Con el tiempo, sigue creciendo, expandiéndose y brillando. El cambio se convierte en fuente de poder y se vuelve parte del alma, la cual continúa deseando más cambio. La persona puede observar cómo ocurren también cambios físicos en su vida, lo cual la motiva a continuar el camino del alma hacía una mayor evolución.

Inicialmente, ésta puede ser una de las fases más duras ya que se siente como un punto de quiebre. Puede que la persona sienta deseos de huir en vista de que la cantidad de cambios que deben suceder provoca demasiado malestar y parecería más fácil permanecer atrapada en las circunstancias del momento. Sin embargo, la evolución del alma siempre gana. Por tanto, ¡la cantidad de tiempo que tardes en efectuar el cambio depende de ti! Hasta este punto en el proceso de Ascensión, la persona sigue yendo y viniendo entre las tres primeras etapas, hasta que reconoce que las circunstancias realmente no son un problema. Ahora puede ver que los obstáculos son sus maestros y agudizar su nivel de conciencia. De esa manera logra liberar los apegos energéticos negativos asociados con cada experiencia.

Cuarta etapa: **Descubrimiento** – El descubrimiento ocurre cuando soltamos peso suficiente. Cuando soltamos las ataduras comenzamos a sentirnos ligeros, lo cual nos da claridad. Además, crea liberación personal, lo cual proporciona un sentimiento de paz interior y felicidad. Ahora podemos observar cómo surgen las cosas que no podíamos ver cuando estábamos en medio de la tormenta. La resistencia ante las circunstancias y situaciones es directamente proporcional a la magnitud del descubrimiento personal. Así, a mayor resistencia, mayor el descubrimiento que se logra. *Personalmente tuve mi mayor descubrimiento del otro lado de la mayor resistencia.* Adicionalmente, cuanto más grande sea la misión de la persona, más grande será el descubrimiento y, por lo tanto, mayor la resistencia.

Este proceso implica limpiar los residuos tóxicos de nuestra alma a la vez que las circunstancias externas de nuestra vida. Durante esta etapa, la persona puede comenzar a sentir el progreso en la liberación, pero en realidad aún hay muchas cosas que abordar antes de poder cerrar ciertos capítulos de la vida. Esta etapa es gratificante ya que a medida que se expande la conciencia, comenzamos a buscar mayor conexión con el yo superior. El deseo de controlar el resultado se desvanece. Aún se presentarán retos, pero la percepción de las experiencias comenzará a cambiar a medida que se intensifica la conciencia y aprendemos a transitar por los momentos de miedo y ansiedad y a encontrar la paz interior.

Quinta etapa: **Limpieza de los residuos kármicos** – El proceso de integrar y asimilar los fragmentos de comprensión generados a través de la "toma de conciencia" es como el bebé que aprende a caminar. Nos damos cuenta de que no importa cuántas veces nos caigamos, siempre nos volveremos a parar y seguiremos andando alineados con nuestro camino. Comenzamos a integrar todo lo que hemos descubierto hasta este punto. Esta etapa es similar a la etapa de la crisálida en el proceso de la metamorfosis. Durante esta etapa, nos volvemos hacia adentro y comenzamos a pedir guía y entendimiento. Comenzamos a confiar más en nosotros mismos y en nuestras decisiones; podemos mirar hacia atrás y reconocer el progreso que hemos logrado y saber que todo lo que hemos vivenciado ha sido para el beneficio del Ser. Seguimos integrando los pedacitos de oro que recogemos en el camino. Eventualmente nos convertimos en un Ser equilibrado — nuestro yin-yang o energías femeninas y masculinas llegan al equilibrio armónico y nuestra conciencia continúa expandiéndose aún más.

Sexta etapa: **Renacimiento** – La fase del renacimiento es como una resurrección o como la muerte de un chamán. A medida que dejamos atrás las viejas costumbres y creencias, y nos despojamos del antiguo ser, eventualmente nos alineamos con lo que realmente somos y lo que se supone que debemos ser. Los deseos del corazón comienzan a invalidar el pensamiento lógico que viene de nuestra cabeza. Comenzamos a comprender nuestro propósito a medida que nuestro corazón se expande dentro le la conciencia Crística de amor incondicional hacia todo y todos los que nos rodean. Utilizamos la lógica cuando es necesario, pero hemos aprendido a dejar que la vida suceda gracias a la certeza de para qué vinimos a la tierra. Esto nos empuja a buscar nuestra misión. Seguimos deshaciéndonos de capas de viejos hábitos y creencias, lo cual facilita el trascender hacia nuestro yo superior y conectar con nuestro potencial más elevado; volvemos a nacer.

Ahora la vida tiene sentido. Observamos nuestro mundo externo, y deseamos cambiar cada área de nuestra vida para que coincida con lo que somos internamente. Además de descubrir que nuestras viejas costumbres y las cosas que nos rodean ya no tienen propósito, descubrimos que la forma como solíamos procesar y manejar las cosas ya no funciona. Nos damos cuenta de que no podemos tratar de hacer encajar algo que no encaja, de manera que se hace necesario rehacer nuestra vida para que encaje con lo que ahora somos. Dejar atrás las partes más profundas de nuestro Ser puede sentirse como la muerte de lo que éramos, pero a la vez es una celebración de lo que ahora somos. Así sea muy difícil, es una experiencia hermosa. Ahora eres una mariposa a quien se le han dado alas, y sin tener que hacer mayor esfuerzo ahora aprenderás a volar. ¡Ahora estás experimentando la libertad personal!

Séptima etapa: **Unificación** – Florecer. Describo esta etapa como una flor de loto. A la inteligencia Universal le tomó largo tiempo cultivar el sistema de raíces donde se afianzaría toda la belleza que habría de crearse. Eventualmente estas raíces se convierten en flor, desplegando inmensa perfección. Ahora te ves a ti mismo, a tu vida y al mundo desde tu corazón. Este nivel de gozo permite que tu luz brille y te conviertas en un imán que atrae todo lo que deseas; tus posibilidades son infinitas. Eres el ejemplo de amor incondicional y comienzas a existir en amor, guiar con amor, y compartir amor. Tu pasión es contagiosa y los otros anhelan tener lo que tú.

Octava etapa: **Armonización** – Resplandor y abundancia – ¡Eres un imán! Has florecido y tus pensamientos, acciones y sentimientos se alinean con tu corazón. Atraes a las personas correctas, los lugares y las cosas que ayudan a que tu camino hacia tu misión en la vida se acelere. Has dejado atrás todos los escudos que te bloqueaban lo que eres. Te expresas completamente y expresas tu verdad, a la vez que vives una vida fluida y fácil. *Haz descubierto* El Secreto *para llegar a la libertad personal.* Has dejado el ego atrás de manera que ya no tratas te controlar la vida. Has entrado al vórtice de los reinos más elevados de sabiduría y comprensión. *Lo único que tienes que hacer es estar dispuesto, porque cuando estás completamente alineado, aparecerá todo lo que necesitas.* Eres capaz de manifestar y utilizar los principios de la ley de la atracción en un nivel de vibración más elevado. ¡Has encontrado tu camino a casa!

Novena etapa: **Misión en movimiento** – Somos el mundo. Finalmente has aprendido a volar como un ángel en la tierra ayudando a otros a liberarse. Al dejar de ser un obstáculo en tu propio camino, descubres el propósito de tu alma y tu misión Divina. La última etapa consiste en honrar el pacto y completar la misión Divina, lo cual genera un estado de beatitud, conectándote con todos y con todo. Ahora ya puedes ver el cuadro completo a la vez que te llegan recursos materiales y relaciones de valor significativo. Encontraste tu camino a casa, el cielo en la tierra, ¡viviendo en paz interior y felicidad!

A medida que vamos y venimos entre estas tres últimas etapas del proceso de Ascensión, logramos entender mejor en qué nos estamos convirtiendo y cómo debemos avanzar en el planeta. Transitar el proceso de crearse de nuevo puede ser algo muy intenso. Por eso mi guía Divina me ha indicado que debo ampliar más la información sobre las tres últimas etapas del proceso. Les asigné sus propios capítulos, de manera que cada una es parte de los *Códigos Clave 11:11.*

Ascensión, aceleración, activación del ADN de 12 filamentos

A medida que ascendemos, pasamos de una vibración energética más baja a una de alta frecuencia. Somos Seres Divinos de luz. Las altas frecuencias no sólo influyen en el cuerpo físico, sino que también activan cambios en el ADN en cada plano de nuestro Ser — etérico, energético, espiritual, emocional, mental y físico. Esto quiere decir que a medida que nuestros chakras inferiores se equilibran y accedemos a los reinos vibratorios más elevados de conciencia multi-dimensional, accedemos a los cinco chakras filamentos. Cuanto más alta sea tu frecuencia vibratoria, más ADN se activará dentro del cuerpo para poder albergarla. Por consiguiente, experimentarás cambios en tu cuerpo físico. Los síntomas de Ascensión pueden causar incomodidad en el plano físico. Generalmente podemos experimentar estos síntomas a la vez que enfrentamos retos personales extremos. Sucede lo mismo cuando pasamos por el proceso de Aceleración, transformando las vibraciones densas en luz cristalina de alta frecuencia y creando el ADN de 12 filamentos.

Estudios científicos han documentado dichos cambios en la estructura del ADN de seres de luz de alta vibración. El ADN es el código genético heredado de nuestros ancestros, y constituye nuestra impronta genética. La glándula pineal, un órgano foto sensitivo, es la que genera y controla el ADN. Se encuentra entre los dos hemisferios del cerebro y utiliza estructuras cristalinas de luz para producir el ADN. A medida que transitamos el proceso de Ascensión, la glándula pineal comienza a producir más mitocondrias, las cuales se utilizan para generar más cromosomas. Esto genera cadenas de cromosomas con estructura de una doble espiral. A medida que la persona eleva su frecuencia energética, la glándula pineal produce aún más mitocondrias, generando más cromosomas, y una cadena de ADN de 12 filamentos en vez de una cadena de 2 filamentos.

Investigaciones han comprobado que estos cambios físicos han ido ocurriendo a medida que el planeta tierra eleva la frecuencia energética, pasando de la tercera dimensión (3D) a la quinta (5D). Así, cada ser humano de este planeta está pasando por estos cambios físicos para poder contener frecuencias de luz más elevadas del Universo, y elevar el *"nivel de conciencia"* del planeta. Este cambio está obligando a todo el mundo a buscar una conexión con los reinos superiores y con la conciencia superior, lo cual está creando un planeta más *"despierto".*

Síntomas de la Ascensión

La siguiente es una lista de síntomas de la Ascensión que yo personalmente he experimentado y que he visto en mis clientes a medida que pasan de un nivel vibratorio bajo hacia una conciencia energética más elevada.

- Cambios de comportamiento
- Cambios en los hábitos alimenticios
- Deseo de dejar de ingerir comidas o bebidas tóxicas
- Deseo de dejar atrás cualquier cosa que sea tóxica en la vida
- Dificultades para dormir
- Dolores en el cuerpo
- Pérdida de peso debido a la pérdida de apetito
- Confusión mental – el cerebro pareciera funcionar más lentamente
- Pérdida de memoria
- Sueños vívidos
- Visión borrosa
- Tonos o zumbidos en los oídos

- Pérdida de identidad – redescubrimiento de lo que somos
- Fatiga extrema
- Experiencias fuera del cuerpo
- Escalofríos
- Incremento en la temperatura del cuerpo – Sensación de ardor
- Extrema hipersensibilidad al entorno, a los ruidos, a las multitudes, etc...
- Aislamiento – una sensación de ir hacia adentro
- Cambios en las relaciones – haciendo de lado las relaciones tóxicas
- Depresión y ansiedad
- Sensación de extañar el hogar

El camino de Ascensión del viajero

Es imperativo deshacerse de TODO el pasado kármico, de manera que es bastante común que una o ambas llamas gemelas vuelvan sobre vidas pasadas que no las dejan avanzar en esta vida. Estas experiencias negativas están incrustadas en el ADN del alma, lo cual genera bloqueos energéticos durante esta vida. *Por consiguiente, el pasado debe resurgir en el consciente para poder avanzar en la vida – sin karma. El camino del viajero se activa sin necesidad de esfuerzo consciente.* Las situaciones o circunstancias detonan una respuesta que está ligada a las experiencias negativas pasadas. Esto hace que las llamas gemelas vuelvan sobre los traumas del alma para poder sanar.

El viaje hacia atrás en el tiempo puede ocurrir de varias formas. Muy a menudo son sueños vívidos, algunas veces visiones, experiencias, emociones que dirigen al ser hacia la información que crea la conexión entre el pasado y la situación presente.

Yo experimenté esto durante mi propia purga kármica. Como lo mencioné anteriormente, algunos años atrás tuve una conexión muy significativa con una vida pasada en Inglaterra. En ese momento sólo vislumbré el panorama general de aquella vida, llegando a entender apenas lo suficiente como para relacionar temas de libertad y de justicia a través de mi perro, Champ. Pero fue hasta que mi llama gemela y yo conectamos en un nivel más profundo del alma, que comencé una exploración aún más profunda, la cual sucedió sin esfuerzo alguno. El camino comenzó justo luego de descubrir que éramos llamas gemelas, cuando sosteníamos una conversación acerca de una banda alemana que nos gustaba a los dos, la cual me llevó a escuchar un viejo CD. Justo después comencé a tener visiones y a sentir como si estuviera en Inglaterra, en la era medieval. Durante dos noches tuve visiones y sentía las cosas que sucedían a mi alrededor, como si realmente estuviera allí. Después de estas visiones sucedieron experiencias inexplicables que me ayudaron a hilar la trama y detalles muy específicos de esa vida. La información que recibí incluía exactamente lo que había sucedido, el año en que sucedió y las emociones que me hacían sentir como prisionera en esta vida. Al comprender las experiencias de esa vida pasada pude soltar. Era imperativo liberar el dolor de esa vida para poder experimentar la libertad que tanto buscaba y alinearme con mi misión Divina.

Desde esta experiencia impactante, he tenido varios *viajes*. En uno, fui un refugiado en Alemania; podía escuchar a todo el mundo hablando en alemán, y sabía exactamente lo que estaban diciendo. También descubrí tres vidas pasadas que mi llama gemela y yo tuvimos siendo hermanos en cada una de ellas. Una de esas vidas juega un papel muy importante en nuestra misión hoy en día y explica nuestro lazo fraternal tan profundo en esta vida. He trabajado con otras llamas gemelas quienes han sido hermanos en vidas pasadas. Estas experiencias pasadas deben limpiarse de modo que se pueda liberar la impronta energética de los recuerdos de las vidas pasadas. Por ejemplo, en nuestro caso, debemos liberar el sentimiento incestuoso que aún percibimos en esta vida.

El proceso de Ascensión te conecta con tu llama gemela

La Ascensión es un proceso de purificación por el cual todas las llamas gemelas deben pasar individualmente antes de poder lograr la unión. Siempre les recuerdo esto a las almas gemelas cuando comienzan a enfocarse en el otro. Lo más común es que la llama gemela de más alta vibración repita los patrones antiguos e intente salvar a la otra, enfocándose en lo que ella no está haciendo en favor de sí misma. Sin embargo, si la llama gemela de más alta frecuencia vibratoria se mantiene en alineación con un estado del Ser más elevado, seguirá elevando la vibración del camino energético para la otra. Así, si quieres ayudara a tu llama gemela, te sugiero que te enfoques en tu camino y en tu trabajo interno. Este camino de descubrimiento personal requiere mucha devoción y maestría; veo muy seguido que las llamas gemelas quieren rendirse y culpar al otro de su dolor. Si ese es tu caso, quiero recordarte que tu te apuntaste para esta misión y tienes dentro de ti todo lo que necesitas para continuar y culminarla. Tú puedes hacerlo — no se trata de tu llama gemela, se trata de ti y cómo convertirte en la mejor versión posible de ti mismo.

Esto se convierte en aquello que atrae a tu llama gemela, desde su estado del Ser más elevado. Energéticamente, como un imán y sin ningún esfuerzo consciente, atraerás a tu llama gemela. Si te bajas de vibración y comienzas a forzar las cosas, tu llama gemela lo sentirá en su subconsciente y se alejará más, y entonces serás tú quien demore el proceso. Si quieres ayudar a tu llama gemela, ¡mantén tu vibración alta y enfócate en ti!

Comprendiendo las siete etapas del camino de las llamas gemelas

Como lo mencioné anteriormente, ambas llamas gemelas deben convertirse en la estrella de la punta del árbol de Navidad antes de poder experimentar la relación máxima. Todo el proceso es una preparación para que ambas llamas gemelas se conviertan en trabajadores de la luz y brillen intensamente para que otros las puedan seguir a medida que van implementando su misión conjunta. Por consiguiente, ambas llamas gemelas van en paralelo en el proceso de Ascensión, siendo una más evolucionada que la otra. Además de esto, la misión conjunta se compone de una serie de etapas que ambos deben pasar juntos. Veamos ahora las siete etapas del camino de las llamas gemelas.

Primera etapa: **Reconocimiento del alma** – Las almas gemelas se conectan energéticamente y se comunican en el mismo plano a través de sus respectivos yo superior, o los chakras superiores. La conciencia superior está codificada en los registros afásicos, contenidos en una base de datos Universal donde reside la información de cada una de las almas. Ahí es donde se guardan energéticamente los acuerdos entre la pareja de llamas gemelas. Es a través de los chakras superiores que las almas gemelas se mantienen conectadas permanentemente. Cuando llega el momento de comenzar la comunicación en el plano físico, las almas se buscan. Sus respectivos yo superior se reconocen al enviar pulsaciones a través de estas frecuencias elevadas — de la misma manera que se han comunicado durante su evolución.

Mi experiencia con el reconocimiento del alma es el ejemplo perfecto. Mi llama gemela y yo estábamos en contacto físico muy cercano, pero no fue sino hasta que ambos estuvimos listos para estar completamente despiertos que conectamos a un nivel más profundo del alma. Esto ocurrió cuando él sintió la necesidad de contactarme para que lo ayudara a liberar bloqueos energéticos y poder romper con patrones kármicos. También yo necesitaba que él fuera un espejo para mí a fin de poder liberar algunos de mis remantes más profundos antes de iniciar la misión.

Segunda etapa: **Fusión de las almas** – La fusión de las almas ocurre con el contacto físico inicial. Las almas gemelas se han reconocido en los niveles superiores y ahora la energía entre ellas se conecta, produciendo la fusión. Este proceso puede ser tan fuerte como para causar mareos o una sensación de borrachera, los cuales pueden durar desde pocos días hasta algunos meses. Esto sucede en el momento preciso en que las almas gemelas se fusionan creando la que se denomina "llama gemela". Es importante resaltar que una vez que estas cuerdas energéticas se fusionan, ya no es posible cortar el vínculo energético con la llama gemela. He trabajado con varios clientes que han tratado de huir de su gemela y, cuanto más lo intentan, más se aferra energéticamente la otra persona. A medida que las almas gemelas van conectando más profundamente a nivel energético, este vínculo crece y se conecta energéticamente en todos los planos — etérico, energético, espiritual, emocional, mental y físico. Con el tiempo, el magnetismo los atrae a pesar de su decisión consciente de huir.

Algunos me han pedido que los ayude a cortar los lazos. Les explico que esto es imposible. Sin embargo, los he ayudado a liberar situaciones en las cuales una de las almas gemelas intenta penetrar intencionalmente el espacio energético del otro con el fin de conectarse. Esto genera karma negativo. Por eso existe el libre albedrío. Es mejor trabajar sobre sí mismo. Los he ayudado a liberar los apegos negativos intencionales y les he enseñado a proteger su energía. He visto casos en los cuales a una de las almas gemelas la ataca energéticamente alguien ligado a su llama gemela. La energía de esa persona se puede filtrar en la energía de su llama gemela causando que puedan sentir las experiencias emocionales y físicas de esa persona. También he ayudado a parejas de almas a liberar esas energías de terceros.

Mi llama gemela y yo experimentamos la fusión después de conectar en nuestra primera sesión de limpieza de chakras, pese a que nos conocíamos desde hacía más de veinte años. Fue la primera vez que nos conectamos al nivel del alma. Nuestra energía se fusionó, lo cual nos causó a ambos la sensación embriagadora de estar fuera del cuerpo, la cual duró varios días.

El vínculo se fue fortaleciendo a medida que continuamos las sesiones. Justo antes de descubrir que éramos llamas gemelas, durante una de las sesiones, algo me haló energéticamente y tuve visiones en las que estaba con él en su camino. Supe que yo no era solamente la mensajera durante esa sesión; yo era parte de la sesión. Luego, mi alma gemela me dijo que me había podido sentir durante la sesión y que yo era su maestra.

Tercera etapa: **La purga kármica** – La mayoría de la gente se refiere a esta fase como *"la huida"*. Esto es lo que yo llamo la fase del tire y afloje. Es durante esta fase que las almas gemelas se juntan, creando el efecto espejo — reflejándose mutuamente lo que cada una necesita trabajar dentro de sí misma. Luego se separan para poder hacer este trabajo, procesando e integrando la conciencia de lo que va surgiendo. Sin embargo, el universo siempre tiene una forma de volverlos a juntar para que continúen con el proceso hasta que se haya purgado todo el karma — no sólo el karma individual de sus almas, sino también el karma existente entre ambos. Todo lo que ha de reconciliarse debe subir a la superficie y así liberarse. Esto es lo que crea la necesidad de confesarse con el otro, ya que nada puede esconderse. Quisiera recordarte de nuevo que cuando tu alma gemela se aleja para trabajar en lo suyo, y tú te enfocas en ella, la lección que debes aprender de ella es el desapego. *Si no lo haces, entonces te conviertes en la mitad que huye de sí misma.*

Cuarta etapa: **Entrega** – la etapa de la entrega ocurre cuando se ha limpiado suficiente karma y ambas almas gemelas se dan cuenta de que se necesitan la una a la otra para facilitar sus caminos respectivos. Al inicio de esta etapa, las almas gemelas deben entregarse a su propio progreso, aprender a sanar y a permitir que las cosas fluyan. El Universo sabe cómo arrinconarnos hasta que tomamos conciencia, lo cual nos lleva a repetir el proceso de desapego. Esto ocurre cuando finalmente nos deshacemos del ego y del pensamiento analítico y *nos abre a la idea de dejar que el corazón nos guíe por la vida.* Sólo en ese momento podemos entregarnos a la idea de que una relación de llamas gemelas pueda llegar a la unión total.

Quinta etapa: **Integración** – Una vez que las almas gemelas han procesado e integrado sus propias experiencias, comienzan a procesar e integrar las experiencias que tienen juntas, ya desde un nivel más elevado de conciencia. Una de ellas, o ambas, se dan cuenta de que era necesario que su otra mitad los ayudara con este proceso. Finalmente pueden ver el cuadro completo y la importancia de que su llama gemela esté presente.

Sexta etapa: **Armonización** – La armonización o balance del Ser es esencial para que una o las dos almas gemelas puedan reunirse. Luego de la separación, se juntan para poder trabajar sobre sus diferencias antes de poder fusionarse energéticamente en unión total. Hasta este punto ha sido un camino individual; ahora se armonizan juntas.

Séptima etapa: **Unión Total** – La unión total sucede físicamente cuando ambas llamas gemelas han reconocido su identidad y han avanzado espiritualmente. Esto no quiere decir necesariamente que todo deba ser perfecto antes de que ocurra la unión. Tampoco va a ser todo perfecto después. He ayudado a almas gemelas a llegar a la unión total, liberando los residuos de ego y elevando sus vibraciones de manera que la relación física pueda mantenerse en armonía. Como todo en la vida, hay que trabajar para mantener el equilibrio, y lo que aportes a la relación se te devolverá. Lo importante en este punto es recordar que ambas almas gemelas deben tener la suficiente madurez para trabajar sobre las diferencias que puedan surgir cuando estén juntas, igual que cualquier otra pareja.

Durante los últimos meses, he ayudado a llamas gemelas a llegar a la unión total. Una me contactó hace algunos días para contarme que estaba haciendo el trabajo de perdón con su llama gemela, soltando energéticamente el trauma de abandono del alma ocurrido en Atlántida. Me contó que ahora están comprometidos para casarse. También trabajé con alguien cuya llama gemela apareció después de tres años y medio. Ahora están completamente despiertos y consientes de su identidad y finalmente creen que son llamas gemelas realmente. Otros dicen reconocer las señales y saber que ha llegado el momento de estar juntos. Otra me contactó ayer para decirme que iba a salir de la ciudad porque iba a verse con su llama gemela, después de haber estado separadas durante meses. En varias ocasiones ha sucedido que durante las sesiones de liberación energética reciben mensajes de texto de sus llamas gemelas.

El ego es la primera razón por la cual las almas gemelas no llegan a la unión en su forma física. El dominio personal que se requiere para el trabajo interno propio puede ser muy intenso. Hasta hace poco, menos de el 1% de las llamas gemelas se habían unido físicamente. Como lo presenté en el *Código Clave 2:2*, el Universo tiene un plan colectivo para que las llamas gemelas lleguen a la unión total. En los próximos cinco a siete años, más llamas gemelas llegarán a la unión dentro del colectivo, como nunca en la historia de los tiempos, gracias a un esfuerzo consciente por crear la vibración del amor incondicional en el planeta.

En el *Código Clave 5:5*, me referiré a la forma de sobrevivir al cambio. Compartiré mi hoja de ruta para la *"Reinicialización de tu alma gemela"*, dándote algunos pasos a seguir para ayudarte a medida que trasciendes del yo inferior al yo superior. Esto te ayudará durante el proceso de Ascensión.

CÓDIGO CLAVE 5:5

Aprende a reinicializar tu alma gemela

"Decide liberar el pasado, eleva tu vibración
y ¡recupera tu vida"!
– Dr. Harmony

LA REINICIALIZACIÓN DE TU ALMA GEMELA es una hoja de ruta encaminada a apoyar la transformación del alma al crear un puente que ayuda a sobrevivir el paso de trascender desde *"la oscura noche del alma"* al yo superior. La primera parte de esta hoja de ruta consiste en liberar el pasado, o las situaciones del presente que ya no tienen propósito. Entre dichas situaciones se cuentan las emociones, las relaciones y los pensamientos de carácter negativo, o incluso el desorden de la casa. La segunda parte es la expansión del alma, la cual eleva la vibración energética y acentúa la claridad, lo cual nos permite observar toda nuestra vida desde una perspectiva renovada. Ahora atraemos cosas positivas a nuestra vida — pensamientos, sentimientos, personas, relaciones, trabajo y posesiones materiales. Finalmente somos capaces de recuperar nuestra vida y manifestar en niveles más elevados de frecuencia, lo que llamo *"entrar al vórtice."* Nos encanta la vida que hemos creado porque comenzamos a atraer hacia nuestro campo energético todo aquello que corresponde a nuestra nueva vibración energética.

Uno de los más grandes retos que he oído mencionar a mis pacientes y clientes a través de los años es, *"No estoy feliz y quiero que mi vida cambie, pero no sé por dónde comenzar a hacer los cambios necesarios para cruzar el abismo y pasar de donde me encuentro a donde quiero estar."* Es aquí donde mi experiencia y conocimiento refuerzan mis capacidades como experta en llamas gemelas. A continuación, podrán ver el método de tres pasos que les enseño a mis clientes para ayudarles a reinicializar a su alma gemela y activar los *Códigos Clave 11:11* que se encuentran en este libro.

•Libera el pasado   – Esto crea espacio

•Eleva tu vibración   – Claridad consciente

•Retoma tu vida   – Conéctate con tu llama gemela

Obviamente, eso de liberar el pasado suena más fácil de lo que realmente es. Sin embargo, identificar tus patrones negativos de comportamiento y comprometerte a permitir el cambio constituye el 75% de la batalla. Reconocer y liberar los patrones negativos de comportamiento es prerrequisito para poder alinearse con la libertad personal, lo cual es necesario para encaminarse hacia la misión Divina. La mayor parte del tiempo, las personas se sienten atrapadas por sus circunstancias y no salen de allí porque eso es más cómodo que efectuar el cambio. Una vez has llegado a este estado de conciencia, el Universo no te permitirá quedarte ahí. O decides cambiar, o se te obligará a cambiar. Cuanto más te resistas al cambio, más fuerte será el golpe cuando se te imponga el cambio. Por esta razón a veces nuestras circunstancias tienen que venir con un sacudón. — el golpe es necesario para que despertemos espiritualmente lo suficiente y podamos conectarnos con la conciencia superior.

Recalibrar la vibración también eleva la frecuencia energética de tu llama gemela. Debido a su conexión energética, la llama de vibración más baja se le da un *"pase"* y puede recalibrar su vibración por el camino acelerado. La llama de más alta vibración prepara el camino energético.

Asimismo, tus propios bloqueos energéticos también pueden crear un bloqueo en tu llama gemela. *De manera que, si tú eres la mitad de más alta vibración, lo cual es lo más probable si estás leyendo este libro, entonces es tu responsabilidad seguir enfocándote en tu camino personal.* Deja que tu llama gemela siga la estela energética.

En lo que a ser feliz se refiere, todos podríamos utilizar un par de lecciones en cómo quitarnos de nuestro propio camino de manera que podamos salir de los embrollos que creamos. Si actuamos y liberamos el pasado, podemos encontrar ese cielo interno que nuestra alma anhela. En cambio, tendemos a buscar fuera de nosotros algo que llene nuestro vacío interno y, no obstante, nos rehusamos a dejar atrás las cosas que ya no tienen propósito en nuestra vida. La falta de responsabilidad sobre nuestras acciones, junto con la búsqueda de algo o alguien a quien culpar, se ha vuelto un problema global. Esto ha generado prejuicios y conflictos que sólo crean más conflictos, cuyo origen es la batalla entre *"la cabeza y el corazón"* que se libra en el alma de la mayoría de las personas. La disfunción mundial es tan sólo el reflejo de nuestra insatisfacción interna. *Cuanto más rápido decidamos mirar hacia adentro y cambiar, más pronto nos convertiremos en el cambio que queremos ver en el mundo.*

Despierta tu alma gemela

A medida que el alma se despierta, elevamos nuestra vibración energética, permitiendo que nuestra luz interna brille sobre el camino hacia nuestra misión de vida. La mayor parte de la gente se resiste al proceso debido a su mente analítica que inhibe el deseo del corazón. Utilizando mis propias experiencias como ejemplo, miremos cómo los comportamientos antiguos y los mecanismos de defensa adormecen los sentidos y no nos permiten estar en el presente y conectar con nuestro interior.

¡Podría decirse que aprendí una lección devastadora cuando mi tío de 40 años y su hijo murieron en el accidente de aviación! ¡Eso sí que fue un despertar! Como lo dije anteriormente, esta experiencia me inició en el camino de la transformación espiritual. Estaba en medio de *la noche oscura del alma"* y debido a que soy una persona testaruda, con el espíritu de un caballo salvaje, fue necesario que me ensillaran más de una vez antes de que decidiera soltar lo suficiente para que el camino fuera más suave. Opté por un intenso caminar antes de aprender a soltar completamente y abandonarme a un poder más grande que yo. No fue sino hasta cuando me diagnosticaron el cáncer de útero que aprendí a ser vulnerable y a pedir a ayuda. Tenía que aprender a quitarme de mi propio camino.

Una vez fuera de mi camino, comprendí que, si simplemente permanecía en el presente y alineada, me mostraría a la vida como la mejor versión de la persona que quería y debería ser. Dejé de resistirme y de nadar en contra de la corriente; comencé a fluir. Cuando finalmente pude soltar, descubrí que había creado un puente que cerraba la brecha por el hecho de cambiar y pasar de la vida de desgracia a la vida de gozo. Con la ayuda de mi propia llama gemela, encontré la libertad personal – he conectado con el llamado Divino y me estoy convirtiendo en la mejor versión de mí misma. El cambio no ocurrió de la noche a la mañana. Mi paciencia ha sido puesta a prueba más allá de lo que te puedas imaginar, pero ahora veo la vida desde el otro lado. Esto es lo que me motiva a enseñar a otros cómo sobrevivir a los cambios de esta magnitud.

¡O cambias o se te obligará a cambiar!

Permíteme expresar esto claramente – ¡O CAMBIAS O SE TE OBLIGARA A CAMBIAR! O decides hacer cambios en tu vida, o — debido a que el contrato de tu alma es alinearte con tu misión Divina — se te obligará a alinearte. De cualquier modo, terminarás en tu camino, pero tú decides si lo quieres hacer por las buenas o prefieres oponer resistencia; esto último traerá más sufrimiento y alargará el proceso. En todo momento tienes el poder dentro de ti para hacer una pausa y decir, *"Escojo el cambio. Yo escogí mi realidad presente, y si es mi estado interno el que crea mi realidad externa, entonces sólo yo puedo escoger cambiarla"*.

Mis clientes todos han contado historias de cómo han tenido tremendos sacudones en sus vidas. Cada uno ha tenido que tomar una decisión importante con respecto al trabajo, la carrera o las relaciones. Este cambio masivo en la conciencia de las almas es un *"llamado a despertar"*, el cual constituye el inicio de *"un despertar espiritual global"*. Lo diré de nuevo – ¡O CAMBIAS O SE TE OBLIGARA A CAMBIAR! Nunca es fácil tomar decisiones que alteren la vida completamente — pero cuando podemos cambiar nuestros pensamientos acerca del proceso, podemos cambiar la manera como procesamos el cambio.

Creando tu puente y sobreviviendo al cambio
En esta sección encontrarás 6 sugerencias que te pueden ayudar a crear tu puente. Cuando las practiques, estas ideas te darán energía en vez de drenarte, lo cual te motivará en el camino hacia la paz interior y la felicidad.

Consejo 1: **Vivir en plena conciencia del presente.** Esto se refiere a la importancia de vivir en el AHORA – lo cual yo llamo CMP (conciencia del momento presente). Cuando podemos estar en el presente, aprendemos cómo dejar de ir del pasado, al presente y al futuro constantemente. *¿Qué quiere realmente decir vivir en el momento?* Esto lo descubrí años atrás, después del accidente de aviación. Pude ver de cerca lo que quiere decir no tener la oportunidad de cumplir tus sueños. Esto me llevó a buscar dentro de mí y preguntarme, *"¿Qué quiero de verdad en esta vida?"* Gracias a mi tío, decidí que mi misión sería *"vivir la vida sin remordimiento alguno",* Esto se volvió a manifestar fuertemente algunos años más tarde cuando desperté nuevamente luego de estar hundiéndome en la desesperación. Estaba muy infeliz con la vida que había vuelto a crear. Me di cuenta de que mis circunstancias eran mis maestras espirituales. *Sin embargo, ¡estaba cansada de estar casada!* Mi alma anhelaba esa presencia pacífica, paciencia y ternura hacia mí misma.

Personalmente he practicado y enseñado técnicas de visualización, meditación, ejercicios de respiración, y afirmaciones positivas para ayudar a mis clientes a que aprendan a redireccionar su conciencia hacia la CMP. Comienzan a vivir momento a momento; hacen una pausa durante el día y se toman unos minutos para revisar los momentos. Esta simple acción ayuda a redireccionar los pensamientos y a aprovechar más intensamente cada momento de cada día. Cuando se practica a lo largo del tiempo, se va creando un nuevo patrón en la calidad de la vida. Nacemos con el derecho de encontrar la felicidad y la paz interior — el tipo de paz que resuena dentro de nuestra alma, permitiéndonos liberar el caos mental que nos impide la paz. Podemos disfrutar de *"El Presente",* ¡el regalo o presente de estar presentes!

Consejo 2: **Habla tu verdad y aprende a expresarte.** En lo que a expresar se refiere, ¡hay mucho por aprender! La mayoría de las personas trata de evitar el conflicto escapando de las situaciones y cargando la responsabilidad de las acciones de otros sobre sí mismos, lo cual sólo genera un sentimiento de culpa. Para poder aprender a expresarnos, es importante adoptar la costumbre de la comunicación eficaz y comenzar a hablar desde el corazón – no desde la cabeza.

He trabajado con muchos clientes que dicen expresarse y a menudo debo recordarles que no se trata de lo que dicen, sino cómo lo dicen: el lenguaje corporal, las acciones, la energía y las emociones detrás de las palabras dicen más que las palabras. Cuando permitimos que las palabras que salen de nuestra boca vengan del corazón sin dudar ni esperar que haya resistencia por parte del otro, obtenemos la libertad para hablar desde nuestra verdad – la verdad que sólo nuestra alma conoce. Cuando lo hacemos, ganamos confianza, y esto hace que se abra el camino hacia la receptividad.

Cuando aprendemos a tener paciencia y tolerancia hacia los otros, comprendemos lo importante que es ser capaces de escuchar a los demás con aceptación. Este tipo de energía neutraliza todas las situaciones de conflicto. También es importante comprender la diferencia entre utilizar la palabra de manera pasiva, agresiva o asertiva. Lo que nos permite expresar nuestra verdad interna es aprender a hablar asertivamente para hacernos entender, sin tener miedo de herir los sentimientos de la otra persona, y sin reprimir nuestros sentimientos con el ánimo de evitar el conflicto. Esto se vuelve el reflejo de la confianza en uno mismo. La comunicación verdadera y desde el corazón no tiene porqué pasar por la percepción de que hablar con la verdad implica conflicto.

Consejo 3: ¡**Confía en tus instintos!** ¡**Déjate** llevar por a tu GPS interno, el cual nunca te llevará por el camino equivocado! Es difícil para la gente confiar en sus instintos — y a veces por buenas razones, como son las experiencias negativas del pasado que pueden llevar a la persona a cuestionar sus decisiones de vida. Eso hace que insistan en tomar decisiones basada en el miedo, con la preocupación de que seguirán tomando las decisiones equivocadas en el futuro. Al dejar el pasado atrás y comenzar de ceros, es importante desarrollar y confiar en nuestro sistema interno de navegación. Cuando aprendemos a dilucidar si nuestros pensamientos, sentimientos y emociones son guiados por nuestra conciencia, nos vamos alineando con nuestro más alto potencial. Por el contrario, si nuestras emociones vienen del miedo y de pensamientos de baja vibración, el ego sentirá la necesidad de tener el control y el poder. Aprende a escuchar a tu intuición. No como los mapas de Google que a veces te llevan por el camino que no es. Pasar tiempo meditando y escribiendo te ayudará a desarrollar esta habilidad.

Cuando hayas dejado tu pasado atrás, elevado tu vibración energética y conectado con tu yo superior, descubrirás cómo utilizar tu sexto sentido. Desarrollarás una conexión más fuerte con tus emociones y sentimientos, y podrás reconocer de dónde vienen esos sentimientos. La mayoría de las personas bloquean su capacidad de abrirse a estas señales energéticas internas, de manera que se vuelven aún menos sensibles de lo que realmente deberían ser. He ayudado a muchos clientes a ver su intuición como una guía interna, muy sabia. La conexión con este conocimiento Divino acrecienta la sensibilidad de la persona, creando equilibrio entre su estado emocional y su percepción mental. Puedes convertirte en el líder de tu propia vida al asumir la responsabilidad por tus actos y por tus reacciones a todas las situaciones. Esto te permitirá trazar un nuevo rumbo para tu vida y comenzar a tomar mejores decisiones sin necesidad de dudar.

Consejo 4: **Conviértete en tu mejor amigo.** Es muy importante convertirnos en el objeto de nuestra propia devoción y aprender a cuidar de nuestro niño interior. Debemos practicar amarnos a nosotros mismos, sentirnos valiosos, aceptarnos como somos y tenernos paciencia. Somos merecedores de nuestra propia devoción. Te conviertes en tu mejor amigo cuando practicas cuidar de ti mismo, aprendes a delegar, y te abres para recibir, permitiendo que el diamante interno brille. Cuando cuidamos de nosotros mismos en todo nivel – cuerpo, mente y alma – y lo practicamos con regularidad, nos tratamos a nosotros mismos como Seres de primera clase. ¡Como Seres espirituales es lo mínimo que podemos esperar! Merecemos tratarnos como realeza. Como los Reyes y Reinas que somos. Lo que crea la falsa ilusión de sentirnos que no somos lo suficientemente buenos es la acumulación de sistemas de creencias y de intentos por cumplir las expectativas de otros.

He enseñado durante muchos años el arte de aprender a practicar el cariño, la compasión, la aceptación y la honestidad, y también la importancia de ser fiel, leal y de poder perdonarnos rápidamente. Es importante aprender a descartar la falsa culpa y aceptar que está bien dormir y jugar – ¡sí, jugar! –todos los días si eso es lo que queremos. Cuando procedemos de esta manera, comprendemos porqué ya no tenemos que enfrentarnos solos a la vida y podemos pedir ayuda. Aprendemos a dejar de bloquear nuestras bendiciones y a no robarles a los demás la dicha de darnos. Además, comprendemos la importancia de no tener que complacer a los demás, cediendo nuestro poder. Establecemos límites amorosos sin culparnos por ello, entendiendo la diferencia, en lugar de levantar muros que nos impiden recibir.

Consejo 5: **Vive la vida con propósito y pasión.** Debemos amarnos a nosotros mismos y a los demás, amar la vida y amar lo que hacemos. Debemos despertarnos cada día con entusiasmo y alegría por el sólo hecho de estar vivos y tener la oportunidad de comenzar de nuevo. Cada día nos brinda la oportunidad de aprovechar la pasión que podemos sentir hacia todo lo que hacemos y de ver la vida como una aventura, floreciendo en lugar de limitarnos a sobrevivir. No me canso de insistir en lo importante que es vivir una vida sencilla y poner en práctica herramientas poderosas tales como soñar despiertos, escribir una lista de deseos, y tener objetivos (por ejemplo, tomar las vacaciones soñadas). Te invito a que optes por mantener una actitud positiva, a que muestres tu pasión, e incluso a que aprendas a sonreír. Proponte, tal como lo hice yo, a aprender a dejar de adormecer tus sentidos por cuenta de las preocupaciones, el temor y el miedo a lo que los otros puedan pensar de ti. *Explora la importancia de vivir una vida sin arrepentimientos – viviendo cada día como si fuera el último.* Ten el hábito de salir y conectar con la naturaleza con frecuencia. Sal a caminar descalzo en la arena o el pasto. Recuerda cómo era jugar cuando eras niño – sin miedo de ensuciarte o de jugar en el lodo. Estos son comportamientos divertidos que nos permiten mantenernos anclados y conectados con la tierra. Para aquellos que no pueden salir – ¡abran las cortinas y las ventanas con frecuencia! Conectemos y divirtámonos. ¡Incluso tomar baños de sol y soñar despiertos todos los días nos ayuda a mantenernos en un estado emocional balanceado, refrescando y renovando nuestra alma!

Practica ver la vida a través de los "ojos" del corazón. Cada día, crea una nueva imagen de la vida que quieres. A través de los años he practicado el proceso de comenzar de ceros, convirtiéndome en la artista de mi propia vida. *¡Dibuja tu vida ~poséela ~ ámala ~ vívela ~ compártela!* Encuentra la pasión escuchando música, bailando o riendo, lo cual es la mejor medicina para mover la energía. Si no nos reímos a carcajadas de vez en cuando, no vibramos en la frecuencia que deberíamos estar vibrando. Toda esa energía bloqueada se estanca y nos vuelve menos productivos. ¡Es tiempo de conectarte contigo mismo y estallar!

Consejo 6: **Encuentra el equilibrio armónico – El punto cero**. No importa cuántos retos nos toque enfrentar, es importante superar las adversidades y encontrar el punto cero. Debemos aprender a vivir la vida en equilibrio, descubriendo la infinidad de posibilidades y el propósito, y ¡utilizar los talentos que poseemos! Podemos movernos por debajo de la ansiedad en todas las situaciones y aprender a encontrar la calma, sin importar las circunstancias. Esto nos enseña cómo acceder al potencial infinito, encontrando el equilibrio armónico, o punto cero. Este punto cero es el punto exacto en donde ocurre la quietud interior y se crea el equilibrio. Cuando encontramos esta paz, aprendemos que los obstáculos de nuestra vida no son más que ilusiones. Los únicos límites que tenemos son aquellos que vemos a través de "los ojos" de nuestra mente.

El secreto para encontrar la quietud se origina en la simbología del yin y el yang, la energía femenina y masculina. Nos proporciona la capacidad de crear la unidad entre el yo inferior y el yo superior. Cuando se está en equilibrio, se crea una base sólida que nos ayuda a trasmitir esta paz y armonía hacia el exterior en todas las áreas de nuestra vida. Una base sólida es necesaria para crear un puente entre lo que somos y lo que queremos llegar a ser. Cuando hayas aprendido a encontrar y equilibrar este punto interior de quietud, tu vida exterior y tu percepción, podrás encontrar la forma de utilizar tus talentos de la mejor forma posible. Aunque vivamos en un mundo caótico, o tratemos de escapar de la realidad, siempre podremos encontrar el equilibrio si así lo deseamos.

Además de encontrar formas para crear este puente, aquí te presento siete sugerencias que te ayudarán a cambiar tu percepción de la realidad, y a aprender cómo sobrellevar el cambio:

Sugerencia 1: **Pregunta:** *"¿Cuál es la lección en esta situación?"* Recuerda que toda circunstancia de tu vida encierra una lección. Cuanto más pronto identifiques la lección, más rápido podrás seguir adelante y dejar atrás lo que debías extraer de la situación y, con ello, dejarás de percibir el suceso como algo negativo. Lo más importante es dejar todo atrás, ¡menos la lección aprendida!

Sugerencia 2: **Suelta y entrégate.** Lo que nuestra mente piensa y lo que nuestro corazón cree pueden ser dos cosas diferentes. Cuando no escuchamos a nuestro corazón y a nuestra alma, peleamos contra la experiencia de permitir que el cambio en nuestra conciencia nos mueva hacia nuevos paradigmas. Cuando logramos soltar y entregarnos, y crear que hay un poder más grande que nosotros, ya no tendremos que cargar el peso solos. ¡Qué alivio!

Sugerencia 3: **Suelta el control.** Muchas veces nos apegamos al que creemos es el camino, o a la forma como queremos que sucedan las cosas en nuestra vida. Dejamos que el ego consuma nuestra realidad y nos aferramos a la ilusión de que la mente percibe las cosas de la manera que creemos que las cosas deben ser, en vez de cómo podrían ser. Cuando soltamos la necesidad de controlar todas las situaciones, nos liberamos de la necesidad de apegarnos a los pensamientos, o a las cosas que ya no tienen propósito. ¡Cada final es la oportunidad para un nuevo comienzo! Así sea muy atemorizante soltar y dejar que Dios se encargue, cuando lo hacemos alcanzamos la libertad y la paz que tanto deseamos.

Sugerencia 4: **El plan Divino y el tiempo Divino.** No olvides que hay un plan Divino. Debido al acuerdo de tu alma, te vas a alinear con tu misión. Cuando te encuentras en ese vórtice, todo lo que necesitas para tu camino aparece. Si te resistes al proceso y no permites que se desarrolle, serás proyectado en direcciones que te sacarán fuera de control. Cuando dejamos de ser nuestro propio obstáculo, ¡las cosas tienen una manera particular de desarrollarse y aparecer en el momento justo!

En el *Código Clave 7:7*, entenderás esta sugerencia con mayor profundidad, pero aquí quisiera recordarte que todo tu camino como llama gemela es parte del orden Divino. No hay necesidad de tratar de arreglar a tu llama gemela. Si lo intentas, estarás actuando desde los comportamientos de baja vibración, lo cual alargará el proceso. Al fin y al cabo, el tiempo que demore tu llama gemela en cambiar depende de ti.

Sugerencia 5: **Agradece las lecciones.** Agradece toda situación y a toda persona que te haga cambiar tu forma de pensar y mirar en una nueva dirección. Cuando comienzas a cambiar las expectativas por agradecimiento, puedes ver claramente el propósito y la razón por la cual una situación debe cambiar. Entiendes que las cosas se presentan para enseñarte algo. Ahora se convierten en algo por lo cual agradecer.

Sugerencia 6: **Reconoce a los maestros.** Cuando el estudiante está listo, el maestro aparece. Trata a todas las personas y a todos los eventos que suceden en tu vida como parte de tu camino personal. Si aparece un maestro, esto quiere decir que estás listo para aprender un nuevo concepto o idea; es el Universo ofreciéndote lo que necesitas en el momento. Esto quiere decir que es el momento de poner atención y tomar nota, ¡porque allí se encuentra la respuesta a lo que has estado preguntando!

Sugerencia 7: **Acepta "El regalo":** Dar un nuevo rumbo a tu vida nunca es fácil; requiere mucha valentía y desapego. Sin embargo, cuando tratas cada experiencia como una oportunidad para abrirte y recibir, te abres a mejores oportunidades. Cuando sueltas el ego y las necesidades de tu yo inferior, lo que aparece en tu vida es aún mejor – ¡mejor de lo que el yo inferior puede imaginar! El Universo lo sabe. Una vez que hemos soltado y estamos dispuestos a recibir desde el corazón y no desde la mente analítica, *"El Regalo"* se convierte en algo mucho mejor de lo que jamás habríamos podido pedir. A veces llega de una manera diferente, pero cuando nos hacemos a un lado del camino, reconocemos que en realidad es mejor de lo que habías pedido en un principio. ¡Es una recompensa que viene de una Fuente más grande que nosotros!

Ahora comprendemos mejor que poseemos libre albedrío, si bien podemos escoger el camino de menor resistencia o continuar por el camino difícil. *Ahora pongamos la intención en cambiar nuestra realidad.* Te reto a que reconozcas formas de poder cambiar físicamente tu entorno energético interno para poder cambiar tu realidad externa.

Reinicializa tu alma gemela – reencuéntrate con tu llama gemela

Si estás queriendo reencontrarte con tu llama gemela. DEBES primero *"¡reinicializar a tu Alma Gemela!"*. Así, cuando de cambiar tu vida se trate, piensa en estas preguntas: *¿Estás cansado de sentirte estancado? ¿Estás buscando conexión, buscando tu propósito Divino? ¿Estás listo para revitalizar tu vida? ¿Deseas paz y felicidad interior?* Si tus respuestas son afirmativas, entonces es hora de asumir la responsabilidad y hacerte cargo de ti mismo — ¡deja de huir de ti mismo enfocándote en tu llama gemela! De nuevo, ¡quiero hacer hincapié en lo importante que es esto! Lo repito porque es la razón primordial por la cual se estancan las llamas gemelas. *Esperan que su otra mitad efectúe el cambio, pero no están dispuestas a cambiar algunos de los aspectos más profundos de sí mismas.* Usualmente, la persona que se enfoca en su llama gemela es aquella que tiene dificultad para "soltar" y debe practicar la "paciencia".

Recuerda que purificar el alma y elevar la vibración energética es imperativo para poder recuperar tu vida y convertirte en la persona completa y amorosa que debes ser y así poder experimentar una verdadera relación de llamas gemelas. Cuando recalibres tu vibración, todas las áreas de tu vida se cargarán de nueva energía, ayudándote a gozar de la salud del cuerpo, la mente y el alma.

Anteriormente describí la forma como funciona la energía en un nivel más profundo, pero aquí quisiera introducir algunos conceptos prácticos sobre la energía de manera que puedas entender mejor nuestra conexión energética con el mundo exterior. La siguiente lista se refiere a las fuentes de energía que pueden afectar nuestra frecuencia energética de manera positiva o negativa (es probable que te resulte familia):

- Radio – TV – Teléfono Celular – Microondas.
- Acupuntura – Meridianos – Canales del cuerpo. Agujas que actúan como antenas para redirigir los bloqueos energéticos.
- Vórtices – Portales de energía en la tierra.
- Prisma de luz.
- Campo energético – Aura.
- Imanes – Masculino-Femenino – Polaridades opuestas.
- Frecuencias bajas o altas – Negativo y positivo.
- Los pensamientos y las palabras son energía.
- El elefante silencioso – Entras en un recinto y sientes la energía negativa y las emociones, pero nadie habla del problema.

- Factores ambientales tóxicos y dañinos.
- Energías globales – Guerra – Las cosas destructivas emergen para poder ser liberadas y sanadas.
- Energía del sol – ciclos lunares – Agua/Marea.

Comprendiendo las capas de tu Ser energético de luz
La siguiente lista te ayudará a comprender mejor las capas energéticas que componen tu Ser energético de luz, también conocidas como el mundo energético interno:

- **Cuerpo energético** – conexión del cuerpo físico y el cuerpo emocional.
- **Cuerpo espiritual** – campo energético o aura.
- **Cuerpo mental**
  - Pensamientos subconscientes – memoria archivada, por ejemplo, el nacimiento – mantienen el latido del corazón.
  - Pensamientos conscientes – patrones de pensamiento del cerebro derecho/izquierdo – conectados con la glándula pineal
  - Pensamientos conscientes superiores – conectan con el yo superior y la inteligencia cósmica Universal.
- **Cuerpo emocional** – Los pensamientos se convierten en cosas y luego crean sentimientos – los sentimientos atraen.
- **Cuerpo físico** – Acción - Energía en movimiento
- **Cuerpo etérico** – Almacena energía entre tú y tu llama gemela y otras relaciones.

Nuestros pensamientos, sentimientos y emociones crean vibraciones energéticas. Dependiendo de si son positivos o negativos, se relacionan con la frecuencia a la cual la señal vibra – los negativos llevan vibraciones bajas y los positivos llevan vibraciones altas. Nuestros pensamientos generan sentimientos, los cuales crean emociones; si estas emociones se quedan en el cuerpo, (por ejemplo, no expresas tus sentimientos) estas huellas energéticas crean bloqueos energéticos que deben limpiarse en todos los niveles. Nuestro ser funciona como una computadora; archiva cada tipo de sentimiento y emoción en carpetas. Por ejemplo, si cada vez que te enfureces dejas esa emoción sin limpiar, se archiva en la carpeta de la rabia. Así, cada vez que sientas rabia, saldrán a flote todas las emociones reprimidas. Es importante cancelar – editar – borrar esas carpetas, de manera que no causen bloqueos energéticos que te mantengan estancado. Básicamente es hora de borrar la memoria temporal. Nuestras emociones son las que generan la sincronización vibracional en la conexión mente-cuerpo. Si esta conexión se bloquea o se sale de sincronía, nuestros pensamientos se desconectan energéticamente del cuerpo. Nuestro ser se altera y esto crea distorsión mental – por ende, falta de claridad.

La ley de la atracción

Existen muchas fuentes que explican la ley de la atracción, y son muchas las personas que han escuchado esta idea, pero pocas comprenden realmente la ciencia detrás de la realidad exterior. Es cuestión de la tasa vibratoria interna; la frecuencia a la cual vibramos se convierte en un imán que se conecta a todo lo que atraemos en la vida, ya sea positivo o negativo. Nuestro cuerpo se compone de 72% de agua, lo cual lo convierte en un sonar cuyas ondas de sonido son señales que al Universo, generando la conexión con todo lo que atraemos en la vida.

Este es un ejemplo de cómo funciona científicamente. Ya que estamos hechos principalmente de agua, nos convertimos en un conductor de impulsos eléctricos. Este mismo concepto es el que se utiliza en dispositivos médicos tales como el ultrasonido, el cual mide la frecuencia de los impulsos energéticos del cuerpo y el patrón de estas señales. La máquina utiliza las señales para reflejar una imagen interna del cuerpo, la cual puede utilizarse para diagnosticar problemas de salud, o para monitorear el progreso del bebé durante el embarazo.

Las ondas de sonido se generan a la velocidad a la cual nuestros chakras vibran energéticamente y luego se filtran en el aura, o campo energético, alrededor de nuestro cuerpo físico. Por tanto, una de las cosas más importantes que hay que entender acerca de la ley de la atracción es que una vez nuestros pensamientos hayan generado sentimientos y emociones, son los sentimientos — no lo que estás pensando — los que se convierte en el imán principal de nuestra realidad. Las frecuencias energéticas de las emociones crean la manifestación física de lo que estás atrayendo. Los pensamientos y sentimientos de baja vibración atraerán a nuestra vida personas, cosas y experiencias de baja vibración. Por consiguiente, cuanto más alta sea nuestra vibración, más alto será el canal de vibración con el que entraremos en contacto. Entonces seremos capaces de atraer otras personas, cosas y experiencias que operan en el mismo canal energético.

El Dr. David Hawkins ofrece una excelente explicación acerca de este concepto en su libro *Poder vs. Fuerza*. Explica muy detalladamente cómo funcionan los canales de frecuencia en términos de vibración. Presenta una tabla con una lista de emociones y le asigna a cada una, la frecuencia a la cual están calibradas. Por ejemplo, la felicidad es una de las emociones con más alta frecuencia energética y el miedo se encuentra dentro de las frecuencias bajas. Lo que es interesante, según la lista de Hawkins, es que el amor incondicional está calibrado en una frecuencia de 500 — la cual se encuentra justo en la mitad de la escala de conciencia que va de 0 a 1000, siendo 1000 la vibración más alta de la conciencia. Este es un buen ejemplo de cómo nuestras señales de sonar generan frecuencias sonoras específicas, afectando cualquier cosa que atraemos, positiva o negativa, la cual toma forma física.

Hawkins también da el ejemplo de cómo los poderes de sanación y presencia de Jesús están calibrados en 1000, la frecuencia más alta humanamente posible. He escuchado al Dr. Wayne Dyer decir que tener la oración a San Francisco de Asís escrita en papel en tu presencia, produce una calibración de 600. He llevado esta plegaria por años. Puse una copia en el espejo de mi baño para leerla todas las mañanas.

La segunda cosa más importante que hay que entender acerca de la ley de la atracción es que el Universo desea no sólo darte lo que necesitas sino también lo que quieres. En serio, tus deseos son órdenes — pero para poder recibir tus deseos, debes ser capaz de responder la siguiente pregunta con claridad, *"¿Qué es lo que deseo?"* Aquí es donde por lo general comienza el bloqueo, ya que la mayoría de las personas no saben lo que quieren. Hasta tanto tengamos *intenciones claras*, no podremos atraer o manifestar lo que queremos. Enseño esto a mis clientes pidiéndoles que hagan una revisión de vida y dos listas: la primera es *la lista de cosas que ya no tienen propósito, y la segunda es de las cosas que desean a cambio que sean iguales, mejores o diferentes.*

Aquello en lo cual enfocas tu atención se expande. Por tanto, si te enfocas en la falta de unión con tu llama gemela, crearás más de lo mismo, postergando el reencuentro con tu otra mitad. Así, en lugar de enfocarte en lo que te falta, pon tu atención primero en aquello que ya no tiene propósito. En segundo lugar, una vez que te hayas conectado con tu conciencia superior, enfócate en hacer una lista que te aclare la pregunta, *"¿Qué es lo que deseo?"*

Las siete dimensiones de la armonía vibratoria

Debido a que tu vibración interna se convierte en el espejo de tu vida, ¿qué necesitas cambiar adentro para cambiar tu vida? (Este es el mismo concepto que explica energéticamente cómo tu llama gemela te refleja aquello en lo que debes trabajar.) Existen siete dimensiones vibratorias que pueden afectar tu alma. Hay que recalibrar la vibración y alinear cada área de la vida, lo que se conoce como equilibrio energético armónico y es el *Secreto* para encontrar la alegría, la armonía y la paz interior. Las siguientes siete dimensiones hacen parte de mi hoja de ruta para *"Reinicializar a tu llama gemela",* la cual se enfoca en ir de adentro hacia afuera. Estas dimensiones se ven afectadas en el siguiente orden de arriba hacia abajo, empezando por el ser energético interno y expandiéndolo hacia la vida exterior:

- Reinicializa tus chakras y deja de sentir el estancamiento
- Reinicializa tu alma y encuentra paz interior
- Reinicializa tu mente y adquiere claridad mental
- Reinicializa tu vida y vive el propósito de tu alma
- Reinicializa tu espacio y limpia el exceso de cosas
- Reinicializa tu misión y ama la fuente de tu sustento
- Reinicializa tu alma gemela y reúnete con tu llama gemela

¿Te encuentras en vibración armónica?

La frecuencia a la cual tu Ser vibra se puede determinar por medio de una revisión de vida e identificando lo que ya no tiene propósito. Luego de hacer una lista para cada área de tu Ser, dale prioridad a esa lista y escoge las tres cosas principales que ya no tienen propósito. Vuelve a escribir esas áreas y anota lo que quieres exactamente: *"¿Qué es lo que deseo?"* A medida que logras la libertad al ir soltando, sigue organizando las prioridades y marcando la lista. *Asegúrate de mantener la atención en las tres áreas principales.* Crear y escribir estas listas genera acción y una afirmación energética como si ya hubiera sucedido. De modo que te recomiendo que saques esa lista de tu cabeza y de tu vida.

Piensa en esta pregunta a medida que reflexionas sobre esta idea: *"¿Cómo podría expandirme desde mi alma y hacer una revisión de vida?"* ¡Tomarse el tiempo para pensar en estas preguntas no sólo te ayudará a recalibrar tu vibración, sino también a recuperar tu vida!

1) Energético –
   - ¿Qué vampiros energéticos están en tu vida — personas y cosas que te roban la energía?
   - ¿Sientes cansancio constantemente?
2) Espiritual –
   - ¿Qué puedo hacer para favorecer mi desarrollo personal, creando una conexión para mi más alto bienestar?
   - ¿Estos pensamientos vienen de mi cabeza o de mi corazón?
   - Sé que puedo confiar en mi guía interior porque……
   - A medida que suelto, mi vibración cambia y al hacerlo se activa mi intuición. ¿Estoy escuchando a mi GPS interno?
3) Mental –
   - ¿Qué patrones de pensamiento negativos tienes que necesitan redefinirse?
   - ¿Qué emociones negativas necesitas soltar?
   - ¿Qué afirmaciones dices a diario?
   - ¿Hablas a los demás desde tu verdad?

4) Físico –
   - ¿Estás saludable?
   - ¿Qué comes?
   - ¿Cómo ejercitas?
   - ¿Cómo duermes?

5) Espacio –
   - ¿Necesitas limpiar el desorden?
   - ¿Te gusta el lugar donde vives?
   - ¿Te gustan tus cosas, o te has resignado a poseer cosas que son menos de lo que deseas?

6) Vida –
   - ¿Cómo son tus relaciones actuales?
   - ¿Pones límites amorosamente?
   - ¿Te diviertes?

7) Sentido de vida –
   - ¿Conectas con tu propósito y ganas dinero de valor significativo?
   - ¿Cuál es tu razón de ser?
   - ¿Cuál es tu misión?

¡Sin que te des cuenta, comenzarás a atraer a tu realidad únicamente cosas que tengan propósito y que además ames!

Recalibra tu vibración
Además de soltar conscientemente lo que ya no te sirve, es igual de importante soltar energéticamente las huellas energéticas subconscientes del pasado que han bloqueado tu vida y tu unión. Utiliza el mismo principio de Cancelar – Editar – Borrar, cortando todas las ataduras a los residuos

kármicos en todos los planos de tu Ser. Esta es la única manera de sanar, en esta vida y en contratos futuros, el trauma del alma que ha ocurrido a través de las experiencias negativas de vidas pasadas — y en todas las dimensiones y en todos los planos del Ser. Me preguntan con frecuencia cómo se hace para soltar estas cosas y así poder elevar la vibración energética. Los siguientes son seis pasos para recalibrar la vibración:

Paso 1: **Cortar lazos energéticos kármicos** – Meditacies de visualización y sesiones de sanación energética.

Paso 2: **Liberar contratos kármicos** – Liberar y cortar verbal y visualmente todas las ataduras y contratos del pasado, presente y futuro en todas las dimensiones energéticas.

Paso 3: **Limpiar el cuerpo etérico** – Visualmente limpiar y soltar todas las energías negativas.

Paso 4: **Limpiar el aura** – Deshacer las paredes energéticas – sanación con sonido – baños con sal.

Paso 5: **Activación de la glándula pineal** – Facilita la conexión con el yo superior.

Paso 6: **Limpiar y balancear los chakras** – Ver sugerencias al final del capítulo.

Comprender la importancia de limpiar y balancear los chakras

La palabra "chakra" viene del sánscrito y significa rueda o disco. El cuerpo humano posee siete chakras principales y muchos otros chakras menores. Estos siete chakras principales comienzan desde la base de la columna y terminan en la coronilla. Básicamente, estos chakras poseen una rueda de energía en constante rotación. El chakra de la raíz (chakra 1) es el que gira más lentamente, mientras que el chakra de la coronilla (séptimo) es el que gira a mayor velocidad.

Estos siete chakras principales funcionan como un vórtice de energía que crea intercambios entre nuestro entorno interior y exterior. Ambas energías se filtran en el aura con el propósito de crear equilibrio armónico. Cuando el intercambio entre nuestro cuerpo y el aura se bloquea o se estanca, se crea un desequilibrio, haciendo que la frecuencia giratoria de uno o más de estos chakras disminuya o aumente. Estos bloqueos pueden afectar cada área de la vida de las personas a nivel del cuerpo, la mente y el alma. Estos bloqueos energéticos no solamente perpetuarán el estancamiento en la vida, sino que evitarán que se cree la unión física con la llama gemela.

El primer chakra comienza en la base de la columna y se extiende hacia arriba hasta el séptimo chakra, el cual se encuentra en el centro de la parte superior de la cabeza: la siguiente es una lista de los siente chakras, su color asociado, su lugar, su nombre en sánscrito y la conexión que tienen con nuestros sentimientos, emociones y entendimientos.

1er chakra (rojo)	Chakra de la raíz (Muladhara)	YO SOY	Supervivencia
2do chakra (naranja)	Chakra del ombligo (Svadhisthana)	YO SIENTO	Creatividad
3er chakra (amarillo)	Plexo Solar (Manipura)	YO HAGO	Poder
4to chakra (verde/rosa)	Chakra del Corazón (Anahata)	YO AMO	Amor
5to chakra (azul)	Chakra de la Garganta (Vishuddha)	YO HABLO	Expresión

6to chakra (índigo)	Chakra del Tercer Ojo (Ajna)	YO VEO	Claridad
7mo chakra (violeta)	Chakra de la Coronilla (Sahasrara)	YO ENTIENDO	Conciencia

Quisiera señalar que el chakra del corazón es el centro exacto, lo cual lo convierte en el facilitador que apoya el proceso de equilibrio entre las características adquiridas del yo inferior (chakras inferiores) y el yo superior (chakras superiores), el conocimiento y la sabiduría, lo cual crea la iluminación.

Los siete chakras principales – La conexión con nuestras llamas gemelas

Como lo mencioné anteriormente, TODAS las cosas están compuestas de energía. Todo emite frecuencias electromagnéticas, creando un campo energético alrededor de todo. Los chakras son imanes energéticos que te conectan a cada elemento de tu vida. Las llamas gemelas se conectan entre sí a través de estos portales, ya que su composición energética tiene la misma impronta electromagnética. Su vibración energética funciona en la misma frecuencia y sus vibraciones envían las mismas señales de sonar al Universo. Esta es la razón por la cual el Universo quiere que las llamas gemelas logren la unión física. El poder de dos es mayor que el poder de uno; a medida que incrementan la vibración de amor a partir de su unión y envían señales vibratorias de alta frecuencia, el planeta eleva sus vibraciones a nivel colectivo.

La importancia de comprender este concepto radica en que cuando las llamas gemelas se juntan inicialmente en el plano físico, su frecuencia energética pareciera ser diferente. Esto se debe a la cantidad de karma que aún debe limpiarse. *Inicialmente una de las almas gemelas ha limpiado*

143

más cantidad de karma que la otra, lo cual automáticamente genera una vibración energética más elevada. Sin embargo, a nivel espiritual, aceleran el proceso y trabajan juntos para que ambos eleven su vibración energética. La que tiene la vibración energética más alta, por lo general ayuda a la otra a elevar su vibración.

¿Tus chakras están vibrando en una frecuencia óptima?

Personalmente he recibido sanación energética y he investigado ampliamente este tema. He ejercido la sanación energética por casi 30 años. Mis habilidades de sanación energética, también conocidas como medicina vibracional, son la razón por la cual he tenido tanto éxito ayudando a otras llamas gemelas a reinicializar a su otra mitad. *Hay diversas herramientas de sanación que te pueden ayudar a recalibrar estos bloqueos o energías de baja vibración, convirtiéndolas en energías de alta vibración.* En cada vida experimentamos diferentes lecciones y creamos diversas experiencias mentales, emocionales, espirituales y físicas – la acumulación de estas experiencias se convierte en la expresión del ADN del alma y deja una huella energética, la cual nos acompaña durante el viaje del alma. De manera que quizás no tengas conciencia de los recuerdos de vidas pasadas, pero esas experiencias pasadas pueden tener un impacto directo en el funcionamiento de tu energía en el presente. Estas disfunciones energéticas pueden hacer que la persona se estanque en la vida actual. Por esta razón, es muy importante soltar todos los lazos energéticos de todas las vidas pasadas, presentes y futuras y cortar con todos los contratos kármicos en todas las dimensiones. Existen muchas técnicas para apoyar este proceso y ayudarte a mantener el intercambio energético interno y externo en equilibrio.

Las técnicas pueden variar según las habilidades individuales del profesional. Mantener los canales energéticos abiertos y limpios ayuda a practicar las leyes energéticas del dar y recibir y ayuda a funcionar mejor en cada aspecto de la vida — ya que te encuentras en equilibrio armónico. Lo más seguro es que si sientes estancamiento en algún aspecto de tu vida es porque tienes bloqueos energéticos.

La conexión con el yo superior – El sistema de los 12 chakras

Los siete chakras inferiores representan al Ser físico y al yo inferior; los gobierna el plano físico y el ser lógico. *Se deben limpiar los residuos kármicos de los chakras inferiores para poder avanzar hacia el proceso de conexión con los chakras superiores y el yo superior.* Cuando hayas cortado con los patrones kármicos, comenzará a abrirse la conexión con los cinco chakras superiores. *Estos cinco chakras se convierten en el material genético del yo superior.* La activación de los cinco chakras superiores te ayudará a conectarte con la inteligencia cósmica Universal a través del llamado "*Sistema de los 12 chakras.*" Las llamas gemelas deben estar en conexión física antes de que sus chakras superiores y el yo superior se activen completamente. El propósito de abrir este portal es recibir la inteligencia Divina y manifestar a un nivel más elevado que el del yo inferior o los chakras inferiores. Las llamas gemelas llevan el código del *"Sistema de los 12 chakras".* Cuando estos chakras estén completamente activados y abiertos al nivel cósmico, las llamas gemelas podrán acceder a la inteligencia Universal, la cual les proporcionará toda la sabiduría que necesitan para poder completar su misión. Las almas gemelas podrán conectar conscientemente con el nivel galáctico cuando ambas hayan conectado con su yo superior.

Los 5 chakras del yo superior – Creando el *"sistema de los 12 chakras"*

A continuación, aparecen los 5 chakras superiores, su color, y la conexión con nuestro yo superior. Me gustaría señalar que es posible que estos chakras se presenten de maneras diferentes y con diversos colores. También es importante saber que poseemos cientos de chakras secundarios dentro y al rededor de nuestro Ser. Sin embargo, el *"Sistema de los 12 chakras"* es algo que se activa dentro de todas las llamas gemelas, pero debe permanecer energéticamente limpio para poder mantener abiertas las líneas de comunicación con la llama gemela.

8vo chakra (perla)
– Alma Portal Estelar Cósmico

9no chakra (azul/verde)
– Registros Akáshicos Contratos Kármicos y Acuerdos

10mo chakra (rosa)
– Creatividad Divina Misión & Propósito del Alma

11vo chakra (plateado)
– Conexión Cósmica Inteligencia Universal

12vo chakra (dorado)
– Conexión Galáctica Comunicación Directa con la llama gemela

Los siguientes son los siete beneficios de mantenerse en vibración armónica con los chakras balanceados:

1. Una visión más positiva respecto de los procesos de pensamiento y la percepción al adquirir sabiduría y entender los eventos y los comportamientos.

2. Mayor concentración, conciencia e incluso memoria.

3. La creatividad y recursividad aumentan cuando cambia la percepción.

4. Sueño mejor y más profundo; es posible despertarse refrescado en la mañana; la salud en general se beneficia.

5. Reducción de estrés en todas las áreas de la vida al tener mayor control sobre las emociones, más tolerancia y paciencia.

6. Mejoría de la salud en general. Ayuda a disminuir la presión arterial lo cual ayuda a prevenir aneurismas y ataques cardiacos. También aliviará el estrés en personas con enfermedades crónicas. Encontrar el equilibrio y la armonía vibratoria en los chakras principales ayuda a mantener todos los aspectos biológicos, emocionales y espirituales saludables y puede ayudar a liberar residuos físicos del cuerpo al limpiar las toxinas físicas, emocionales y espirituales.

Siete sugerencias para ayudar a mantener tus chakras energéticamente limpios y en equilibrio armónico

El bloqueo de los chakras, o la falta de alineación, evitará que la energía fluya a través del cuerpo, causando interferencias que pueden llevar estados de ánimo negativos y patrones de pensamiento de baja vibración. A medida que remueves estos bloqueos energéticos, restablecerás el equilibrio en tu vida, lo cual es crítico para la sanación en todos los planos y las dimensiones. No solamente armonizará la vibración de tu alma, sino que creará armonía a través de las siete dimensiones de tu Ser. Los pasos a seguir son simples; es importante enfocarse en un chakra a la vez. Aquí están cinco técnicas generales que pueden ayudar a eliminar la interferencia energética:

Sugerencia 1: **Visualización a través de la meditación –** ¡Es como una inyección de vitamina B12 para el espíritu! Una técnica muy eficaz para aclarar tu mente, a medida que te enfocas en cada chakra y visualizas su color girando primero en sentido contrario a las manecillas del reloj y luego al revés, a fin de reestablecer el equilibrio. A medida que lo haces, fija la intención en lo que quieres liberar, seguida de la afirmación de lo que quieres reestablecer. Utiliza el concepto de Liberar, Reequilibrar y Reemplazar.

Sugerencia 2: **Terapia de sonido** – Existen varias formas de utilizar el sonido para sacudir las energías densas. El pulso binaural o los cuencos tibetanos son buenas técnicas, además de los mantras que generan vibración en el chakra de la garganta porque estimulan la vibración energética de nuestros canales y del aura.

Sugerencia 3: **Conexión con los cristales** – Las piedras o cristales tienen frecuencias energéticas según su tipo y color. Cada una tiene su propia frecuencia energética. Por ende, cada tipo de piedra puede ayudar a liberar los diferentes tipos de bloqueos energéticos. Coloca el cristal directamente sobre el chakra. También lo puedes colocar directamente encima del chakra lo cual también ayuda a recalibrar y a absorber energía negativa.

Sugerencia 4: **Ejercicio – Físico/Respiración** – El ejercicio es necesario para mantener un cuerpo saludable y energizado, especialmente para los chakras y el aura. La terapia de sacudir ayuda a mantener la energía circulando. El estiramiento y el yoga ayudan a mantener los chakras alineados. Las técnicas de respiración profunda son otra manera de eliminar, mover o equilibrar la energía. Un ejercicio que puedes realizar es el siguiente: forma un rollo con una toalla y ponlo a lo largo de tu columna desde la base hasta el cuello. Acuéstate sobre el rollo con los brazos abiertos durante 3 a 5 minutos. Esto ayudará a abrir tu chakra del corazón. También puedes utilizar una bola de ejercicio y hacer el arco hacia atrás. Acuéstate sobre la bola boca arriba durante 3 a 5 minutos.

Sugerencia 5: **Come alimentos frescos** – Los alimentos frescos, orgánicos e integrales ayudan a promover el balance adecuado del pH dentro del cuerpo. Desintoxica tu cuerpo con una limpieza total de 7 a 10 días, sumando vegetales verdes alcalinizantes a tu dieta. Para llevar tu cuerpo a un estado alcalino, utiliza cebada orgánica. Cambiar el pH de tu cuerpo ayuda a elevar la vibración energética.

Sugerencia 6: **Mantener la columna alineada** – Los ajustes quiroprácticos y los masajes ayudan a mantener los canales energéticos abiertos y los chakras y vórtices debidamente alineados. Un masaje de cuerpo entero es una forma eficaz de eliminar bloqueos no sólo de los siete chakras principales sino de los secundarios también.

Sugerencia 7: **Elimina el desorden** – Elimina el desorden en cada uno de los aspectos de la vida: el cuerpo, la mente, el alma y el espacio. Esto evitará que patrones de energía externa caótica distorsionen tu energía interna a través de interferencia negativa. El Feng Shui es una forma excelente de trabajar con tus espacios externos. Aquí te presento un reto: mueve 11 cosas en tu casa y observa cómo cambia la energía.

Para más información y ayuda para *"Reinicializar tu alma gemela,"* visita mi página web: www.TwinFlameExpert.com

¡Diseñé esta hoja de ruta para ayudarte a entrar en acción a fin de que puedas liberar el pasado, elevar tu vibración energética y recuperar tu vida! Este programa beneficia a cualquiera que esté buscando a su otra mitad, ya sea llama gemela o no. Todos debemos crear un camino energético accediendo a estados vibratorios superiores y armonizarnos en amor propio incondicional antes de poder acceder a la máxima relación.

Exploremos ahora el propósito que tiene conectar con la conciencia superior. Veremos en el *Código Clave 6:6* que el proceso de Ascensión es necesario para elevar nuestra vibración de amor incondicional y adquirir un entendimiento más profundo de *"El Regalo"* que es el amor incondicional. Descubriremos la importancia de practicar el amor propio, de manera que podamos convertirnos en individuos completos al hallar el equilibrio armónico en la conciencia Crística incondicional. Así aprenderemos a convertirnos en una huella del Santo Grial a medida que abrimos nuestros corazones y encontramos el equilibrio de dar y recibir amor incondicional — no solamente con nuestra llama gemela, sino con el mundo.

CÓDIGO CLAVE 6:6

Eleva tu vibración de amor incondicional

"El amor se contrae o se expande dependiendo de la vibración de cada quien". – Dr. Harmony

QUIZAS TE SEAN FAMILIARES los famosos versículos sobre el "amor incondicional" que aparecen en la Biblia: 1 Corintios 13:4-8 (NVI) – "4 El amor es paciente y bondadoso. El amor no es celoso ni fanfarrón ni orgulloso ni ofensivo. 5 no exige que las cosas se hagan a su manera. No se irrita ni lleva un registro de las ofensas recibidas. 6 no se alegra de la injusticia, sino que se alegra cuando la verdad triunfa. 7 el amor nunca se da por vencido, jamás pierde la fe, siempre tiene esperanzas y se mantiene firme en toda circunstancia. 8 la profecía, el hablar en idiomas desconocidos, y el conocimiento especial se volverán inútiles. ¡Pero el amor durará para siempre!".

La enseñanza de este "Código Clave" es la siguiente: cuando aprendes a ver la vida a través de tu corazón y no de tu cabeza y liberas las expectativas y condiciones, se crea el equilibrio armónico que eleva la vibración energética del amor incondicional. Nuestra vida se llena de compasión. Para poder compartir "El Regalo" del amor Divino infinito, debemos mantener nuestros canales energéticos de amor abiertos y limpios, libres de dolores del pasado. Así, nuestra vida vibrará en la misma frecuencia que la de nuestro corazón. Nos abrimos a compartir la vibración de amor con otros a través de nuestro corazón resplandeciente.

La mayoría de la gente desatiende al niño interior herido. Cuando dejamos atrás las emociones dolorosas abrimos campo para la expansión del alma. Nos permite experimentar el amor de una nueva manera, permitiendo a nuestro corazón hablar el lenguaje de la nueva tierra. Nos convertimos en representantes de la voz Crística del creador. Nos convertimos en expresión Divina de amor incondicional, para compartirlo con las llamas gemelas y con el mundo.

Al convertirnos en un ser energéticamente completo podemos mantenernos conectados con el Creador. Producimos la misma conciencia Crística representada en el Santo Grial, lo cual nos ayuda a encontrar equilibrio en el dar y el recibir.

Aprender a amar sin barreras mantiene abiertos los canales energéticos del amor entre el Ser y la Divinidad. Cuando nos desconectamos de la fuente de energía, bloqueamos las bendiciones. Cuando liberamos las emociones y expresamos lo que somos, evitamos formar escudos de protección alrededor del corazón.

Somos seres energéticos creados a la imagen del Creador energético. Algunas personas tienen dificultad en ponerse de primeras, pero cuando lo hacen, en realidad están poniendo a Dios primero. Cuando le prestamos atención a nuestras necesidades, evitamos esconder el dolor, lo cual sólo crea más dolor y sufrimiento.

Aprendiendo a cuidar de mí me ha enseñado a *"ver únicamente amor"* en los otros y a ver la vida desde mi corazón y no desde mi cabeza. Esto hace que la vida sea una experiencia mucho más hermosa. Aquellos que ven en el cuidado de sí mismos un acto egoísta, miran afuera de ellos para llenar un vacío interno. Cuando nos entregamos totalmente, se drena el alma y se bajan las vibraciones energéticas. Debe haber equilibrio para poder seguir en conexión con nuestro ser y con la Fuente. *Cuando dominamos el arte del amor propio, compartir ese amor incondicional se convierte en el regalo espiritual que damos a los demás* y, de esa manera, las leyes del amor incondicional siguen en equilibrio en el Universo. Nuestra alma exhala cuando damos amor incondicional e inhala cuando lo recibimos.

El arte de nutrir al niño interior nos ayuda a florecer interiormente para luego irradiar hacia nuestra vida y hacia el mundo. *Cuando liberamos emociones y sentimientos "antiguos" y abandonamos la batalla del ego entre la mente y el corazón, podemos perdonar el pasado, a otros, y a nosotros mismos lo cual crea libertad en el alma.* Ahora podemos expresar las formas más elevadas de compasión — experimentando amor incondicional, respeto, valor, y aceptación de nosotros mismos.

¿Qué es un corazón resplandeciente?

Cuando las personas se refieren al amor, automáticamente piensan en el corazón. El corazón es un órgano vital que proporciona sangre y oxigeno a todo nuestro ser. Es el órgano más fuerte del cuerpo y fue diseñado para mantener la vida. El corazón resplandeciente está más allá del corazón físico. *Es la fuerza vital energética dentro de nuestra alma que llena cada célula de nuestro ser con la expresión infinita del Creador.* Mantener el corazón abierto evita la alteración de la energía vital y nos ayuda a lograr la paz interior y la armonía.

El chakra del corazón es el centro de control energético de la vibración del amor y de los sentimientos. Es el cuarto chakra que ocupa el puesto del medio entre los siete chakras. Su función principal es conectar a nuestro Ser espiritual con la existencia física. Cuando nuestro chakra del corazón está bloqueado energéticamente o en desequilibrio, produce una sensación de dolor y opresión causada por la rabia, el resentimiento, el odio y demás. Por esta razón, las personas dicen que les duele el corazón. Estos bloqueos emocionales evitan que el amor y la compasión fluyan.

Cuando tu chakra del corazón está abierto, te permite sentir la vibración de amor en el interior. La energía que fluye a través de tu corazón está llena de amor Eterno. Sientes el amor vivo y su energía se mueve. *Muchas veces veo clientes que piensan que no merecen amor y, por ende, bloquean el intercambio del Santo Grial lo cual les impide recibir amor.* Mantener abiertos estos canales de amor también eleva la vibración de amor incondicional para poder experimentar la forma más elevada de amor incondicional Crístico — la compasión.

Cuando dejamos atrás al yo inferior y conectamos con el yo superior, nuestro chakra del corazón se convierte en el chakra raíz de nuestro Ser energético. Este es el primer paso para activar el *"Sistema de los 12 chakras"* y sirve de base para el Ser superior. Esto abre el chakra superior del corazón, el cuál se encuentra en el área de la cavidad nasal, convirtiéndose en el portal hacia la conciencia Crística.

Un corazón resplandeciente es un corazón expansivo

Debido a los esfuerzos por suprimir y evadir, la mayoría de las personas bloquean las emociones dolorosas. Esto adormece las emociones y evita que podamos expresar nuestros sentimientos. Sin embargo, si no sabemos cómo sentirnos mal, no podemos experimentar las buenas emociones. Nos convertimos en niños heridos que nunca sanaron el pasado. Erigir muros de protección nos impide desarrollar la capacidad de experimentar el amor Divino. Es necesaria la dualidad del amor y el odio para poder experimentar el equilibrio de las emociones positivas y negativas que se rigen por las leyes energéticas del Universo. Esto quiere decir que, si queremos experimentar amor, debemos saber cómo odiar. *Luego, para expandir hacia afuera, debemos ir hacia las profundidades internas de nuestras emociones. Así, para experimentar un gran amor, también debemos experimentar gran pena.* A medida que expandimos el rango de las emociones, nuestra alma continúa abriéndose y elevando la energía del corazón, lo cual eleva su vibración. Estos niveles elevados de emociones nos permiten expresar lo que es nuestra alma en un nivel más profundo, creando un corazón resplandeciente.

De cómo logré tener un corazón resplandeciente

Algunos años atrás, después de mi divorcio, decidí que había llegado la hora de sanar al niño interior herido. Pude observar los patrones repetidos de fracaso en las relaciones y supe que de ahí en adelante no quería seguir cargando con esos problemas. Entonces pasé cuatro años enfocándome en mí. Aunque en aquel momento no lo pareciera, fueron cuatro de mis mejores años. Pude experimentarme en todo nivel. Me dediqué a reinventarme, lo cual me llevó a encontrar la paz interior y la felicidad a un nivel que nunca había experimentado. Estaba tan entera que no necesitaba que nadie asumiera la responsabilidad por mi felicidad.

Tiempo después estaba ya lista para experimentar la relación máxima. Ya no necesitaba de nadie para sentirme completa — estaba lista para estar con alguien que me complementara. Sin embargo, seguía cerrada, sin estar segura de querer abrirme para dar y recibir amor. Entonces el Universo me mostró que estaba lista mediante señales que me hicieron ver que había llegado el momento de compartir con alguien estable emocionalmente. Cuando me abrí, no fui en busca de amor. Simplemente me puse de acuerdo con el Universo y dije, *"Si es el momento, entonces mándame a la pareja con quien debo estar".* Incluso escribí una carta de alma compañera. No sabía nada sobre las llamas gemelas en esa época - simplemente me relajé y esperé a que apareciera la persona indicada.

Ya conocía a esa persona — estaba presente en mi vida, a la espera de que yo me abriera. Simplemente no la podía reconocer porque no estaba abierta a recibir en aquel momento. Nos habíamos conocido por internet y nos habíamos escrito durante algunos meses antes de conocernos en persona. Cuando finalmente nos conocimos, no me atrajo físicamente. La atracción física siempre había sido un prerrequisito para mí — siempre quería sentir una conexión explosiva que produjera una relación químicamente embriagadora. Necesitaba la chispa. Pero no fue eso lo que experimenté durante nuestra primera cita. Seguimos siendo sólo amigos durante algunos meses. Luego, un buen día, me contactó para que nos viéramos y cuando lo vi me dije a mí misma *"¿Dónde había estado este hombre?"* Realmente me sorprendió. No era porque él hubiera cambiado sino porque yo me había abierto.

Inmediatamente nos conectamos en un nivel muy profundo. No pasó mucho tiempo antes de que experimentáramos una conexión en todos los planos de nuestro Ser. Teníamos en común todo aquello que yo había escrito en la carta a mi alma compañera. Cuando fue el momento indicado, le leí la carta. Nuestra relación era tan profunda que creí que era aquella conexión eterna que mi alma estaba buscando. Éramos la envidia de todos y vivimos cuatro años maravillosos.

Luego, después de haber fracasado en una empresa con un socio, mi compañero de vida (alma compañera) y yo, iniciamos un negocio juntos. El estrés se apoderó no sólo de nuestra relación sino también de nuestras vidas y nuestras almas. Poco tiempo después, ambos estábamos exhaustos y agotados. Al principio pensé que la relación podía sobrevivir a las tribulaciones. Sin embargo, luego de pasar por un infierno durante tres años, me di cuenta de que no fue por el negocio que nuestra relación fracasó. Se debió a que había llegado al núcleo de nuestro Ser y ambos estábamos reconociendo un karma profundo. Esos aspectos debían romperse para poder sacar los esqueletos del pasado. Él tocó una parte de mi alma que nunca nadie había tocado y me produjo sufrimiento — me llevó a la desesperación.

Comencé a sentir cosas que nunca había sentido en mi vida. Nunca había sabido lo que era odiar a alguien. Él también sentía resentimiento hacia mí. En realidad, no éramos lo que queríamos el uno para el otro. No podía comprender cómo había podido pasar esto. *Fue aquí cuando caí en la "más oscura noche de mi alma"*. . Pasé otros dos años en el infierno tratando de asegurarme de que no estaba huyendo de mí misma o de cosas en las cuales necesitaba trabajar. Mi meta era que la relación funcionara. Me estaba convirtiendo en "la salvadora" de la misma manera que lo había hecho con todas las áreas de mi vida. Sabía lo que habíamos sido y que podríamos encontrarlo de nuevo. Le di todo, mi corazón, alma y hasta casi mi vida. Mi fuerza vital se había prácticamente desvanecido. Estaba tan enferma y exhausta que no me quedaba ya nada. Sabía que era "infeliz" y estaba furiosa conmigo misma por haberme permitido llegar hasta ahí. Me sentía atrapada. Habíamos construido una red tan fuerte juntos que ni siquiera sabía como salir de ella.

En ese punto de mi vida estaba trabajando medio tiempo en mi consultorio de quiropraxia para poder pagar las deudas que había heredado de la primera sociedad que había fracasado anteriormente. Había vendido mi automóvil para que pudiéramos sobrevivir mientras comenzábamos nuestro negocio; le había vendido hasta mi casa. No tenía recursos propios y no sabía cómo iba a sobrevivir si me iba. Pero cuanto más tiempo me quedaba, más exhausta se sentía mi alma. Finalmente, una noche desperté y oí una voz que decía claramente; *"Tienes que salir de aquí; esto te está matando"*. Supe inmediatamente que había llegado el momento de irme. No sabía cómo iba a sobrevivir; sólo sabía que estaba muriendo por dentro.

No tenía más opción que confiar y escuchar a mi Ser herido al que había descuidado. Me fui, sabiendo que lo único que tenía para sobrevivir era un cupo de crédito de $3000. Claro que me atenazaba el miedo de no saber cómo iba a sobrevivir, pero me atemorizaba aún más el saber que estaba en una relación que me estaba matando. En un par de días encontré un apartamento amoblado que no necesitaba mayor cosa y me dejaba la posibilidad de encargarme de mí misma. Entonces le notifiqué que me iba y 10 días más tarde me mudé. ¡No hay nada peor que estar solo en una relación fracasada!

Sentía como si mi corazón herido hubiera sido apuñalado. Pero a medida que comencé a sanar, me di cuenta de que él había expandido mi corazón. Me llevó desde las profundidades del más maravilloso amor al hoyo del infierno y supe que era aquello lo que necesitaba experimentar para poder sentir el amor incondicional — algo que él no sabía cómo darme. Pero comprendí que él fue el catalizador para poder romper mi patrón kármico. Prometí nunca más ser "la salvadora." No quería encargarme de nadie más. A medida que seguía sanando y comencé a ver en él a un maestro, me di cuenta de que de él aprendí la mayor compasión que puede haber sentido jamás en mi vida.

Dios sabía lo que estaba haciendo al asegurarse de que no se me olvidara esta lección. Compartimos la custodia de nuestro bebé peludo, Champ, y ambos amamos profundamente a ese perro. Hemos logrado sanar nuestro pasado y cada uno trabaja en sí mismo a su manera. Justo antes de que yo me fuera, le di rosas tinturadas de batik, agradeciéndole por haberme enseñado a colorear por fuera de las líneas. También logramos desenmarañar nuestra red de manera respetuosa. Sé que, en alguna parte de su corazón, algo ha cambiado para mejor y que le permitirá experimentar la vida de mejor forma.

Durante el proceso de sanar y soltar, también descubrí que habíamos tenido una relación de madre-hijo en una vida pasada. En los últimos dos años de nuestra relación, eso fue exactamente lo que se manifestó. En varias ocasiones yo le decía, *"No soy tu madre"*. Podía ver que, emocionalmente, era su niño interior el que estaba herido. Me había agredido de la misma manera que lo había hecho siempre con sus padres. Más adelante, cuando me diagnosticaron el cáncer de útero (emocionalmente, el útero representa la vida en el hogar) volví a revivir las mismas emociones y la rabia. No creía que fuese justo que él siguiera adelante y yo tuviera que limpiar el desastre que había dejado tras de sí. Cuando nos aferramos al odio y al resentimiento, esos sentimientos se proyectan hacia adentro y resurgen en forma de cáncer. Pensé que llegada a ese punto ya lo había perdonado, pero las emociones resurgieron. Luego me di cuenta de que no me había perdonado a mí misma por haberme *entregado* completamente. Prometí nunca volverlo a hacer. Las relaciones deben tener un equilibrio energético armónico para que se produzca el intercambio del Santo Grial; de lo contrario nuestro Ser se drena y nos alejamos de nuestro Creador energético.

Fue necesario que pasara por las profundidades del infierno antes de poder entregarme al trabajo de las capas más profundas de mis residuos kármicos. Cuando tocas el fondo del abismo, no queda nadie más que tú para reconciliar las diferencias entre la cabeza y el corazón. Fue necesario el apoyo de mi llama gemela para poder limpiar ese hoyo y las partes más profundas de mi ser. Debes llegar al centro de este hoyo antes de que tu corazón se pueda quebrar y abrir para soltar todo aquello que se ha introducido desde afuera. Es imperativo que te llenes de amor hacia ti desde adentro para que puedas experimentar un corazón resplandeciente y luego compartir el amor incondicional.

El secreto para elevar la vibración de amor incondicional es amarnos a nosotros mismos primero

"Cuando experimentamos lo que es amarnos a nosotros mismos tenemos la oportunidad de experimentar el amor eterno de Dios directamente". – Dr. Harmony

Todo ser humano ha experimentado dolor y sufrimiento en algún punto de la vida y estas emociones dejan heridas abiertas dentro del Ser energético. Estas experiencias negativas pasadas se quedan atrapadas dentro de la memoria del ADN de nuestra alma. Luego, cuando inconscientemente conectamos con esas experiencias y esos sentimientos negativos, se crea una mayor sensibilidad emocional. Esto hace que nos descarguemos sobre otros, haciéndolos responsables de aquello por lo cual no hemos querido asumir responsabilidad en nuestro interior. Entonces, el pasado adquiere un papel en nuestro estado emocional presente, detonando miedos, ansiedades, agitación, y desaliento. Algunos fragmentos de estas huellas del pasado se quedan en nuestra plantilla energética al inicio de nuestra encarnación y durante la evolución del alma. El niño interno herido sufre y pide que le presten atención, pero lo más común es que nos desentendamos de él. Entonces, el sufrimiento que aparece en cada aspecto de la vida es el reflejo del estado de ese niño interior. Cuando nos reconciliamos con las guerras del pasado, se rompen las ataduras que nos han mantenido prisioneros en todas las áreas de nuestra vida. ¡Finalmente podemos encontrar paz interior y felicidad!

El secreto para sanar la vida es honrar y aceptar al niño interior. ¡Las siguientes son seis sugerencias para ayudarte a que te trates como un Ser de primera clase!

Sugerencia 1: **Sé gentil contigo mismo.** No existe algo como la perfección. Aprende a cuidar de tu alma observando todo lo que piensas, dices o haces. Es hora de soltar las culpas, las cuales sólo te sabotean y te roban tu paz interior.

Sugerencia 2: **Ten compasión.** Aprende a ser amable contigo mismo en todas las situaciones y recuerda que eres humano y cometerás errores. Utiliza esos errores para aprender y crecer. Al permitirte honrar las emociones en todas las situaciones, comienzas a convertirte en tu mejor amigo y a tratarte como un Ser de primera clase.

Sugerencia 3: **Auto aceptación.** Intenta verte a través de los ojos de otros sin juicios y únicamente con amor incondicional. Cuando te aceptes, te volverás más tolerante y aceptarás a los demás también.

Sugerencia 4: **Sé sincero contigo mismo.** A menudo es fácil justificar ciertas circunstancias o racionalizar una situación con la mente. Esto hace que la idea se distorsione para encajar con lo que la mente cree, en vez de cómo el corazón realmente lo ve. Mira hacia adentro y escucha a tu corazón y tu alma — siempre te dirá la verdad en cada situación. Luego convierte en práctica estar en armonía con tu alma. Esto te ayudará a sentirte seguro de tus actos y te dará la fuerza y el valor necesarios durante los tiempos de cambio.

Sugerencia 5: **Ve sólo el amor.** Cambia tu percepción y mira los atributos positivos de cada una de tus acciones. Un cambio de conciencia te ayudará a sanar y aceptar cada error o falta. Cuando te enfocas en lo negativo sólo generas confusión y una falsa impresión de imperfección. Esto no honra a tu alma como Ser espiritual y te aleja cada vez más de la Fuente.

Sugerencia 6: **Tú escoges**. Permítete asumir la responsabilidad por tus actos y decisiones en la vida. Si no te gusta en dónde estás en tu vida o cómo van las cosas, sólo tú tienes el poder de cambiar tus decisiones y tu realidad. No existen malas decisiones — sólo hay cosas que ocurren y una serie de lecciones que te llevan hacia una manera más elevada de pensamiento, la cual te permitirá tomar mejores decisiones la próxima vez. Deja de culparte a ti mismo y a otros. Empieza de ceros y pinta un nuevo cuadro. Observa cómo cambia tu vida. Las siguientes son sugerencias para ayudarte a respetarte, valorarte y aceptarte.

Respeto propio

Sugerencia 1: **Trátate con respeto.** Si quieres que te respeten, comienza por respetarte a ti mismo. No menosprecies tus habilidades. Imagina que eres todo aquello que quieres ser. Incluso si no estás donde quieres estar, sigue tratándote como si ya lo estuvieras. Observa cómo floreces.

Sugerencia 2: **Cambia tus pensamientos.** Los pensamientos negativos tienen un gran impacto sobre la forma como te ves a ti mismo. Ponle atención a esos pensamientos negativos; observa cuando te dices a ti mismo que no estás a la altura de tus expectativas. Reemplaza esos pensamientos negativos con afirmaciones positivas. Se requieren 100 afirmaciones positivas para cancelar un pensamiento negativo, de manera que es importante llenar la mente de positivismo a menudo. Utiliza afirmaciones positivas para que te ayuden a lograr tus metas.

Sugerencia 3: **"¿Quién soy?"** Conócete a ti mismo y honra tus emociones y sentimientos. Aprende a apreciar tus cualidades. Tómate el tiempo de revisar todo aquello que es positivo en ti. ¡Te prometo que comenzarás a darte cuenta de que vales más de lo que tu crees! Haz un diario con tus características, talentos, habilidades y crea una buena relación contigo mismo.

Autoestima

Sugerencia 1: **Mantén las promesas que te haces.** Tómate el tiempo de ver cuanto importas! De vez en cuando observa tus emociones, sentimientos e interacciones con la vida. Asegúrate de que, si te has propuesto metas, te comprometas a lograrlas. Recuerda que es cuestión de progreso, no de perfección.

Sugerencia 2: **Empodérate**. Llenarse de autoestima es importante para poder sentirse realizado. Busca formas de educación que favorezcan tus deseos. La fuerza interior comienza por encontrar actividades en las que siempre ganes – en vez de perder como lo has hecho antes. Haz cosas que te hagan sentir que lo puedes lograr y, cuando menos pienses, tu niño interior estará firmemente parado sobre sus dos pies.

Sugerencia 3: **Suelta la idea del rechazo.** Especialmente el auto rechazo. El miedo al rechazo es una de las razones principales por las cuales las personas no siguen sus sueños. Aprende a pararte firme con la cabeza en alto y no te tomes las cosas personalmente. Lo más seguro es que cuando te sientes rechazado en alguna situación es porque el rechazo viene de tu interior y te deja sintiéndote vacío. No dejes que nadie te robe lo que te hace falta, porque lo más frecuente no es que la otra persona te rechace, sino que eres tú quien te rechazas. Mira en el espejo porque es de ti de quien huyes. Aprende a encarar el reflejo en el espejo y pronto verás cómo desaparecen los miedos.

Auto aceptación

Sugerencia 1: **Perdónate.** Deja atrás la noción del arrepentimiento y observa tus errores como una oportunidad para crecer y expandirte. Deja que tu niño interior hable, y escucha. Sé paciente contigo mismo. Luego de haber escuchado al niño interior, ¡pídele perdón, suéltalo y sigue adelante!

Sugerencia 2: **Observa el punto de vista de tu niño interior.** Toma distancia de la situación y mira hacia adentro. Desapégate del dolor de las emociones y decide que es tiempo de soltar. Ahora puedes comenzar a verte sólo con amor, y el niño interior estará radiante de alegría.

Sugerencia 3: **Deja que la auto aceptación abra tu corazón.** Encuentra la parte más profunda de tu Ser. Deja de preocuparte por tratar de cambiar. Enfócate en los sentimientos y en conectar con el Ser interior que te permite observarte. Pon música que te alegre el corazón. Haz cosas que te hagan sentir de nuevo; esto te ayudará a abrir el chakra del corazón. Permítete sentir emociones, acepta los sentimientos y luego llénate de la esencia de tu Ser energético.

Te reto a que te tomes un minuto en este momento para revisar tu nivel de respeto, estima y aceptación de ti mismo. Toma nota de tu nivel de amor propio. Ahora, durante los próximos 11 días, enfócate solamente en un aspecto primordial que requiera tu atención en tu corazón; *durante el transcurso de los próximos 11 días, haz una cosa que nutra a tu niño interior todos los días.* Luego vuelve a evaluar al final de los 11 días y observa cuánto ha florecido tu niño interior.

Ahora que ya comprendemos mejor cómo elevar las vibraciones de amor incondicional al nutrir al niño interior y al crear un corazón resplandeciente, miremos cómo esto se manifiesta en las relaciones externas a nosotros mismos.

¿Cómo amamos incondicionalmente?

Habrás dominado el lenguaje de amor incondicional del corazón cuando puedas expresar tu amor y dejar de contenerlo. Bloquearlo sólo genera impedimentos que no te permiten recibir *"El Regalo"* del amor incondicional. *Pero cuando realmente amas sin barreras, tendrás libertad en todas tus relaciones.* Es una decisión creer en la magia del amor, lo cuál hará que tus miedos desaparezcan. Suelta el miedo a perder o a que te lastimen, y verás cómo la realidad de tener un romance con la vida comenzará a resonar con tus deseos del corazón. Esto creará un estado de ensueño y una vida que ya no tendrás que imaginar. Tus sueños se volverán parte de tu realidad.

Cuando dejamos atrás los juicios y las predisposiciones, soltamos la noción de que toca aferrarse a las heridas y al dolor del pasado. Comenzamos a sentir que es seguro volver a amar. Cuando nuestro corazón está lleno desde adentro, brillando hacia afuera, sirve un propósito, de manera que nuestra vibración de amor incondicional se convierte en *"El Regalo"* hacia nosotros mismos. *Cuando hayas comprendido el amor que viene directamente de la Divinidad, estarás listo para compartir ese mismo sentimiento de amor incondicional con otros porque tú ya no lo necesitarás.* Se supone que el alma debe estar en un estado de beatitud, el cual te ayuda a estar en el momento presente. Al disfrutar el lenguaje del amor, todas las personas y todas las experiencias que encuentres en tu camino se convertirán en una oportunidad para experimentar la armonía y el equilibrio en todas las áreas de tu vida.

¿En cuál canal de amor vibras?

Es muy frecuente que dos personas funcionen en dos canales de amor diferentes. Esto se debe a que no saben cómo expresarse con la suficiente eficacia para poder entender lo que la otra está diciendo. *Una persona dice lo que quiere y lo que necesita, mientras que la otra trata de satisfacer dichas necesidades.* La segunda persona se frustra al dar y dar; y no importa cuánto se esfuercen, nunca será suficiente y ambas personas quedan sintiéndose frustradas y confundidas. Sienten que no hay esperanza y se preguntan, *"¿Para qué continuar?"* Lo que ninguna de las dos reconoce es que están operando desde dos canales de amor diferentes. Usualmente, el Divino femenino que lleva la historia del abandono, donde la falta de compromiso se convierte en un patrón repetitivo y provoca sentimientos de no ser suficiente, intenta llenar ese vacío con el amor del otro. *Por lo general el Divino masculino trata de darle al Divino femenino lo que pide, pero han sido emocionalmente castrados desde temprana edad y no poseen las habilidades para satisfacer lo que se les está pidiendo.* Así, por mucho que se esfuercen, no saben cómo lograrlo. El esfuerzo que hacen se percibe como insuficiente. La única forma de romper este ciclo es que cada uno trabaje en sí mismo, soltando el pasado, aprendiendo amor propio y generando autoestima, para así poder sintonizarse en el mismo canal de amor.

Cómo identificar el abandono

El sentimiento de insuficiencia crea la percepción de rechazo, haciendo que la persona sienta que no es importante. El sentimiento de abandono genera rabia y resentimiento, lo cual hace que la persona se retraiga. Esperar que otro llene el vacío no solamente lleva al fracaso, sino que genera dolor, llevando a la persona a repeler energéticamente a quien espera que llene el vacío. *No sólo reacciona a la situación presente, sino también a todo el dolor emocional y los traumas del pasado que nunca sanaron.* Este dolor sólo se puede sanar desde adentro. Los temas de abandono vienen de abuso en la niñez, divorcio, falta de amor al nacer, historia de ser objeto de burla, además de muchas improntas de vidas pasadas que aún quedan en el ADN energético del alma. Lo más común es que la persona que arrastra problemas de abandono es la que da. Se entrega completamente; tiene un enorme deseo de recibir amor de la otra persona, pero no está dispuesta a abrirse y recibir. Ha levantado muros de hierro para proteger al niño interior herido. Sin embargo, resiente el hecho de dar y no recibir lo que espera a cambio.

Esto no es amor incondicional. Este desequilibrio energético aleja a la gente, dejando un sentimiento de más abandono, con lo cual se perpetúa el ciclo. Soltar el abandono comienza por dejar atrás el pasado y luego perdonar a todas las personas y experiencias negativas de esta vida y de vidas pasadas. *He observado que esto es muy común en las llamas gemelas; muchas tienen dolor del pasado que se remonta al abandono de su otra mitad o su alma Divina durante la caída de la Atlántida.* Por esta razón, recomiendo a las llamas gemelas que hagan trabajo de perdón para poder sanar sus problemas de abandono. Puedo decirles, por experiencia, que no es tarea fácil. Sin embargo, identificar los problemas y luego perdonar a los otros es *"Clave"* para sanar los problemas de abandono.

Los 3 secretos principales para tener Relaciones Amorosas

Secreto #1: **Comunicación eficaz.** Si te encuentras en una relación que no progresa, sé honesto y

169

comunica tus inquietudes. Expresa tus sentimientos desde el corazón y así disiparás el conflicto. Es sólo tu percepción lo que crea otra cosa. Te respetarán por ser capaz de abrirte y habrá reciprocidad, con lo cual se resuelven los conflictos el 99% de las veces. *La razón por la cual la mayoría de las relaciones de cualquier naturaleza fracasan es la falta de comunicación eficaz.* ¡Sé honesto contigo mismo! La honestidad viene de hablar desde el corazón. Si hablas desde tu cabeza, no estás siendo honesto. Aprende a expresar tus deseos y no tengas miedo de pedir lo que quieres en todas tus relaciones.

Secreto # 2: **Negociación.** La segunda razón más común por la cual hay sufrimiento en las relaciones es la incapacidad de negociar. Poder negociar y cooperar es *"Clave"* para cualquier relación exitosa. Esto es algo que también sigue las leyes energéticas del equilibrio armónico del dar y el recibir, generando la armonía necesaria para crear una relación sana. Observa todas tus relaciones y revisa si están fuera de equilibrio. ¿Aún tienen un propósito? *Pero no huyas de la lección, porque vendrá otro maestro y te enseñará lo mismo — sólo que entonces el Universo hablará cada vez más fuerte, hasta que entiendas.* Haz un esfuerzo consciente para negociar en todas tus interacciones. Es muy importante rodearse de influencias positivas que te alegren, en vez de deprimirte. Asegúrate de no ser la persona que deprime a los demás.

Secreto #3: **Dejar atrás la lujuria.** Deja atrás la necesidad de atracción química. La pasión nada tiene de malo, pero es diferente de la adicción a la lujuria, la cual es superficial y por lo general de naturaleza codependiente. *Las personas con comportamientos adictivos tienden a ser adictas a la reacción química que generan las relaciones basadas en la lujuria.* Muchas veces, la persona se queda en una relación tóxica que crea los altibajos del drama. Cuando es buena, es muy buena. Cuando es dañina, es muy dañina. Romper con esa adicción puede ser tan difícil como romper la adicción a la heroína. Siempre se necesita esa próxima dosis para llenar el vacío interior. *La atracción química es real; estimula los neurotransmisores del cerebro que producen endorfinas y adrenalina, las cuales intensifican las emociones.* El amor incondicional no es un capricho, y tampoco tiene nada que ver con el deseo sexual. Las relaciones que se basan en la lujuria tienen que ver con conectar con alguien que es tu tipo y por quien sientes atracción. Esto está en el primer lugar de la lista para identificar a la llama gemela. En una relación de llamas gemelas, no sentir la chispa química es la forma que tiene el Universo de tratar de menguar el ego. Esto es algo que escucho todo el tiempo: "No es mi tipo." La próxima vez que necesites una dosis, examina la situación y determina si es Lujuria o es Amor.

El secreto para tener relaciones basadas en amor con los padres y la familia

Aprende a amar a tu familia, a TODA tu familia. La mayoría de la gente huye y se esconde de la familia. Observa todos los conflictos que ocurren durante las festividades. Todos los temas no resueltos emergen, obligando a cada quien a observarse al mismo tiempo que culpan a los otros por su dolor. ¡Entonces estamos ante todo un grupo de niños interiores heridos haciendo pataleta! *Cada situación ofrece una oportunidad para sanar, no solamente tu corazón sino el corazón de los demás.* Aprende a ser compasivo y tolerante. Intenta ver la inocencia en todas las situaciones. Cuando entres en conflicto, imagina tu amor rodeando a esa persona con tus mejores y más elevadas intenciones. Envía pensamientos de amor y baña a los demás en bendiciones, sin importar lo que haya ocurrido en el pasado. Ábrete al perdón y deja atrás las equivocaciones del pasado. *Aferrarse a sentimientos negativos sólo te impide expresar el amor al máximo.* Sin importar cuan difícil sea o cuánto daño te ha hecho alguien, escoge el camino elevado, honrándote a ti mismo al enviarle ondas de amor desde tu corazón a esa persona. Esto es lo que hace un corazón luminoso. Este tipo de amor despertará tu espíritu, creando más compasión y amor por la vida, todas las criaturas y la humanidad. Puedes sanar cualquier cosa con amor.

Sanar los conflictos del pasado con tu familia te ayudará a tener mejores relaciones no sólo con ellos sino contigo mismo y con otras personas que pasen por tu vida. *Perdonar a los demás es una forma Divina de mostrarles amor y respeto.* Tú eres el ejemplo. Tú eres la extensión de la Fuente energética acá en el planeta, en representación del Creador. Todos somos humanos y todos cometemos errores. *Es muy frecuente ver que la gente se enfoca en el problema, en lugar de buscar soluciones y estrategias para trascender la negatividad de una situación.* Seguir enfocándose en el problema sólo creará más conflicto. Sé una persona sabia. Suelta y escoge el perdón en vez de la necesidad de controlar. *La necesidad de tener la razón es tan sólo un deseo del ego y sólo crea resentimiento dentro del corazón.* Intenta ponerte en el lugar del otro. No supongas nada. Es posible que esa persona esté teniendo un mal día, o hasta podría estar actuando indebidamente, pero recuerda que lleva dolor adentro. Observa lo bueno que hay en ella y trata de bañarla con amor incondicional. Esto de da la oportunidad de convertirte en su maestro mientras que ella se refleja en ti. Así traerás más conciencia a su vida. No asumas el papel de "salvador"— ¡opta por permitir que la persona se salve sola!

A pesar de que necesitemos alejarnos de relaciones tóxicas y limitar la cantidad de tiempo que pasamos en presencia de personas con baja vibración, aquí te sugiero que aprendas a aceptar a los otros como son, practicando la paciencia y aprendiendo a poner límites amorosamente en lugar de levantar muros que sólo te aíslan de los demás. Esto sólo sirve para esconder el problema en lugar de buscar una solución aprendiendo a expresarte y hablar con la verdad de tu corazón.

Suelta a tu ex

Todos intentamos seguir adelante después de terminar una relación, pero usualmente cargamos con nuestra vieja forma de ser. La relación puede que termine, pero el problema sigue. *Debes purificar las viejas formas si no quieres cargar con tu ex.* Cada relación crea el fluir armónico del Universo. Esto quiere decir que todos los encuentros son proporcionalmente iguales; cada persona es responsable de una porción del encuentro. De manera que, aunque quieras culpar al otro por tu dolor, tú también eres responsable. Así es como funciona el intercambio energético en todas las interacciones. *Para poder romper con estos patrones, debes ponerles fin con la última persona con quien estuviste fuera de sintonía.* Tómate el tiempo para analizar cuándo comenzaron esos patrones, y comienza a limpiar los apegos energéticos a dichas relaciones. ¿Qué era necesario que aprendieras de tu ex? ¿Qué te enseñó? No lo/la culpes, fue tu maestro/a. Deja que tus actos le sirvan de reflejo a tu ex y así él o ella también sanará.

Cuando digo que sueltes a tu ex, me refiero a cortar energéticamente todos los lazos que te atan a experiencias pasadas dolorosas. Comienza por hacer las paces, así sea sólo energéticamente. Las terapias de sanación energética son una buena forma de mantener tus chakras equilibrados y una buena forma de limpiar el sistema eléctrico interno.

Si tienes hijos, es necesario que sigas relacionándote con tu ex, y entonces debes poder perdonar y ser cordial. Si te aferras a rencores y no sueltas, les enseñarás a tus hijos los mismos patrones. POR FAVOR, no pongas a tus hijos en medio de algo que es entre tú y tu ex. Sé un buen ejemplo para ellos. Es importante insistir en esto, porque es algo que ocurre con frecuencia. Puedo decirte por experiencia, utilizándome como ejemplo, ¡que lograr el amor incondicional con tu ex sí es posible!

Cuando mi esposo y yo nos divorciamos, hubo sufrimiento y palabras dolorosas. Muchas cosas hubieran impedido que siguiéramos en contacto. Sin embargo, yo sabía que no quería llevarme cosas negativas. *Ambos, mi exesposo y yo, hemos trabajado en nuestra relación; su nueva esposa dice que tenemos un "divorcio de cuento de hadas".* Él siempre ha sido el proveedor y ha jugado un papel muy importante en mi vida. Está presente en la vida de mis hijos y es el único padre que ellos han conocido. Él escogió ser parte de sus vidas; adoptó a mi hijo al mismo tiempo que nos estábamos divorciando y somos amigos hasta el día de hoy. Me invitan a todos los eventos y celebraciones, y su familia sigue siendo parte de mi vida. Su nueva esposa me envía mensajes especiales, y me hace saber que he sido una inspiración para ella y que nadie sabe nunca lo que se necesita para que dos personas se junten — y le agrada que yo sea parte de su vida. Yo la considero una gran amiga. Cuando tuve que comunicar a familia que me habían diagnosticado un cáncer uterino, ellos fueron las primeras dos personas a quienes contacté. Cuando pedí ayuda, no dudaron en aparecer. Yo sabía que debía ser fuerte para otros, pero recurrí a ellos en busca de apoyo.

Lo volveré a decir – ¡SUELTALO! El resultado en TODAS las situaciones depende de ti y de lo que estés buscando. Si no recibes lo que quieres, sólo tú puedes cambiarlo. No culpes al otro ni digas: "Lo haría, pero es que..." ¡No hay peros! Suelta a tus ex, y ¡haz las paces con ellos! ¡Así liberarás a tu alma!

Domina *"El Regalo"* del amor incondicional – El lenguaje del corazón de la nueva tierra

El amor incondicional es el amor Divino del cielo; lo que experimentamos en el cielo es lo que experimentaremos en la nueva tierra. *Amarnos a nosotros mismos nos ayuda a elevar la vibración del amor incondicional del planeta a medida que se ancla en las energías de quinta dimensión, creando un nuevo lenguaje del corazón de la conciencia Crística.* Cuando aprendemos a perdonar estamos compartiendo *"El Regalo"* del amor incondicional y demostramos amor y compasión – no solamente hacia nosotros mismos sino también hacia el mundo. Toma la decisión de hablar el lenguaje del corazón de la nueva tierra, haciendo una lista de todas las personas que te han hecho daño, y decide perdonarlas – ¡y eso te incluye a ti!

Escribe una carta de perdón

Te reto a que revises tu vida y observes a cada persona, situación y experiencia que te ha hecho daño. Opta por ver maestros en cada una de ellas. ¡Los actos hablan fuerte! Escribir es un acto poderoso. ¡Hay que dejar ir cada poco de dolor y sufrimiento al que te aferras! Escribe una carta a cada una de esas personas, incluyéndote en ella, y haz lo que sea necesario para sentir las emociones correspondientes a medida que escribes. Cuando termines, quema las cartas y suelta de una vez por todas. ¡Te sentirás más ligero y tu alma sentirá la libertad que está llamada a experimentar! ¡Para todas las llamas gemelas que tuvieron la vivencia del trauma profundo de la Atlántida, es hora de dejarlo atrás para que puedan volver a casa! *Es preciso soltar, perdonando a la llama gemela, ¡ya que aferrarse a esa experiencia dolorosa es lo que les ha impedido experimentar la relación que vinieron a lograr!*

Para cerrar, quisiera primero que todo señalar que el *Código Clave 6:6* ha sido designado como el chakra del corazón de este libro. Hay 5 *"Códigos Clave"* antes y 5 *"Códigos Clave"* después. Esto llena a *Descifrando el código de las llamas gemelas* de una vibración de amor incondicional que irradia a lo largo de este mensaje Divino, el cual está diseñado para ayudar a otros a elevar su vibración de amor incondicional a fin de que todos podamos experimentar la impronta del Santo Grial de la conciencia Crística del Universo — creando así el cielo en la tierra.

Adicionalmente, la razón principal por la cual la gente dice no poder honrar a su niño interior es porque no tienen suficiente tiempo. ¡Justamente! No tenemos tiempo suficiente para NO cuidarnos. Es tiempo de despertar a Ser en vez de a hacer. Es tiempo de DEJAR de poner EXCUSAS y comenzar a asumir la responsabilidad por nuestros actos. Mientras crecíamos, los otros esperaban demasiado de nosotros, y eso sin mencionar nuestras propias expectativas. Libera las expectativas y la idea falsa de no ser suficientemente bueno. No dejes que estas cosas te roben la capacidad de elevar tu vibración de amor incondicional, impidiéndote recibir *"El Regalo"* de hablar el lenguaje del corazón de la nueva tierra. Por una vez en tu vida, escoge no sabotear la bendición; deja que el Amor Incondicional Eterno fluya armoniosamente dentro y fuera de tu corazón y tu vida. Ahora ve al mundo con un corazón resplandeciente y dale un abrazo o una sonrisa a alguien que esté sufriendo. Te prometo que, si lo haces, encontrarás tu camino a casa – ¡un lugar de paz interior y felicidad!

En el *Código Clave 7:7*, te mostraré porqué te puedes relajar. Todo está en perfecto orden Divino. No hay necesidad de controlar una relación de llamas gemelas. Todo se desarrolla como debe. Practica la paciencia, enfócate en elevar tu propia vibración de amor, y observa cómo tu corazón comienza a resplandecer.

CÓDIGO CLAVE 7:7

Practica la paciencia – Todo está en

Perfecto Orden Divino

"Cuando practicamos la paciencia y aprendemos a escuchar a nuestra intuición, comenzamos a traducir el lenguaje de la guía Divina, y nos damos cuenta de que todo en nuestra vida se desarrolla exactamente como se supone que debe ser".
– Dr. Harmony

EL CAMINO DE LAS LLAMAS GEMELAS PUEDE SER MUY INTENSO – ¡sin duda alguna! Pero como cualquier otra aventura o camino, se trata de la percepción del individuo y la forma como escoja vivir la experiencia. Dos personas pueden participar en un mismo viaje y experimentarlo completamente diferente. Ya que tenemos libre albedrío, podemos escoger avanzar con fluidez, o con resistencia, lo cual sólo creará dificultades. Ya que escogemos de antemano las lecciones que vamos a experimentar durante la vida, debemos confiar en que todo está en perfecto orden Divino. Cuando comprendemos esto, podemos comenzar a practicar la paciencia, sabiendo que al fin y al cabo no tenemos ningún control sobre el destino final. Sin embargo, tenemos libre albedrío, lo cual quiere decir que sí elegimos cómo recorrer nuestro camino y el tiempo que tardaremos en llegar.

Escoge el camino de menor resistencia

Todo en la vida nos presenta dos caminos, o dos decisiones posibles. Cuando procesamos las opciones y decidimos qué dirección tomar, nuestras decisiones vienen de la cabeza o del corazón. Hasta que no desarrollamos nuestra intuición completamente, puede ser difícil discernir cuál nos habla y entender de dónde vienen las respuestas. Lo típico es proceder en la dirección del pensamiento lógico. Nos preguntamos qué dificultades llegaremos a tener en el camino, o nos preocupamos por el resultado de una situación. *La mayoría de la gente va en la dirección que parece ser el camino de menor resistencia según los puntos de vista de la mente, en vez de aprender a escuchar al corazón y a oír lo que dice el alma.*

Poder procesar e interpretar estos pensamientos, sentimientos y acciones nos ayuda a desarrollar la intuición a medida que comenzamos a comprender que la resistencia que sentimos realmente viene del subconsciente, y no de la guía intuitiva. Lo que sucede es que huimos del miedo a lo desconocido y optamos por aquello que se siente cómodo. Eventualmente nos damos cuenta de que lo que parecía el camino de menor resistencia era solamente una decisión cómoda, en lugar de la decisión de salir de nuestra zona de confort. *Las decisiones del corazón rara vez son cómodas ya que nuestra alma busca expandirse y evolucionar, y esto nos saca de la zona de confort.* Por consiguiente, terminamos tomando decisiones basadas en percepciones falsas. Esto sólo nos demora porque huimos de los cambios que se requieren para evolucionar.

Requiere paciencia comprender y llegar a un nivel de conciencia que nos permita seguir nuestra intuición en vez de nuestras percepciones falsas. Es ahí cuando podemos observar la intersección como una oportunidad para escoger el verdadero camino de menor resistencia, lo cual puede crear una cierta incomodidad inicialmente puesto que exige un cambio. *A la larga, soltamos y decidimos fluir, y esto acorta el tiempo que tardamos en llegar a nuestro destino.* A medida que nos desarrollamos, se vuelve más fácil discernir entre las decisiones tomadas desde la cabeza o desde corazón. Cuando nos sintonizamos energéticamente, nos conectamos intuitivamente a nuestra guía. A medida que vamos tomando nuevas decisiones, comenzamos a confiar en el proceso. Así, cuando llegamos al cruce, podemos ver con claridad cuál es el camino que nos llevará hacia adelante con gracia y fluidez en lugar de hacerlo a tropiezos.

Suelta las condiciones y las expectativas

La vida es un viaje personal para cada quien, no solamente para las llamas gemelas. Por lo tanto, escoger el camino de menor resistencia no implica necesariamente estar en alineación con tu otra mitad. Tu llama gemela pudo haber elegido el camino difícil. Recuerda que cada cual aprende a su manera y a su ritmo. Cuanto más temprano veas a la otra persona desde el amor incondicional y la compasión, y aceptes sus decisiones, más pronto podrás enfocarte en tu propio camino y poner tu atención en aquello que elevará tu vibración.

Mis clientes siempre me preguntan: *"¿Cuándo volverá mi llama gemela?* y *"¿Cuánto más tardaremos antes de dejar de huir?* A menudo aseguran que no se van a rendir hasta que su llama gemela decida comenzar a darles lo que esperan. Les recuerdo que el camino de las llamas gemelas es de amor incondicional. Tener expectativas acerca de lo que tu llama gemela debería darte para suplir tus necesidades antes de decidirte a confiar en el proceso, sólo te llevará al fracaso. Sí, ¡dije fracaso!

He aquí un ejemplo: tengo clientes que le envían un mensaje de texto a su llama gemela que se ha mantenido en silencio. Esperan una reacción, o algún tipo de respuesta. Eso no solamente genera más rabia, frustración y confusión, sino que con esas acciones egoístas lo único que logras es que tu llama gemela no pueda cumplir con tus expectativas.

El problema real aquí es que tu llama gemela te está enseñando al reflejarte la necesidad de soltar el control. Si estás incurriendo en estas conductas, te sugiero que dejes ir a tu llama gemela y confíes en que todo está en perfecto orden Divino. El acuerdo se hizo desde antes, de manera que no hay razón para tratar de controlar el resultado. Debes practicar la paciencia, con lo cual aprenderás a enfocarte en ti mismo.

La ley de las fuerzas magnéticas

En la ley de Faraday sobre las fuerzas magnéticas y los campos magnéticos, podemos ver la ciencia detrás de la purga kármica y de la fase de tire y afloje de la relación de las llamas gemelas. Esta ley describe las polaridades positivas y negativas de la energía. Estas polaridades actúan como un lenguaje silencioso que existe entre dos personas y sus interacciones. Por ejemplo, la resistencia atrae resistencia. *Si te acercas a alguien con resistencia o si alguien se acerca a ti con una actitud negativa o con resistencia, ambos asumirán una postura defensiva, la cual creará un enfrentamiento.* Lo opuesto también es cierto; por ejemplo, te alejas porque estás cansado de tu llama gemela. Comienzas a conectarte con tu yo superior y al hacerlo, sientes paz y sientes como si hubieras soltado. Entonces la llama gemela comienza a contactarte de nuevo y tu vuelves a tu comportamiento de yo inferior, renunciando a tu poder. Comienzas a dirigir tu energía hacia tu llama gemela, pensando que por fin ya entendió. Pero cuando tu llama gemela siente que la energía va dirigida directamente hacia ella, inconscientemente querrá alejarse y volver a desaparecer.

Técnicamente esto hace que el proceso fracase. Tener expectativas genera frustración. Vuelves a procesar tus emociones, y terminas culpando a la otra persona por lo que te hizo. ¿Te suena familiar? La *"Clave"* para estar alineado en tu vibración es mantenerte conectado a tu yo superior y andando en tu propio camino. Tu llama gemela se siente atraída por tu yo superior y lo busca energéticamente, pero todo lo contrario sucede con el pegote energético negativo que siente cuando diriges tu atención hacia ella o cuando siempre estás disponible. Estas fuerzas energéticas directas sólo seguirán alejándola. *Debido a estas leyes de la energía, cuando te enfocas en la falta que te hace tu llama gemela creas más ausencia y más separación.* Cuando sueltas todas las experiencias negativas pasadas y aprendes a practicar amor propio, es cuando puedes parar de tratar de llenar tu propio vacío con tu llama gemela; y entonces dejarás de ahuyentarla.

Aprende a cambiar las expectativas por aprecio

Como ya sabemos, el amor incondicional NO impone condiciones. Cuando puedas entender esta idea, podrás comenzar a intercambiar tus expectativas por aprecio, no solamente por tu camino sino también por tu llama gemela. Ve en tu llama gemela a un maestro y permítele que te revele aquellas cosas que debes trabajar en tu interior. Se merece crédito por eso. A veces tengo clientes que se quejan de su llama gemela; dicen estar cansados y no querer volver a ver a su otra mitad. Eso equivale a ver el camino y a tu llama gemela como una experiencia negativa. *Intenta ver el camino desde el punto de vista de tu llama gemela e intenta hacerlo con amor incondicional y compasión.* ¡Observa cómo comienza a abrirse tu corazón y siente la magia dentro de tu alma! Sólo por esa experiencia deberías agradecer a tu llama gemela.

¡No supongas!

La mayoría del tiempo hacemos suposiciones cuando el resultado no concuerda con la expectativa. Por ejemplo, supón que no recibes respuesta cuando envías un mensaje de tu llama gemela. Entonces consideras que sabes cómo se está sintiendo esa otra mitad o que está haciendo algo que no debería. Las suposiciones sólo causan más confusión y frustración innecesarias que te empujan a la necesidad de decir algo o manifestar rechazo — por lo general en un mensaje de texto que se va mal escrito. *Esta necesidad de expresarte y de que la otra persona te escuche antes de conocer la realidad de los hechos, es egoísta.* Es otra forma deshacer que tu llama gemela fracase. Es importante conocer todos los hechos antes de hablar.

Me gustaría añadir que no me refiero a dejar que alguien te pisotee. Debes fijar tus límites amorosamente y ser más asertivo. Hay una diferencia entre esto y soltar las expectativas y poner condiciones.

¡DEJA de enfocarte en el resultado!

Además de soltar las expectativas, es importante desapegarte del resultado a lo largo de este viaje como llama gemela. Trabajo con muchas llamas gemelas que viven en países y ciudades diferentes. Buscan la manera de organizar sus vidas a fin de ver cómo podrán funcionar en últimas. *La realidad es que estos pensamientos no sólo impiden vivir en el presente, sino que también hacen que el camino como llama gemela pueda fracasar.* Tú crees saber lo que va a pasar; pero si no pasa, decides que fue una mala experiencia que supuestamente no ha debido suceder como sucedió. Esta forma de pensar es otro bloqueo que no solamente te impedirá seguir adelante en la relación con tu llama gemela, sino que te mantendrá en estado de estancamiento en la vida y te podrá llevar al fracaso.

Cuando logras desapegarte del resultado, puedes comenzar a alinearte con el orden Divino y dejar que tu destino se desarrolle. Esto te pondrá en una posición en la cual atraerás todo lo que necesitas en la vida — incluyendo a tu llama gemela. Ahora comienzas a practicar la paciencia que te ayuda a aprender cómo crear tu destino. Las siguientes son cinco sugerencias para ayudarte a practicar la paciencia:

Sugerencia 1: **Escucha más – Habla menos.** Cuando permites que se escuche la voz de los demás es porque has dominado la forma más alta de expresión que se puede lograr. El silencio se convierte en la voz de Dios hablando a través de ti. *¿Porqué crees que los monjes se mantienen en silencio? Es su manera de escuchar la voz de Dios.* Tú también podrás dominar el arte de la expresión silenciosa cuando tomes conciencia del poder que este tipo de expresión conlleva. Ahora tú también puedes permitir que el silencio se convierta en tu voz interior, la cual sincronizará tus pensamientos con tus emociones cuando te conectes con alguien.

Sugerencia 2: **Siéntate en silencio y sólo sé.** Muchas veces nos encontramos en medio de la baraúnda de la vida. Practica a incorporar el Zen a tu vida. *Tómate un par de minutos al día para experimentar la calma de Dios, poniendo la mente en blanco.* Este ejercicio tarda tiempo en dar fruto, pero con el tiempo aprendemos a apaciguar la mente y volvernos más tolerantes hacia nosotros mismos y hacia los demás. Cuando practicamos esta forma de paciencia, comenzamos a sentir la paz interior brotar dentro de nosotros y convertirse eventualmente en dicha interior.

Sugerencia 3: **Détente y respira.** Los pulmones son el órgano más subutilizado del cuerpo. La falta de oxígeno crea un sinnúmero de complicaciones físicas. A través de los años he visto personas que no respiran debido al estrés, las preocupaciones y las carreras. *Cuando sientas angustia, detente, identifica la ansiedad y luego respira profundamente.* Siente la presencia de la paz envolver tu cuerpo y liberar la tensión. Cuando aprendemos a relajarnos, desarrollamos reconocemos con claridad que las cosas ocurren en nuestra vida exactamente cuando deben ocurrir, y esto nos enseña a profundizar nuestra fe y a soltar la necesidad de control.

Sugerencia 4: **Pregúntate "¿por qué esta impaciencia?"** Cuando sientas la fuerza interna queriendo empujar hacia adelante, détente y pregúntate *"¿Por qué este apremio?"* Esta pregunta crea conciencia y te permitirá reconocer que la mayoría de las veces no hay razón para sentir apremio y angustia como parte de la experiencia. Es tan sólo una ilusión de la mente. Cuando soltamos el control podemos comenzar a movernos con la corriente y disfrutar del camino. Sin embargo, al igual que el músculo que se expande y se contrae durante el ejercicio, esto es algo que requiere práctica. Pero con la práctica, descubrirás que, sin darte cuenta, muy pronto estarás fluyendo río abajo.

Sugerencia 5: **Los retrocesos son en realidad pasos hacia adelante.** Cuando encuentras bloqueos en el camino, en principio pareciera como si estuvieras retrocediendo. Pero por lo general, es sólo una oportunidad para reevaluar una situación a fin de poder avanzar. Cuando te encuentres con estos bloqueos, recuerda que las cosas podrían ser peores. Comienza por preguntarte *"¿Qué es lo peor que podría pasar en esta situación?"* Luego cambia tu percepción y date cuenta de que la situación podría ser peor. Ahora realmente estás reevaluando y dándole prioridad a tu dirección. *Aprovecha* *esta oportunidad para tener intenciones claras que puedan abrir tus canales energéticos, creando la conciencia que te permitirá dirigirte hacia el camino correcto en la vida.* Te reto a que practiques a permitir que el retroceso te sirva para avanzar tres pasos adelante.

Pon atención a mensajes misteriosos

Una vez hemos comprendido la idea de practicar la paciencia, reconociendo que todo está en perfecto orden Divino, podemos abrir nuestros canales energéticos para aumentar nuestra receptividad e intuición. Cuando aprendemos a dejar de ser nuestro propio obstáculo nos abrimos a la idea de permitir que las cosas fluyan naturalmente. Es aquí donde sucede la magia. *El siguiente es el concepto que yo utilizo: Pregunta – Escucha – Permite.* Primero que todo, nuestros guías y ángeles no nos pueden ayudar si no lo pedimos. Pero a veces, aunque pedimos, no somos receptivos o simplemente no escuchamos o vemos las señales, con lo cual bloqueamos las bendiciones. Las respuestas siempre llegan; a tus guías les alegra poder expresar su presencia para que tú puedas ver y comprender. Los mensajes misteriosos son la indicación de que todo está en Divino orden.

He practicado la idea de pedir, escuchar y permitir durante muchos años en mi vida. No fue sino cuando aprendí a soltar en un nivel más profundo — elevando mi vibración y conectando con mi yo superior — que pude experimentar el verdadero significado de alinearse y entrar al vórtice de todas las posibilidades. (Elaboraré este concepto en más detalle en el *Código Clave 10:10*). A pesar de años de práctica, no fue sino hasta después de haber identificado mi papel como llama gemela que pude ejercitar el concepto de entrar en el vórtice.

He visto que es común para las llamas gemelas no confiar en su intuición. Como miembros de la sociedad en general, pedimos señales y luego nos preguntamos si los mensajes que recibimos son reales, o si estamos tan desesperados por encontrar una respuesta que pensamos que las señales son producto de nuestra imaginación. Muchas personas han llegado a mi con inquietudes sobre los "mensajes místicos" que reciben, preguntando si es apropiado considerarlos como buenos o malos. Debido a algunas enseñanzas y creencias adquiridas, piensan que las señales pueden venir de una fuerza negativa que busca desviarlos del camino. *Mi respuesta es la siguiente: nuestros guías y ángeles trascienden todas las energías oscuras; las bajas vibraciones no pueden llegar a los reinos más elevados.* De manera que, si estás funcionando desde tu yo superior y moviéndote en el proceso de Ascensión, dichas fuerzas negativas no pueden entrar en los planos energéticos elevados. Esto no quiere decir que durante la transición hacia tu yo superior no invites a energías de baja vibración con pensamientos que vienen del miedo y la negatividad y que te puedan mantener atascado. *Al practicar tus dones espirituales, cambiarás tu percepción, tus sentimientos y tus pensamientos llevándolos hacia planos vibratorios más elevados.* He aquí algunas ideas que te pueden ayudar a comunicarte con tus guías:

- Pide guía.
- Pide conectarte directamente con ellos.
- Aprende a comprender y a sentir su vibración energética.
- Pide que te ayuden a elevar tu vibración energética.
- Pide a tus guías que te ayuden a conectar con tu yo superior.
- Pide señales.
- Pide ayuda para expandir tu intuición.

- Escucha a tu intuición.
- Observa las señales.
- Mantente abierto a recibir respuestas.
- Pídele a tus guías que te muestren su lenguaje y que puedas entenderlo.

Mi guía divina me ha pedido que comparta con ustedes algunas de mis propias experiencias. He aprendido a permitir que estas voces sabias me guíen en cada paso y en cada área de mi vida. Una de las cosas más importantes *que he aprendido acerca de la idea de soltar y escuchar a mi corazón, es que es de suma importancia aprender el lenguaje de los mensajes.* De manera que pídeles a tus ángeles y guías que te dirijan hacia la información que te dará las respuestas que estás buscando. Al hacerlo, aprenderás a interpretar estos mensajes y comenzarás a reconocer su presencia y a identificar su energía.

Mis mensajes místicos:
Me he encontrado muchas veces con la secuencia numérica 11:11 (explicaré el significado detrás de este fenómeno en detalle al final de este capítulo), justo antes, durante o después de ayudar a mi llama gemela con su propio despertar espiritual. Mi llama gemela también vio las señales; sin embargo, las cuestionó con su mente lógica. Cuestionar si las señales son reales o no impone una restricción a la energía porque distorsiona la percepción de la receptividad de la apersona, impidiéndole aceptar el mensaje. He visto a otras llamas gemelas librar esta batalla del corazón contra la cabeza. De ahí la importancia de abandonar la lógica y permitir.

Una vez estuve en un evento en la escuela de quiropraxia donde mi llama gemela y yo estudiamos. Cuando llegué me pidieron que me registrara y anotar la hora de llegada. Cuando miré el reloj, vi que marcaba las 11:11. En esa época estaba haciendo de detective y conectando los puntos para descubrir las claves que me permitieran identificar mi rol como llama gemela. Varias veces recibí llamadas del número 1111. Contestaba, pero nadie hablaba. Mi alma facilitadora también dice ver 11:11 por todas partes. El es muy receptivo, y le llegan señales de todos lados. Ayer mi madre me envió un mensaje que decía – *"1111"* y luego me llegó otro de ella con estas palabras *"¿Qué? Accidente".* Ella nunca supo cómo o porqué se envió ese mensaje. Sin embargo, llegó en el momento exacto en el cual yo estaba trabajando sobre estos conceptos. De manera que supe que la Divinidad estaba manifestándose a través de ella, enviándome señales y dándome a entender que ella también está conectada con su guía. Esto confirma que a medida que lea mi libro, estará más abierta a la idea de que yo presente estos conceptos. Fue el código 11:11 el que me llevó a escribir este libro como parte de mi misión Divina. Daré más detalles respecto de este tema en el *Código Clave 11:11*.

Cuando estaba en medio de mi hora más oscura, preparándome para terminar mi relación y buscando un lugar para vivir, estaba estudiando para la Certificación de *Coach de Vida a través de los Arcángeles* con Charles Virtue, el hijo de Doreen Virtue. Había seleccionado dos apartamentos. Hice una oración y pedí que se me mostraran cuál apartamento debería escoger. Inmediatamente después de la oración, tomé el libro de Doreen que estaba estudiando, *"Arcángeles 101"*. El número 101 era el número de la puerta de uno de los apartamentos que estaba considerando. Ahí estaba mi respuesta. En *Números Angélicos 101,* Doreen explica el significado del 101, definiéndolo como aprender a comprender los principios fundamentales de las enseñanzas espirituales y aprender a *"soltar y permitir que Dios haga lo suyo".* Esto eleva tu vibración, permitiéndote atraer todas las cosas buenas a tu vida. Este fue un mensaje poderoso para mí. En esa época mi mente estaba tan borrosa que no era capaz de tomar decisiones por mí misma; tenía algunos problemas de salud; estaba tan exhausta que la simple idea de colgar un cuadro, y aún peor, de mudarme, era algo para lo cual no tenía energía. Sin embargo, este apartamento estaba totalmente amoblado, incluyendo toallas, platos etc... Me permitió mudarme y seguir viviendo. Me llegó la forma de poder cubrir el costo ligeramente mayor del arrendamiento. *Sólo tuve que "soltar y permitir a Dios hacer lo suyo" y estar dispuesta; todo lo que necesité estuvo ahí.* Fue como si los ángeles me estuvieran cuidando, sabiendo cuán enferma, cansada y exhausta estaba. Debí permitir, abriéndome a recibir y quitándome de mi propio camino. Ahora le digo a la gente que estoy de vacaciones en casa.

Les recomiendo que lean el libro, *Ángeles de la Abundancia – Los 11 Mensajes del Cielo para Ayudarte a Manifestar Apoyo, y Todo Tipo de Abundancia,* escrito por Doreen Virtue y su hijo Grant Virtue. Doreen y sus dos hijos tienen recursos muy buenos para ayudarte a conectar con tus guías.

Mi alma gemela y yo decidimos salir un día para dar un paseo espiritual. Cuando llegó me contó de una película que se iba a estrenar llamada *"El Regalo."* Justo antes de que llegara, su facilitadora le había enviado un enlace con el estreno de *"El Regalo".* El momento de llegar el mensaje le llamó la atención; era la segunda vez que se le aparecía *"El Regalo".* Más adelante en el día, me mostró la placa de un vehículo que decía THE-GFT (*el regalo*). Intuí que esos menajes se debían a que él se estaba abriendo a recibir sus regalos espirituales, activando su intuición y llevando el entendiendo de sus habilidades a un nivel más profundo. Desde ese entonces he tenido mi propia claridad acerca del mensaje de *"El Regalo".* Ahora me doy cuenta de que también era para mí. Mi llama gemela me ha dado *"El Regalo"* del amor incondicional al llevar sobre sí el peso kármico más grande, para que yo pudiera conectarme con mi propósito Divino en la vida. Esto me permitió encontrar la libertad personal – la paz interior y la felicidad. Con el apoyo de mi llama gemela he encontrado mi camino a casa.

Durante la época en la cual mi llama gemela y yo estábamos planeando abrir el centro comunitario espiritual, yo estaba atemorizada. Fue entonces cuando recibí otro mensaje místico. Mi miedo se debía a que ya había tenido dos negocios fallidos. Me preocupaba que algo saliera mal otra vez, y no pensaba adentrarme nuevamente por ese mismo camino. Sin embargo, en lugar de huir del miedo, pedí señales que me mostraran si lo que estaba haciendo era lo correcto. Un día iba conduciendo y vi una placa que decía, THS-WRX (*esto funciona*). Compartí mis miedos y el mensaje con mi llama gemela y sugerí que utilizara el nombre *"It Works" (funciona)* para la compañía que estábamos creando juntos. Más adelante, habiendo decidido no seguir adelante con nuestros planes, iba conduciendo otro día cuando un vehículo me rebasó a toda velocidad y luego frenó delante del mío. Cuando paró, vi que la placa decía – IT-WRKS. Recientemente recibí otro "mensaje misterioso" mientras escribía sobre el Proceso de Ascensión Acelerado en el *Código Clave 4:4* que realmente significa *"El Camino al Cielo o la Iluminación"*. Estaba poniéndole gasolina a mi camioneta y cuando me di vuelta, había un folleto sobre la bomba de donde había sacado la manguera. No me había fijado en ese papel cuando retiré la manguera, y cuando fui a tomarlo, una ráfaga de viento se lo llevó. Me fue tras él porque algo dentro de mi me decía que encerraba un mensaje. Lo recogí y decía, *"¿Cuál es tu Destino?"* Apenas lo abrí, vi en negrillas, *"El Mapa Hacia al Cielo de los Romanos".* Debajo de esa sección había una serie de versículos de la Biblia, los cuales mostraban el mismo proceso que se me había mostrado acerca de las etapas de la Ascensión. Al asumir el peso del mundo, o sea el karma, nos damos cuenta de que debemos hacer los mismos sacrificios que hizo Jesús al soltar el karma y crear la experiencia de nuestra propia muerte. Al hacerlo, podremos encontrar la vida eterna en el cielo en la tierra.

El siguiente versículo realmente me llamó la atención: *Romanos 6:23 (NVI) – "Porque la paga del pecado es muerte, mas la dádiva de Dios es vida eterna en Cristo Jesús Señor nuestro."* Esto fue lo que experimenté al soltar: sentir mi muerte sabiendo que me había liberado del peso. YO también resucité al conectar con mi yo superior y ahora estaba viviendo *"El Regalo"* del amor incondicional y compartiendo la conciencia Crística por el resto de la eternidad. Ahí fue cuando me di cuenta de la magnitud del *"Regalo"* que mi llama gemela me había dado.

El *"llamado al despertar"* del 11:11

El 11:11 se conoce comúnmente como el número angélico que indica que los ángeles están tratando de comunicarse contigo. Esta secuencia numérica está asociada con tú *despertar espiritual"* el cual ocurre al inicio del proceso de Ascensión. Las llamas gemelas de todas partes del mundo dicen ver el *"código del despertar"* 11:11 justo antes o cerca del momento en que van a conectar físicamente con su llama gemela. La siguiente es una definición del significado completo del 11:11 y cómo se asocia con las llamas gemelas:

El 11 en el lado izquierdo es la expresión del Divino Femenino que representa la armonía vibratoria al combinar las energías masculinas y femeninas que se encuentran en la llama gemela femenina. El 11 en el lado derecho es la expresión del Divino Masculino que representa la armonía vibratoria que se produce al combinar las energías masculina y femenina que se encuentran en la llama gemela masculina. Ambas llamas gemelas deben lograr el equilibrio armónico antes de poder vibrar en armonía juntos. *Por consiguiente, 11:11 representa la unión de dos energías del Divino*

Masculino y el Divino Femenino en equilibrio armónico.
Cuando ambos hayan logrado este nivel de desarrollo, ambas almas gemelas se juntan en unión física convirtiéndose en llamas gemelas. Esto es necesario para que completen el equilibrio armónico de sus propias energías masculinas y femeninas. Quisiera mencionar acá que mi llama gemela y yo estábamos en contacto físico mucho antes de que estuviéramos listos para equilibrar nuestras energías femeninas y masculinas. También nos distanciamos cuando entramos en nuestra *"noche oscura del alma"* y esta separación duró aproximadamente un año y medio. A medida que emergíamos de las tinieblas luego de que estuvimos listos para trabajar en equilibrar nuestras energías masculinas y femeninas, la divinidad nos reunió de nuevo — esta vez más profundamente. Nos conectamos a nivel del alma, algo que no habíamos hecho antes. Cuando es hora de unirse totalmente, la meta es que las almas de dos individuos ya completos se fusionan, creando juntas el equilibrio armónico.

11:11 y la energía piramidal

El concepto del 11:11 también se relaciona con la energía de la pirámide. Si multiplicamos 1111 X 1111, es igual a 1234321, lo cual crea la estructura de la pirámide. Si sobreponemos los números, la energía asociada a esta secuencia de números se relaciona con la energía piramidal que se conecta con las pirámides de Giza en Egipto. Las mismas energías se encuentran en el concepto de la geometría sagrada, en la cual las formas producen una fuerza energética definida dependiendo de la forma de la imagen sagrada y su configuración.

Trabajo con muchas llamas gemelas que sienten una conexión con Egipto y con las pirámides. Por lo general, todas han experimentado algún tipo de abandono que necesita sanar y perdonar para que pueda continuar el proceso de conexión con la llama gemela en esta vida. Muchas han experimentado traumas del alma que nunca han sido sanados, causados por la separación energética que desgarró a las almas durante *la caída de la Atlántida.* Históricamente se ha documentado que las llamas gemelas se originaron en aquella era y que, originalmente, estaban unidas.

La energía que se produce dentro de la forma de la pirámide es la misma energía sexual del Ankh que se produce cuando las llamas gemelas han despertado completamente, se han liberado y se han entregado al proceso. Sólo entonces podrán acceder plenamente a su capacidad de manifestar la sexualidad sagrada galáctica de su yo superior. Se creed que esta energía orgásmica poderosa fue la que se utilizó para ayudar a construir las pirámides de Egipto. Ampliaré más la idea de la sexualidad sagrada y cómo se relaciona con la creatividad Divina en el *Código Clave 10:10.*

Son esta misma energía piramidal y la señal 11:11 del *"llamado al despertar"* las que se conectan con la alquimia de St. Germain. La alquimia transforma a algo o a alguien al transmutar los niveles bajos de energía en un estado más elevado de energía. Siempre se asocia con algo positivo o productivo. Si estudiáramos algunas de las compañías más exitosas del mundo, tal como McDonald's y Starbucks, reconoceríamos que se han permeado de la alquimia de St. Germain. St. Germain me ha indicado que *Descifrando el código de las llamas gemelas* está codificado con los mismos principios alquímicos en los que se apoyan estas compañías exitosas. Recibir este conocimiento me permitió confirmar que la información contenida en *Descifrando el código de las llamas gemelas* es un mensaje valioso para el mundo.

Se me dio la instrucción de compartir este mensaje como parte del nuevo orden mundial, lo que significa simplemente pasar de un planeta de vibración baja a un estado de conciencia Crística; el planeta se está moviendo hacia una nueva forma de vida. En resumen, se está restableciendo el cielo en la tierra, para que todos puedan encontrar su camino de vuelta a casa. Debido a que tengo una conexión muy profunda con mis guías espirituales, me han asegurado que éste es un mensaje muy importante cuyo lanzamiento debe hacerse el 11-11-2016. Me siento honrada de haber sido *"La Elegida"* y acepto este llamado al compartir todo lo que hay en este mensaje de la manera como me fue mostrado. No me sorprende que mi guía quiera que esta información esté disponible de inmediato, considerando el poder que encierran estas páginas. Por lo tanto, debe ser algo para lo cual el mundo ya está listo y que forma del orden Divino.

Se puede encontrar un sinnúmero de teorías e información documentada circulando en Internet acerca del poder de los números 11:11. Para una mejor demostración visual, mostraré acá cómo esta energía piramidal se conecta con las pirámides y cómo se construyen las secuencias alrededor del poder del número 1:

$$1 \times 1 = 1$$
$$11 \times 11 = 121$$
$$111 \times 111 = 12321$$
$$1111 \times 1111 = 1234321$$
$$11111 \times 11111 = 123454321$$

La secuencia continúa, pero creo que ya te puedes hacer una idea. Si superponemos cualquiera de los números del producto de la secuencia anterior, puedes apreciar visualmente la estructura de la pirámide. Por ejemplo, utilizaré el producto: 1234321. También se demuestra visualmente la asociación con la letra A de alquimia. La A crea la forma de la pirámide.

Creo que este es un buen momento para recordarte que el objetivo de estos ejemplos es ayudarte a entender la verdadera naturaleza del orden Divino y asegurarte que todo está en Divino orden. *Puedes encontrar la libertad si sueltas el control sobre tu llama gemela — practica la paciencia y permite que tu camino como llama gemela te lleve a la libertad.* Cuando hayas llegado a ese nivel de vibración armónica, podrás comenzar a ver que el resultado del camino lo dirige el Universo. Sentirás que cada vez es más fácil soltar y comenzar a trabajar en ti mismo. A medida que sigues logrando auto conocimiento, comenzarás a saber que te estás moviendo en la dirección correcta y ¡reconocerás que todo está en orden Divino!

Ahora es el momento perfecto para pasar al *Código Clave 8:8,* a medida que comprendes más acerca la importancia de convertirte en uno contigo mismo, equilibrando las energías femeninas y masculinas. ¡Estás aprendiendo a conectar con tu yo superior, para poder convertirte en el Rey o la Reina que debes ser!

CÓDIGO CLAVE 8:8

Unifica tu alma gemela

"La búsqueda principal de los Seres Divinos es unificar el equilibrio armónico de sus energías femeninas y masculinas, creando la unidad del ser, la unidad en la unión con la llama gemela y la unidad con el Creador". – Dr. Harmony

CUANDO SE TRATA DE CONECTAR con las fuerzas energéticas Divinas, se requiere el equilibrio armónico exacto de las energías femeninas y masculinas. Por esta razón, cada alma gemela debe equilibrar sus propias energías femeninas y masculinas antes de que puedan fusionarse energéticamente del todo. El objetivo del Universo es crear unidad con el ser, el Creador, la unión de llamas gemelas y el mundo. La unidad del Ser ocurre cuando el equilibrio armónico entre energía femenina y masculina es 50/50. Por lo general, las almas gemelas llevan una proporción de 60/40 de sus energías femeninas y masculinas, creando un desequilibrio en las leyes del equilibrio armónico del Universo. *La energía de la fuente se compone de partes iguales del femenino y el masculino y las almas gemelas deben estar en equilibrio armónico con el Creador y luego con su llama gemela.* En la mayoría de los casos, la llama gemela que lleva el Divino femenino ha despejado el camino energético hasta ese punto. Después ocurre una separación que crea un movimiento en el equilibrio del Divino Masculino y el Divino Femenino de cada alma gemela. Ahora el alma gemela Masculina se convierte en la principal generadora de energía para llevar a cabo la misión. La llama gemela masculina ancla y mantiene la energía unificada y cimentada, a la vez que genera energía para que su contraparte femenina se expanda magnéticamente hacia afuera. A su vez, el alma gemela femenina es crea y añade combustible a la chispa para que juntas generen la llama, la cual se amplía y multiplica llegando a los planos energéticos multi-dimensionales. Esto quiere decir que ambas llamas gemelas deben volverse una consigo mismas antes de comenzar su misión Divina. Por lo tanto, es importante que primero aprendas a unificar tu alma gemela individualmente antes de fusionarte con tu llama gemela.

He experimentado esto desde ambos lados, siendo el generador y el eléctrico. Mi llama gemela verdadera es el generador; durante nuestras interacciones, es su energía la que utilizo para crear. Experimenté esto luego de varias sesiones energéticas con él, donde creaba programas para mis clientes. "Inconscientemente", él me enseñó muchas cosas que necesitaba saber para mi misión Divina. Una vez logré terminar en tan sólo medio día después de una de nuestras sesiones un proyecto que llevaba intentando terminar por dos años. Mi llama gemela no podía ver o entender la creatividad que se producía, porque estaba trabajando tras bambalinas. Sin embargo, yo podía ver con claridad que su energía me generaba una visión impecable que ponía de manifiesto y aceleraba varios proyectos en los cuales había estado trabajando. Las llamas gemelas se conectan en el nivel del yo superior, de manera que él todavía contribuye "inconscientemente" con su energía para que yo pueda crear *Descifrando el código de las llamas gemelas*. No he tenido necesidad de buscar su ayuda conscientemente.

Más adelante, yo me convertí en el generador energético para mi facilitador y mientras él era el eléctrico. Además de otras cosas, esta fue la razón por la cual tardé más tiempo que él en identificar que estábamos teniendo una conexión de llamas gemelas "verdaderas". "Verdaderas" quiere decir que ambos éramos "verdaderas llamas gemelas"

— pero no el uno del otro. *Ambos estábamos ejerciendo desde nuestro yo superior, en eso radica la diferencia entre un facilitador de llamas gemelas y una llama gemela falsa. La llama gemela falsa ejerce en los planos inferiores del ser porque su vibración energética no es lo suficientemente elevada para alcanzar estos planos; no obstante, se necesita para ayudar a limpiar el karma de baja vibración.* Mi facilitador siempre notó la energía que yo proveía, la cual le proporcionaba perfecta claridad. Como lo he dicho antes, ha sido bien interesante experimentar un triángulo de llamas gemelas porque me ha brindado la oportunidad de ver desde ambos lados. ¡Debo reconocer que es algo muy intenso! No tardé mucho en darme cuenta de que estaba aprendiendo desde ambos puntos de vista para poder comprender cosas que de otra manera me habrían evadido.

Las llamas gemelas se convierten en Reyes y Reinas

Luego de que mi llama gemela y yo decidiéramos poner la atención en nuestro trabajo individual, tuve un encuentro extraño con un hombre londinense. Si eres una llama gemela, comprenderás el significado particular de "extraño". Me ayudó a soltar los últimos residuos kármicos asociados con mi vida pasada en Inglaterra. Fue un catalizador que abrió mi corazón a otro nivel, ayudándome a ver que yo nunca había tenido a un "hombre" (masculino) que me ayudara en mi vida antes, ya que yo no quería ayuda. Por primera vez, me estaba abriendo de una nueva forma y me di cuenta de que quería ser la Reina, dispuesta a recibir y que me cuidaran. Sin embargo, esto quería decir que tenía que aprender a soltar y a pedir ayuda y dejar que el Rey (masculino) me conquistara.

En mi trabajo con las llamas gemelas, me doy cuenta de que esto sucede a menudo. Por lo general es la llama gemela femenina la que lleva la energía masculina más pesada y opera desde una forma dominante masculina y por lo tanto se hace cargo de su propia vida — creando un desequilibrio en la energía. Trata de mantener el control, de manera que la primera lección que su llama gemela le enseña es a soltar, y luego a tener paciencia. Por lo general, la rapidez con la cual se manifieste la unión dependerá de cuán pronto se muestre la llama gemela femenina dispuesta a soltar sus formas masculinas. Cuando la llama gemela femenina aprende a soltar, a elevar su vibración energética y a unificarse, ocurre un equilibrio energético entre la energía femenina y la masculina; y es sólo entonces que la llama gemela masculina entra en posesión de su papel. Así, en *lugar de culpar a tu llama gemela por lo que las dos hacen o dejan de hacer, cambia tu enfoque y vuelve tu mirada sobre la unificación de tu propia energía masculina y femenina.* Ahora ambas podrán llegar a ser los Reyes y Reinas que desean ser.

¿Qué significa ser un Rey o una Reina?

¡Todos somos Seres Divinos! Por consiguiente, es nuestra responsabilidad individual abrirnos a recibir y permitir que se nos trate como realeza en vez de hacer a otros responsables de nuestra felicidad. Debido a traumas del alma que han causado dolor, experiencias negativas y patrones kármicos, nos cerramos a recibir y bloqueamos las bendiciones. Hacer esto desequilibra el yin-yang, lo cual nos aleja de la fuente creadora. Ya que estamos hechos a imagen del Creador, somos realeza. Buscar la unificación debería ser la misión de toda alma, haciéndose receptiva a la idea de ser Rey o Reina. En este sentido, los Reyes y las Reinas son la representación de las energías del Divino Masculino y el Divino Femenino. Ser un Rey o una Reina nada tiene que ver con el género, y tampoco juega ningún papel específico en el equilibrio de nuestro Ser. *La búsqueda principal de los Seres Divinos es unificar el equilibrio armónico de sus energías femeninas y masculinas, creando la unidad del ser, la unidad en la unión con la llama gemela y la unidad con el Creador.*

El Rey busca fuera de sí mismo con acciones (por ejemplo, hacer, reparar). La Reina es receptiva y nutre su ser volcándose adentro y enfocándose en los sentimientos y emociones. Así que bien seas hombre o mujer, el objetivo es crear la unificación al equilibrar la energía femenina y masculina para poder restablecer la estabilidad, la felicidad y la paz interior. Habiendo sido una sanadora energética durante casi 20 años, he podido entender el concepto del equilibrio energético y ayudar a muchas llamas gemelas a lograrlo, no sólo a través de sesiones de sanación energética, sino también a través del equilibrio entre lo cognitivo y lo emocional. Cuando los pensamientos, los sentimientos, las emociones y las acciones físicas están en desequilibrio, se crean bloqueos energéticos y un desequilibrio en la sincronía entre la energía del Divino Femenino y el Divino Masculino.

Cuando un Ser Divino lleva una carga más pesada de energía masculina, se enfoca en producir, en avanzar, perdiendo conexión con su lado receptivo. A pesar de su bienestar físico, su mente lógica prevalece por encima del corazón. Pierde la conexión con su ser o niño interior y se aleja de sus sentimientos y emociones. Esto lo separa del Creador. *Debido a que estamos experimentando una transición energética global de la energía de la tercera dimensión a la energía más elevada de la quinta, las frecuencias también están cambiando, estabilizando las energías femeninas y masculinas a nivel colectivo para poder restablecer la unidad en el Universo.* Este cambio planetario se alinea con la sociedad energéticamente femenina de *"La Era de Acuario"* trayendo más amor al planeta y evitando nuestra autodestrucción.

Cuando un Ser Divino lleva una carga más pesada de energía femenina, por lo general es emocionalmente más sensible y se le puede hacer daño con más facilidad. Tiende a ser codependiente y a buscar afuera de sí para llenar un vacío interno. Esto puede sentirse como al intenso y pegajoso y energéticamente puede repeler lo que está buscando, alejándolo más y más, incluida la llama gemela.

La unificación del generador y el eléctrico crea la misión Divina

Poco después de haber aceptado la tarea de ser el canal para *Descifrando el código de las llamas gemelas* me tomé un par de semanas para precisar e integrar la información, escribiendo, organizando pensamientos y dejando que la inteligencia Divina fluyera a través de mí. Este proceso intenso me permitió compilar muchas de las ideas y conceptos que presento en estos *Códigos Clave 11:11*. En el proceso, volví sobre muchas experiencias que me ayudaron a integrar el conocimiento y a crear estados de conciencia superiores. Me ayudó a identificarme con mis propias palabras sabias y a soltar el pasado en otro nivel, al tiempo que me daba cuenta de que mi llama gemela todavía me estaba ayudando con ese proceso. Para ilustrar el concepto de que debemos aprender a soltar la idea de la perfección, quisiera dar el ejemplo de mi cocina y mi comedor que se parecían, y aún se parecen, al laboratorio de un científico loco después de una explosión. Les digo a los amigos que me visitan que no se fijen en el desorden — ¡mi cerebro explotó en la cocina! Al ver el desorden, pienso que mi llama gemela me puso de nuevo en pausa, ¡ya que sé que le gustaría ver esto! Una vez, después de arreglar un daño debajo del lavaplatos, me puse en pausa, dejando cosas sobre el mesón hasta que estuviéramos seguros de que la fuga había quedado bien corregida. Al cabo de tres semanas le envié un mensaje preguntando si ya había terminado mi tiempo en pausa y su respuesta fue, *"Si me tienes que preguntar, ¡entonces NO!"* Este es un buen ejemplo de cómo las almas gemelas pueden ver con facilidad el trabajo interno que debemos hacer y crean una experiencia que nos refleja la necesidad de dicho trabajo.

Durante uno de mis momentos "Einstein" comencé a descubrir cosas muy interesantes, que me permitieron comprender mejor lo que sucede a nivel científico cuando se genera el equilibrio armónico o unificación de los conductores de energía masculina y femenina. Mientras procesaba este concepto, comencé a relacionar las energías masculinas y femeninas con la energía que se produce en un vórtice, el cual es un espiral de energía que circula de adentro hacia afuera y de afuera hacia adentro dependiendo de si es negativo (masculino) o positivo (femenino). Comencé a comprender que la energía masculina o vórtice es en realidad el generador o el magnético, y el vórtice energético femenino es el creador o el eléctrico. Entonces me dediqué a dibujar imágenes que simularan estos vórtices de energía femenina y masculina. Me di cuenta de que había dibujado esos patrones en forma de espiral varias veces en las sesiones energéticas con mi llama gemela. En esa época no entendía el significado de los símbolos. Esta vez me di cuenta de que básicamente estaba dibujando inconscientemente los números **6** y **9**. Después comencé a relacionar al vórtice número **6** como la energía generadora masculina, y al vórtice número **9** con la energía femenina.

Cuando digo que me metí en la cabeza de Einstein durante algunos días, ¡no es en broma! El vórtice del número 6 gira hacia adentro creando compresión, la cual es una energía restrictiva que ancla; se produce en la fórmula de Einstein, $M = E/C$ (2), y se contrae hacia adentro. El **9** produce energía positiva como se ve en la fórmula $E = MC$ (2) y gira hacia afuera, creando energía femenina expansiva. Mi conclusión es que cuando se combinan o fusionan estas energías femeninas y masculinas, se crea el neutro (unidad) ya que las energías positivas y negativas se cancelan entre sí. *Esto crea el equilibrio armónico; ya no existe una energía que hale más, creando al mismo tiempo un alma gemela completamente balanceada.* Una vez cada alma gemela se haya unificado al armonizar sus propias energías, podrán fusionarse completamente. También comparé la relación de esta misma energía que produce la vibración energética de la conciencia Crística en el campo unificado, como se ve en la imagen de Sri Yantra (me referiré en más detalle al Sri Yantra en el *Código Clave 10:10).*

Seguí dibujando imágenes combinando el **6** y el **9,** poniendo el **9** arriba del **6 (9/6,** con una leve superposición del uno sobre el otro**).** Pude ver con claridad que al combinar estos dos números se creaba el equilibrio armónico. También pude ver con claridad que cuando estas energías están unificadas al juntarse el l **6** con el **9,** se crea el **8** — el símbolo del infinito, y también un código de las llamas gemelas. La imagen que tenía frente a mí se parecía a un anillo y un par de aretes que había mandado a hacer algunos años atrás. Un día, el anillo se enredó en una bolsa de basura que estaba tirando en el botadero. Como mi llama gemela venía a sesión al día siguiente, me vi forzada a pedirle que me ayudara a sacarlo. Cuando digo que me vi forzada, ¡realmente fue así! Siempre se me ha dificultado pedir ayuda y ahora me veía forzada a pedirle que se metiera en el basurero. También perdí uno de los aretes durante mi viaje a Egipto.

Pasé un par de días procesando e integrando mis descubrimientos. Luego tuve otro momento de intensa claridad: se me pidió que escribiera este libro. Entendí que esto me estaba alineando con mi "más alto Llamado" pero me preguntaba cómo iba a ser posible sin la ayuda de mi llama gemela. La misión Divina siempre es un acuerdo mutuo, lo que significaba que mi llama gemela debía estar en equilibrio armónico. Sabía que él estaba trabajando en estabilizar su lado masculino. Sin embargo, ignoraba en cual parte del proceso se encontraba. Entonces pregunté a mi guía divina lo siguiente, *"Al aceptar esta tarea Divina, ¿acaso no necesito de la energía de mi llama gemela para que me ayude con la misión? Y de ser así, quiere decir entonces que mi llama gemela ha equilibrado su energía femenina y masculina, ¿convirtiéndose en el generador para la creación de esta misión Divina conjunta?"*

No tardé mucho en recibir respuesta. Una mañana estaba escuchando mis mensajes de voz y tuve que escribir un número de referencia. Anoté el número BB11688. Cuando comencé a escribir el número **6** se convirtió en un *"Código Clave"*, lo cual llamó mi atención — había estado procesando e integrando el número **6** y entendí que representaba a la energía masculina. De otro modo, quizás nunca hubiera entendido el significado del código de referencia.

Antes de compartir su significado, me gustaría señalar que cambié las letras BB por respeto a la privacidad de mi llama gemela. Sin embargo, BB representa las iniciales de su nombre y apellido. El **11** es la unificación de la energía femenina y masculina dentro del ser (en el *Código Clave 7:7 presenté* una explicación completa de la relación energética del 11:11 y cómo se relaciona con la fusión de las almas gemelas). El **6** indicaba que mi llama gemela había adoptado su rol masculino, y el 88 era el código del infinito que representaba la fusión de las almas gemelas, creando el equilibrio armónico, no sólo con uno mismo y en la unión, sino también con el Creador de las energías combinadas. Fue en ese momento que me di cuenta de que mi llama gemela había adoptado su rol masculino y estaba generando energéticamente la energía para la misión Divina que se me estaba encomendando. Lo reconocí puesto que era yo quien había llevado la carga masculina. Por tanto, había llegado la hora de que yo soltara completamente y adoptara la energía femenina antes de que mi llama gemela pudiera adoptar su rol masculino. Había trabajado en adoptar el Divino femenino durante al menos un año y medio. Esta fue sin duda la lección más difícil de lograr, y requirió que limpiara todos los apegos kármicos negativos de mi vida pasada en Inglaterra. El hombre de Londres me ayudó a abrirme a recibir. TOMA NOTA DE ESTA SECCION: Estos *Códigos Clave* **muy** importantes y las energías de los números **6** y **9** juegan un papel **muy** significativo en otro *"Código Descifrado"* que descubrí y compartiré en el *Código Clave 11:11*.

Características de un Rey o de la energía del Divino Masculino

La energía del Divino Masculino posee pensamiento lógico y analítico a través de la función del lado izquierdo del cerebro. Quienes tienen esa energía tienden a racionalizar y a procesar de manera lineal. Son muy decididos y tienen espíritu competitivo. Se convierten en los conductores de su propia vida.

- Se ponen metas
- Expresan su ser desde la cabeza
- Piensan en términos de blanco o negro
- Asertivos
- Energía compresiva
- Procesan una cosa a la vez e integran el pensamiento
- No piden ayuda
- Ataques de ira
- Necesidad de tener el control
- Necesidad de poder

Características de una Reina – Energía del Divino Femenino

La energía del Divino Femenino se conecta intuitivamente, demostrando compasión y empatía y utilizando el hemisferio derecho del cerebro. Quienes tienen esa energía tienden fluir con facilidad y gracia. Son flexibles por naturaleza.

- Abiertos a recibir
- Cuidan al niño interior
- Expresan al ser desde el corazón
- Creativos – Expansión de la energía
- Apasionados
- Honran la unidad
- Reprimen las emociones – Pasivos
- La rabia se expresa internamente – Depresión
- No necesitan tener el control
- Se empoderan a sí mismos

Unificación del Rey y la Reina o el Masculino Divino y el Divino Femenino

En un mundo de caos y desorden energético, puede ser difícil crear la unidad en nuestras energías Femeninas y Masculinas. Habremos ganado el 75% de la batalla si comprendemos el concepto de identificar la naturaleza de la unión del ser y la unión con los demás. Una vez hayas tomado conciencia de la importancia de estas ideas, te será más fácil aprender la forma de mantenerte en equilibrio armónico. Al fin y al cabo, la unidad tiene dos componentes. El primero es mantener el equilibrio en el pensamiento de los dos hemisferios del cerebro. El segundo es mantener el equilibrio armónico entre la cabeza y el corazón a la hora de tomar decisiones.

¡Los Reyes y las Reinas no se le miden a la vida solos!

Cuanto más hablo con la gente, y en particular con las llamas gemelas, acerca del tema de pedir ayuda, más me doy cuenta de que la mayoría de las personas procesan sus emociones suprimiéndolas en vez de expresándolas. Es como si fuera más fácil lidiar solos con lo están viviendo (dominio del masculino) que abrirse a recibir la ayuda de otros. Pedir ayuda y dejar que otros te ayuden puede ser una experiencia de humildad puesto que la mayoría de las veces genera una sensación de debilidad. Debo ser la primera en admitirlo, pues fue para mí una de las lecciones más difíciles de aprender. En realidad, lo que percibimos como debilidad es la fuente de la mayor fuerza interior (el empoderamiento femenino). Para muchas personas, pedir ayuda puede ser más difícil que lidiar con sus circunstancias. *"Porqué sentimos que tenemos que lidiar solos con todo?"* Piensa en esta idea. Si alguien nos pide ayuda, estamos listos a prestarla. ¿Entonces, "Por qué nos cuesta tanto pedir ayuda y tratamos de lidiar con nuestra vida solos?"*

Aquí te doy 5 sugerencias para que puedas ver la importancia de dejar tu orgullo y terquedad de lado y adquirir la suficiente humildad como para permitir que otros te ayuden en los momentos difíciles. ¡No necesitas lidiar con todo por tu cuenta!

Sugerencia 1: **No temas pedir.** *"De qué tenemos miedo cuando pedimos ayuda?"* ¿De que alguien nos la niegue? *¡Claro que no! ¡Nos da miedo de que digan que sí!* Al fin y al cabo, no queremos su ayuda, generalmente porque creemos que nos estamos imponiendo y no deseamos incomodar a nadie. Pero lo más común es que ese miedo se relacione con el hecho de no querer expresar nuestras emociones al demostrar humildad. La humildad representa al lado femenino, el cual es visto como debilidad por la sociedad. Sin embargo, en realidad necesitamos el equilibrio de todo nuestro Ser espiritual. La vida no tiene que ser tan difícil. No tiene que ser una sucesión de batallas. Es tiempo de permitirnos estar en equilibrio armónico siendo uno con nosotros mismos y dejando que brille nuestro lado suave.

Sugerencia 2: **No bloquees las bendiciones**. Cuando soltamos y nos entregamos a nuestro lado suave, abrimos nuestra capacidad energética para ir recibiendo a medida que progresamos en nuestro camino. Al darnos completamente a otros, estamos únicamente en la energía masculina, la cual nos permite sólo dar y dar y dar, impidiéndonos recibir. Esto crea una disfunción en las leyes del Universo. *Como Reyes y Reinas que somos, fuimos diseñados no sólo para dar, sino también para recibir las bendiciones.* Cuando damos, se nos multiplica mínimo por diez; según las leyes del Universo, lo que das, está programado para volver a ti. De manera que, si bloqueamos el recibir, estamos bloqueando *"El Regalo"* que el Espíritu nos da como recompensa por nuestra contribución al Universo. Es tiempo de abrirte a recibir. Esto también ayuda a que tu lado femenino brille.

Sugerencia 3: **No les niegues la dicha a otros.** La mayor parte del tiempo, la gente se siente bien cuando ayuda. Sienten que están contribuyendo al todo. Cuando te ofrecen su ayuda y tú les niegas la posibilidad de que su luz brille, les estás negando la dicha que les produce ayudarte. Mira el acto de recibir y aceptar como el acto de permitir que la otra persona se sienta feliz. Esto crea equilibrio armónico y unidad en el proceso de dar y recibir, y todos se sienten felices. Este es *"El Regalo"* que todos debemos sentir y experimentar. *La dicha suprema se convierte en la más alta expresión de amor incondicional que un ser humano pueda experimentar.* Así, la próxima vez que alguien se ofrezca, suelta, ¡relájate y permite!

Sugerencia 4: **Pon límites amorosamente.** La verdadera *"Clave"* para demostrar el principio del dar y recibir es la siguiente: poner límites amorosamente y no permitir que se aprovechen de ti. Esta es otra de las razones por las cuales a la gente se le dificulta pedir o recibir ayuda. Porque crea la posibilidad de que se aprovechen. Esto también genera un desequilibrio en la unidad entre el dar y el recibir dentro de las leyes del Universo. La otra cara de la moneda es que la mayoría de la gente no permite que los otros los ayuden, pero tampoco saben cómo decir "No". Cuando estás fuera de equilibrio, te sientes drenado y se bajan las vibraciones, lo cual hace que no te expreses por miedo a crear conflicto o confrontación con la otra persona. De manera que, si sientes que alguien te está pidiendo demasiada energía, es porque tu equilibrio armónico está desbalanceado. Aquí es cuando es importante poner límites amorosamente. *Al poner estos límites, restableces el equilibrio del dar y el recibir. Al decir "No", no solamente creas respeto propio y auto estima, sino que también le enseñas al otro que no está bien aprovecharse de los demás.* Una simple respuesta es lo que se necesita. No hay necesidad de explicar porqué no somos capaces de ayudar. De cualquier modo, está bien poner ese límite y hacerlo de manera amorosa sin prever conflicto alguno. ningún conflicto. Es así como ejercemos nuestro lado femenino.

Sugerencia 5: **Conoce la diferencia entre límites y muros.** Es importante evaluar el intercambio energético con los otros haciendo la pregunta de si *"¿Están en unidad las Leyes del Universo?"* Esto también nos ayuda a identificar la diferencia entre muros y límites. Cuando aprendemos a expresarnos sin sentir al dar un "No", podemos levantar barreras amorosamente, lo cual le permite a la otra persona aprender su lección dentro de las leyes armónicas del dar y recibir — especialmente si están tratando de aprovecharse de ti. *Sin* embargo, cuando no nos expresamos de manera amorosa y continuamos entregando nuestra energía sin recibir a cambio, tendemos a crear muros que bloquean el intercambio energético y nos impiden tener la mejor relación posible con la otra persona. Así que es tiempo de romper las paredes y poner límites amorosamente. De esa manera demuestras respeto por ti mismo, mientras que la otra persona también aprenderá a respetarte. Las personas te tratan como tú les permitas que lo hagan.

Seré la primera en decir que estas son lecciones difíciles que yo también tuve que aprender. He afirmado lo siguiente más de una vez: *Me siento como si fuera un caballo salvaje siendo ensillado por primera vez, y que será un paseo emocionante.* Claro que es más fácil decirlo que hacerlo, pero cuando tengas la oportunidad, utiliza los retos como oportunidades para aprender. Extrae la lección de manera que puedas desarrollarte y llegar a ser quien realmente eres — ¡esto se convierte en *"El Regalo!"*. Puedo decirte por experiencia que ya no quiero medírmele a la vida sola. He seguido adelante con fluidez y gracia, permitiéndome recibir la ayuda de mis amigos, la familia y otras personas. ¡Es muy gratificante!

Cómo me convertí en Reina

Desde muy niña, nunca me gustó sentirme encerrada, restringida, no me gustaban los besos ni los abrazos. Siempre empujaba a cualquiera que tratara de abrazarme o consentirme. Prácticamente me salté la niñez porque era tan decidida que empecé a trabajar a los 11 años y mantuve el mismo trabajo durante 9 años. Debo añadir que era por decisión propia. Era la fuerza interior en mi alma la que nutría mi perfeccionismo y el deseo de mi ego de sobresalir. Tenía padres muy amorosos que me apoyaban, pero yo deseaba ser independiente y no quería la ayuda de nadie. Cuando niña, no sólo ordenaba mi cuarto, sino que también organizaba toda la casa sin que nadie me lo pidiera. Mi padre, aunque tenga opiniones fuertes, también es un hombre amoroso que sabe muy bien cómo expresarse. Está en contacto con sus emociones. Todos, hasta los extraños, lo quieren.

Sin embargo, por alguna extraña razón, me he mantenido cerrada hacia él toda la vida. Nunca le he permitido ver la expresión de mi alma. Sé que se debe en parte a su sistema de creencias que no está alineado con el mío. Aunque nunca lo he juzgado, eso no me ha impedido rechazarlo energéticamente. Es verdad que sus fuertes opiniones pueden ser a veces demasiado para mí. Nunca hemos hablado de nuestras diferencias porque no he sentido el deseo de demostrar que mis creencias son la verdad. Siempre me he abstenido pasivamente de tener que demostrarle nada a nadie. Prefiero vivir un sermón que pronunciarlo — a diferencia de mi padre.

Como no me podía expresar, construía muros en lugar de poner límites, especialmente cuando se trataba de mis barreras energéticas. Siempre me di cuenta de esto debido a mis dones espirituales, ya que soy muy sensible a las energías. Por tanto, el caos exterior y el desorden perturban fácilmente la homeostasis de mi ambiente energético interno. Cuando niña, una de las razones por las cuales subconscientemente protegía mi espacio energético era porque no comprendía, y por eso aprendí a erigir muros de protección.

Me gustaría resaltar que era yo quien no sabía cómo abrirme y expresarme. Era yo quien escogía alejarse en vez de conectarse. Para ser clara, no culpo a mi padre. Lo amo tiernamente, pero nunca he sabido como expresárselo. Mi necesidad del papel masculino generó una energía contraria entre nosotros, creando una distancia silenciosa. Esto sentó las bases de mis relaciones románticas — yo me mantenía en el rol masculino dominante, mientras que mi lado femenino estaba dormido. Por esta razón atraía a hombres con más energía femenina que no sabían cómo expresarse. Silenciosamente, o "inconscientemente", repetí el patrón de distanciarme en vez de acercarme. Para poder mantener el equilibrio armónico, es necesario alinear las energías correspondientes a cada rol.

Si buscamos algo diferente, tenemos que ser quienes efectuemos el cambio para poder atraer aquello que habrá de estar en consonancia con nuestra vibración energética. Esta es una de las razones por las cuales las relaciones cambian. A medida que uno cambia, se crea un desequilibrio en la unión energética. Si hay dos individuos con mayor energía masculina en una relación, no hay equilibrio, de manera que se repelen. Al trabajar con las llamas gemelas me he dado cuenta de que es muy común que los individuos que corresponden al femenino tengan mayor carga de masculino.

Antes de ayudar a mi llama gemela, cuando estaba en el proceso de adoptar su rol masculino, ya me había percatado de que yo estaba yendo hacia mi lado femenino. Estaba trabajando en soltar y demoler los muros. Hasta pensé que ya había soltado mi necesidad de protección. Sin embargo, fue hasta que tuve varios encuentros con mi llama gemela que ME di cuenta de que aún tenía barreras. Su presencia me reflejaba lo que debía trabajar en mí. El tenía problemas para expresar su verdad, y me di cuenta de que siempre atraía personas con ese tipo de dificultades. Para poder cortar con ese ciclo debía crear unidad dentro de mí. Me di cuenta de que el único hombre que se había expresado completamente era mi padre — y yo lo había relegado toda mi vida. Ahí se me ocurrió que nunca había tenido un "hombre" (masculino) en mi vida porque nunca lo había querido. Yo quería llevar el timón y no quería abandonar ese puesto tan cómodo.

Estaba consciente de mis esqueletos en el armario, pero no sabía cómo "arreglar" el núcleo de mi Ser. Dominar esta lección se convirtió en el último *"Código Clave"*: debía soltar el timón para poder armonizarme y expresarme. Me di cuenta de que era necesario hacerlo antes de poder lograr un estado de resplandor total y permitir que mi llama brillara con su máximo potencial. Siempre he creído que todo en la vida pasa para enseñarnos lecciones. Cada encuentro entre individuos se convierte en una oportunidad para intercambiar, dando y recibiendo. Ambas partes tienen algo que enseñar y aprender; este concepto obedece las leyes magnéticas del Universo. Por tanto, debes soltar la necesidad de culpar a tu llama gemela o a los demás por algo que simplemente te están enseñando a medida que te vas unificando contigo mismo.

Como lo mencioné anteriormente, fue necesario que apareciera el hombre londinense para que yo me abriera a aceptar a un hombre "masculino" en mi vida. El Universo sabía exactamente lo que estaba haciendo al enviarme a un maestro que estaba tan lejos. Aún estando a mil kilómetros, varias veces quise huir. La única razón por la cual no lo hice fue porque sabía que esto era lo que necesitaba para aprender a abrir mi lado femenino y encontrar el deseo de querer a un "hombre" (masculino) en mi vida. Esta conciencia me ayudó a aceptar las experiencias que había recibido de mi facilitador. Él también se encuentra muy lejos y nuestras interacciones me han hecho querer huir en varias ocasiones. Sin embargo, estoy al tanto de los aspectos que todavía debo trabajar dentro de mí. Él llegó al núcleo de mi necesidad de expresión y abrió puertas justo afuera de mi alma. Mi enseñanza ha sido la capacidad que él tiene de expresarse completamente. Se expresa de manera parecida a mi padre — fuerte en sus creencias, pero a la vez capaz de ser sensible y de conectar con sus emociones. De esto era lo que yo había huido toda la vida. Podía ver la conexión, pero fue sólo hasta una determinada interacción que tuvimos que pude comprender completamente.

La lectura de este libro que hizo mi facilitador para dar su aprobación lo obligó a mirar su karma profundo. Pudo ver aspectos oscuros que necesitaba limpiar y surgieron en él las emociones que necesitaba expresar. Recibí de él varios mensajes en media pues necesitaba desahogarse. Pero yo sentí como si me estuviera arrojando todo encima. Cuando los leí al despertarme, lo primero que sentí es que estaba comenzando mi día con "sus problemas". Tenía planeado escribir todo el día y mi primer pensamiento fue *"No tengo tiempo para esto"*. Intenté practicar paciencia, empatía y compasión. Traté de ver sus comentarios desde su punto de vista. No obstante, le mandé un mensaje diciéndole que le agradecería que pudiéramos esperar hasta hablar en persona; que podríamos hablar en el momento propicio.

A medida que transcurría la mañana, cuanto más pensaba en sus mensajes, más emociones iba sintiendo. Comencé a sentir rabia. Noté que mis emociones estimulaban la escritura. Ese día escribí todo un capítulo — El *Código Clave 7:7*. Lo interesante es que ambos estábamos experimentando cosas sobre las cuales escribí ese día. *Es increíble cómo el Universo siempre se las arregla para que cada experiencia se presente en el momento justo, dándonos la oportunidad de aprender — si así queremos verlo.* ¡Me hubiera saltado lecciones o información que compartí en ese *"Código Clave"* si no hubiéramos tenido ese encuentro precisamen te ese día!

Más tarde esa noche hablamos y él me preguntó, *"¿Porqué no le has contado aún a tu llama gemela acerca de este libro?"* Me lo había preguntado ya varias veces y cada vez yo le respondía: *"Tengo pensado decírselo cuando lo termine. Sin embargo, no puedo arriesgarme a que haya influencias externas para esta tarea. Aunque el proceso sea muy intenso, estoy manejando lo que más puedo en este momento. Quiero mantener la concentración y sería egoísta de mi parte decirle en este momento sólo para desahogarme".* También me doy cuenta de que es importante para ti, lector, no interferir con lo que llega a través de estos *"Códigos Clave"* y saber que nunca ha sido mi plan interferir con el orden Divino.

Antes de responderle esta vez, tomé distancia para poder procesar cómo explicarlo de manera diferente. Soy efectiva en mi comunicación, de manera que me concentré en elegir las palabras que tuvieran sentido para él. Pero cada vez que trataba de responderle me interrumpía, de manera que seguía repitiendo siempre lo mismo. A la cuarta vez, ya "sentía" yo toda la rabia del día, lo cual me llevó a expresarme duramente. El percibió mis repeticiones como denigrantes, lo cual no era mi intención. Se pusieron las cosas tensas y hasta pensamos en colgar el teléfono. Me sentía como un volcán a punto de explotar. Ahora debo decir que ese no es mi estado natural. Por lo general siempre estoy calmada, paciente y nunca me enfurezco. Pero para poder sentirnos bien, debemos pasar primero por sentirnos mal. Esto es lo que nos ayuda a abrirnos y a expandir nuestras emociones.

A pesar de todo esto, seguimos hablando. Cuando finalmente colgamos ya nos estábamos riendo. Hasta le dije que, si eso era lo que se necesitaba para escribir todo un capítulo, entonces lo autorizaba a que me hiciera enfadar cuando quisiera. El chiste ahora es, *"¡No me obligues a repetírtelo otra vez!"*. Seguí procesando e integrando lo que había pasado, sabiendo que no era algo ajeno a mi carácter. Me di cuenta de que estaba ejerciendo desde el Divino Femenino y que de hecho estaba aprendiendo a expresar en lugar de reprimir. Aparte de todo, otra conversación que tuve con él esa noche me abrió a niveles más profundos de expresión, permitiéndome compartir algunas cosas muy profundas sobre mi pasado. La conversación me ayudó a comprender la idea de que no le había permitido a mi padre expresarse y que nunca había permitido que un "hombre" (masculino) desempeñara el papel del Divino Masculino en mi vida. Entendí que mi ira fue parte de mi aprendizaje de soltar el control a cambio de la expresión. Tuvimos un par de encuentros más, pero no tan profundos como ese. En más de una ocasión discutimos la idea de no seguir con la conexión. Pero ambos podíamos ver que había lecciones por aprender, de manera que permitimos que las cosas se desarrollaran. Debido a que ambos operamos desde el yo superior, manejamos las cosas con mayor respeto que si lo hiciéramos desde el yo inferior.

Este ejemplo demuestra la ley de la atracción que se cumple cuando nos enfocamos en la importancia que tiene el equilibrio armónico entre el dar y el recibir. Por ejemplo, mi facilitador necesitaba expresarse inmediatamente para poder sentirse mejor, así fuera a media noche. Yo, por el contrario, no estoy acostumbrada a expresarme y por eso no comprendía su necesidad de hacerlo. También estoy esperando a terminar el libro para poder expresarme y compartir mi misión con mi llama gemela. Mi facilitador no entendía porqué necesitaba esperar; él sabe cómo expresarse y no necesita esperar. No era que él no estuviera escuchando lo que yo repetía por cuarta vez, sino que no entendía porqué. Mirando el cuadro completo, esto me está enseñando la necesidad de empatía, aceptación y expresión, a la vez que le enseña a él a practicar la paciencia. Estamos creando unidad dentro de cada uno. *El objeto de las relaciones es crear la unidad y practicar las leyes armónicas del Universo, ¡ya seas una llama gemela o no!* Te reto a que veas un maestro en tu próxima pelea y reconozcas que la otra persona es un vehículo par enseñarte. Mira la situación con agradecimiento en tu corazón.

Mi facilitador me ha enseñado a abrir mi alma en niveles más profundos. Puedo expresar lo que soy, con mis sentimientos y emociones, manteniendo el equilibrio armónico del femenino y el masculino en unidad. ¡Siempre estaré agradecida con él por habérmelo enseñado! A menudo nos reímos al pensar que algún día, después de publicar este libro, nos encontraremos en el programa de Ellen DeGeneres – (risas). Por primera vez en mi vida acepto la realeza, ¡y tomo mi puesto en el trono de la Reina!

Para cerrar el *Código Clave 8:8*, te reto a que mires dentro de tu alma y veas si aún debes expresarle algo a alguien – bueno o malo. *Aprende a soltar la necesidad de ser el conductor de tu propia vida. ¡Toma la decisión consciente de crear unidad con tu alma!* ¡Estoy disfrutando el paisaje desde el asiento del pasajero! Ayer hice una pausa en la escritura y me salí a correr. En un punto me detuve y vi una bandada de pájaros sobre mi cabeza. Cuando miré hacia arriba vi que algo caía del cielo, pero no sabía lo que era. Seguí observando y me sentí bañada por las plumas de los pájaros, alas de ángeles que caían sobre mi. Mi lado masculino nunca se hubiera detenido a observar los pájaros, y mucho menos la belleza de estar siendo bañada por la perfección de Dios. Este momento me enseñó que cuando nos tomamos el tiempo para entrar en contacto con nuestro lado Femenino, recibimos la belleza de la vida.

Convertirse en Reyes y Reinas es prerrequisito para poder armonizar el alma. La expresión del ser es imprescindible en todas las dimensiones de nuestra vida. En el *Código Clave 9:9* veremos en profundidad cómo se ven las cosas desde la punta del árbol de navidad, y la importancia de armonizar nuestra alma para poder brillar. Utilizaré algunos ejemplos de mi vida para demostrar cómo logré expresarme y compartir mi luz interior de la unidad.

CÓDIGO CLAVE 9:9

Armoniza tu llama gemela

"Nos volvemos luminosos una vez que nos alineamos con la Divinidad, lo cual crea empoderamiento personal y es fuente de gran felicidad e iluminación espiritual, a medida que vivimos momento a momento – ¡en la presencia del YO SOY"!
– Dr. Harmony

CUANDO HAYAS SOLTADO EL PASADO y hayas trascendido hacia tu yo superior a través del proceso de Ascensión, encontrarás la unificación de las energías femeninas y masculinas. Luego comenzarás a armonizar tu alma y a brillar como la Estrella Polar para que los otros la sigan. Ya no tendrás el deseo de llenar el vacío que llevas dentro con tu llama gemela o con cualquier otra persona porque te habrás llenado de amor incondicional hacia ti mismo. A medida que tu vibración de amor se eleva y tu corazón, tu alma y tu vida se alinean con tu *"Llamado Supremo"* sientes la libertad personal en todo tu ser porque has encontrado tu camino a casa, a la paz interior y la felicidad. Ahora eres el Sacerdote o la Sacerdotisa mayor de tu propia vida. Ahora experimentas empoderamiento personal (masculino) y conciencia expandida (femenino).

Cuando tu corazón y tu mente están en equilibrio armónico, ya no te roban energía y no te pasas el tiempo preocupándote. Con el mayor empoderamiento comienzas a confiar más en el proceso, lo cual exalta tu nivel de conciencia. Comienzas a ver con claridad lo que antes no podías ver. La decisión de fluir se convierte en algo natural y muy pronto adquieres la capacidad de identificar aquello que te da o que te roba energía y fuerza vital. Cuando amas lo que haces, te llenas de energía en vez de sentirte agotamiento. Por ejemplo, yo solía trabajar entre 70 y 90 horas a la semana durante muchos años — y SI, ¡era agotador! Después de un tiempo me sentía completamente drenada en todos los aspectos de mi vida. Sin embargo, cuando te alineas, no importa cuán ocupado parezcas estar porque en realidad tu vibración interna se eleva y en últimas, atraes más abundancia.

Por ejemplo, en este momento estoy encarando en el reto más grande de mi vida al escribir este libro al mismo tiempo que creo un oráculo de las llamas gemelas. Estoy rehaciendo la imagen de marca, creando una página web y una estrategia de mercadeo para lanzar *Descifrando el código de las llamas gemelas* y mis guías me dieron un plazo de tres meses para completar esta misión Divina. Estoy segura de que mis guías están allá arriba riéndose de mí porque saben que, si me dieran más tiempo, me pondría a utilizar la cabeza y este proyecto no saldría de la misma manera que si viene de mi corazón. Mi yo antiguo se habría estresado ya. Sin embargo, he logrado estar en equilibrio armónico al cuidar de mí en todo nivel — mente, cuerpo y alma — y a la vez viendo a mis pacientes de quiropraxia y trabajando con llamas gemelas de todo el mundo. El proceso de simplemente estar presente y dispuesta para hacer lo que se me está pidiendo, es lo que me da energía. Ya no tengo que tener el control y el peso se ha aligerado. Todo lo que he necesitado para este camino se me ha dado. *Ahora, cuando siento que he llegado a un punto donde parece no haber salida, paro y dejo de oponer resistencia. Si las cosas no están fluyendo, sé que es momento de parar y tomar otro camino.* Si no sé por dónde avanzar, hago una pausa y les pido a mis guías que me muestren el camino de menor resistencia, me relajo y espero las señales. Siempre me muestran la dirección correcta.

Soy la primera en reconocer que esto requiere mucha paciencia y la capacidad de soltar. Mi más grande recompensa es la paz interior y la calma del momento. Así, en lugar de gastar toda mi energía forzando las cosas, utilizo el momento de silencio para recargarme. La única razón por la cual nos cansamos es porque no vemos una recompensa por nuestros esfuerzos. *Siempre que nuestros esfuerzos generan un mayor rendimiento, estamos alineados con nuestro más alto beneficio.* En el vórtice de todas las posibilidades, el Universo provee todo lo que necesitamos para el camino. Lo único que tenemos que hacer es estar disponibles y ¡dejar de ser nuestro propio obstáculo!

¿Cómo dejamos de ser nuestro propio obstáculo?

Cuando somos nuestro propio obstáculo, bloqueamos la entrada al vórtice de todas las posibilidades donde nuestra luz puede brillar y podemos recibir nuestras recompensas. Al volvernos resplandecientes liberamos todo el caos mental que nos ha robado la *"claridad consciente"*. He experimentado el estado de conciencia expandida en estos últimos días, el cual es la forma que tiene el Universo para enseñarme los ejemplos que les voy a presentar. No pretendía conscientemente que los *Códigos Clave 8:8 y 9:9* fueran los últimos dos capítulos que completaría, pero cuando comencé a escribirlos, me di cuenta de que era preciso guardarlos para el final. Escribir este libro me ayudó a dominar estos dos *"Códigos Clave".* Mi yo superior sabía exactamente cuales eran las últimas lecciones que estos dos *"Códigos Clave"* desatarían en mi al traer a mi *"conciencia"* exactamente lo que tú, mi lector, vas a experimentar. Con mi nuevo sentido de empoderamiento personal y la conciencia expandida, no he tardado mucho en dar la última vuelta al árbol de navidad. A medida que completo estos dos últimos *"Códigos Clave"*, podrás presenciar mi transformación hacia el resplandor total, mientras veo todo desde la punta del árbol. La culminación de este libro es oficialmente lo que adorna mi alma con la Estrella Polar que brilla para que otros puedan encontrar su camino a casa.

Las siguientes cinco sugerencias son para que practiques cómo dejar de ser tu propio obstáculo.

Sugerencia 1: **Sé quien eres.** No te disculpes por ser quien eres. Cuando nos volvemos resplandecientes, aprendemos a expresarnos y a hablar desde nuestra verdad. Ya no nos preocupamos por lo que otros piensen porque tenemos confianza en nosotros mismos y nuestras habilidades. Ya no escuchamos el parloteo de la mente que nos dice que no somos lo suficientemente buenos, porque nuestra mente ya se ha purificado. Ahora podemos escuchar el canto de nuestro corazón.

Sugerencia 2: **Deja atrás la necesidad de perfección.** Deja de pensar tanto en el proceso; aprende a permitir que las cosas sucedan y evolucionen. *Cuando dejamos de tratar que las cosas salgan como nuestra mente cree que deberían salir, en vez de como el corazón sabe que deben ser, comenzamos a ver que todo es perfecto como es.* Cuando algo no parece alinearse con el ojo de la mente, es natural en el humano resistirse al proceso. El perfeccionismo es la necesidad del ego de tener la última palabra. Pero cuando experimentamos armonía en el alma y vemos cada situación desde el corazón, el Ser se expande y comenzamos a existir como amor.

Sugerencia 3: **Deja de dudar de ti mismo.** Cuando elevamos nuestra vibración energética, comenzamos a honrar nuestros pensamientos, sentimientos y emociones – y nos volvemos más receptivos. Vemos con claridad todas las situaciones y confiamos en el fluir de la vida; ya no necesitamos la aprobación de los demás. ¡Podemos tomar decisiones con confianza!

Sugerencia 4: **Acoge la vida desde tu corazón.** Al soltar la necesidad de cuestionar o analizar nuestras experiencias, y ver sólo el amor, podemos acoger la vida desde el corazón y no desde la cabeza. La vida se torna una experiencia más hermosa. Se armonizan nuestros canales de amor y nuestra luz se convierte en un reflejo del color de Dios que brilla con propósito más que con intención.

Sugerencia 5: **Enfócate en lo que está frente a ti.** Vivir la vida en armonía no quiere decir que todo es perfecto. Quiere decir que has aprendido a fluir a través de la práctica de la paciencia y de vivir el momento. Recuérdate a ti mismo que se trata del progreso, no de la perfección. Suelta la necesidad de forzar la vida; la resistencia crea resistencia. Sólo crea dificultades en el camino. Enfócate en lo que tienes en frente y observa cuánto más rápido y más lejos puedes volar.

De cómo me vi obligada a dejar de ser mi propio obstáculo

Como lo mencioné anteriormente, me alinearon a la fuerza; la conexión con mi *"Llamado Supremo"* y convertirme en experta en llamas gemelas no fue algo que planeara conscientemente. Sigo prestando los mismos servicios que he prestado durante años — era cuestión de expandir mi sabiduría y redireccionar mi vida, teniendo un propósito y ayudando a otras llamas gemelas que pudieran necesitar de mis dones espirituales. La mayoría de los días me tengo que pellizcar para asegurarme de que no estoy soñando. Es como si hubiera estado en entrenamiento para esta misión toda mi vida. Mi propia experiencia con mi llama gemela era un prerrequisito para poder adquirir la sabiduría necesaria para ayudar a otras llamas gemelas en todos los planos y en todas las dimensiones de la vida.

Algunos meses atrás, mi llama gemela y yo íbamos a crear un centro de transformación espiritual para nuestra comunidad. Acordamos que sería una forma de entregar a la comunidad lo que habíamos adquirido en nuestro desarrollo espiritual, y cada uno tenía sus propias razones para ayudar al otro. Una mañana, luego de haber pintado el espacio la noche anterior, me desperté sabiendo que algo no andaba bien — no podía respirar. Cuando me levanté, recibí un mensaje de texto de mi llama gemela donde me pedía que lo contactara cuando me despertara. Podía sentir que él estaba sintiendo lo mismo que yo. Pasamos varios días revisando nuestros planes. Hasta revisamos la posibilidad de que el ego estuviera saliendo a la superficie y la necesidad de soltar el control. Ambos estábamos *"conscientes"* reflejándonos el uno en el otro, y señalando las áreas en las que cada uno debía trabajar. Aunque no pudimos identificar nada específico que explicara la sensación de desasosiego decidimos que lo mejor era no proceder.

Personalmente no tenía idea de lo que podría andar mal. Pero sabía que, fuera lo que fuera, algo había. Quería huir de todo y de todos, pero no entendía porqué. Pasé varios días meditando sin parar. Sabía que ambos habíamos llegado a un karma profundo. Nos comunicamos por varios días para poder dilucidar lo que estaba sucediendo y discutir opciones. Incluso me ofreció que me quedara con el espacio y deshiciéramos el acuerdo para que pudiéramos avanzar —

pero algo no se sentía bien. Así que le dije que era mejor para ambos que no continuáramos y que más bien siguiéramos trabajando en nosotros mismos.

De lo único de lo que me arrepiento es de haber tenido que enviarle un correo electrónico a primera hora informándole de mi decisión, en lugar de haber tenido la paciencia de esperar a decírselo en persona. Hice algo que yo le había dicho a él que no hiciera. Más tarde ese día, fui a recoger un par de cosas y a devolver las llaves, y pude ver que él se sentía mal. Se sintió herido porque su deseo era ayudarme a avanzar a medida que yo me reinventaba. Aunque yo comprendía que debía estar en un estado receptivo, por alguna razón no podía avanzar con su ayuda. Mirando hacia atrás, puedo ver con claridad que el bloqueo que tuvimos fue necesario para poder llevar a cabo la misión Divina. Aunque no podíamos entender conscientemente porqué nuestras almas no podían descansar si procedíamos con la creación del centro, nuestro yo superior conocía perfectamente el plan.

Tratar de avanzar sin la ayuda de mi llama gemela tampoco funcionó mayormente. Continuaba arando en el mar, tratando de reinventarme y alinearme con mi *"Llamado Supremo"*. Había gastado todos mis ahorros en el proceso. Por mucho que me esforzaba en hacer que las cosas avanzaran, ¡todo – y quiero decir todo – estaba bloqueado! Intenté grabar en una semana en tres computadoras diferentes una serie de videos que eran parte de un programa de coaching que quería lanzar. Contraté a tres diseñadores de páginas web y no pude crear ni una sola – ni siquiera después de gastar más de seis mil dólares. Contraté a una experta en estrategias de mercadeo y creación de marca, pero tampoco funcionó. Cuanto más me esforzaba, más se iban cerrando las puertas en mi cara.

Mi llama gemela y yo siempre bromeábamos diciendo que, si nada comenzaba a fluir, yo terminaría viviendo en una tienda de campaña. Pocas veces hago bromas de este estilo, pero debo decir que se estaba volviendo realidad. Tenía amigos que me ofrecían hospedaje debido a la gravedad de las circunstancias en esa época. Tenía seis semanas para que algo pasara, y si nada se movía terminaría en la calle. ¡Estaba desesperada! No podía creerlo. Había hecho todo para alinearme con mi propósito. Había obedecido a mi intuición, a mis instintos y la guía Divina. Estaba al final de la cuerda — por primera vez en mi vida, no tenía idea de qué hacer o por dónde echar andar.

¿Qué hice? Me solté de la cuerda y salté. Decidí abandonarlo todo. Como siempre había sido quien "arreglara" todo, decidí que era el momento de ser realista y buscar un trabajo. No había trabajado para nadie en 22 años. Algo dentro de mí me decía que no había llegado tan lejos para quedar en la calle. Algunos de mis amigos me decían, *"Eres quiropráctica y tienes un consultorio a medio tiempo. Comienza a buscar más pacientes para generar más ingresos y dedicarte a lo que estudiaste".* ¡No entendían! Si iba a seguir siendo quiropráctica de tiempo completo, entonces ¿porqué demonios había abandonado mi consultorio donde trabajé por doce años para adquirir una deuda con un socio para un negoció fallido (no era mi ex)? Porque estaba tratando de encontrar lo que mi alma estaba buscando. Además, volver a empezar requería energía — energía que no tenía. Estaba oficialmente quebrada en todas las áreas de la vida, ya no podía más, estaba lista para soltar todo y rendirme.

¿Qué hice entonces? Por primera vez en mi vida envié una hoja de vida al menos a 20 compañías. No podía creer que tendría que someterme a cosas como auditorías de seguros, o procesar y rechazar reclamaciones médicas por servicios de quiropraxia que seguramente estaban justificados. Era como vender mi alma al diablo oficialmente — ¡por dinero que necesitaba para sobrevivir! Tuve que encontrarle la gracia a una situación tan difícil: en la primera búsqueda de posibilidades de empleo encontré una vacante para un puesto de asistente que mi llama gemela había publicado 4 horas antes. Casi que me presento al cargo por pura broma (o no).

Una tarde, después de pasar 4 horas llenando solicitudes en los canales virtuales, decidí reconectar con una compañía en Gran Bretaña que había visto un año antes. Era una oportunidad para trabajar independiente ofreciendo consultoría espiritual, sanación a distancia y coaching. Me gustaba la idea de ayudar a personas de todo el mundo por Internet, utilizando mis dones, pero me había resistido a la idea porque no se alineaba con lo que *"Yo"* debería estar haciendo. Sin embargo, siempre me había atraído esa compañía. Cuando la oportunidad se *"presentó por primera vez"*, incluso había comprado todo el equipo necesario y tenía todo listo para iniciar. A última hora mi ex y yo vendimos el negocio que teníamos y mi atención se fue a otro lado, de manera que nunca lo hice. Esta vez — como ya todo estaba listo para comenzar — decidí contactar a la compañía y ver qué pasaba. ¡Esa misma tarde ya estaba produciendo dinero!

Lo hice. Dejé de ser mi propio obstáculo, lo único que tenía que hacer era estar dispuesta. Ya había escuchado al Dr. Dyer decir esto muchas veces, y ahora puedo decir que es verdad. Supe que estaba alineada porque en pocas horas ya estaba trabajando y produciendo dinero con significado; en un par de días ya había adquirido varios clientes. ¡Amaba lo que estaba haciendo, y fue entonces cuando comenzó la magia! Llamas gemelas comenzaron a aparecer de la nada. A cada tanto escuchaba la siguiente frase: *"Me guiaron hacia ti"* y *"Agradezco infinitamente haberte encontrad"*. Una tras otra escuché las historias de cómo me habían encontrado por accidente. A menudo tenía personas en fila esperando para poder hablarme, todas necesitando mi ayuda. Todas simplemente *"aparecían"*.

En todos mis años de oficio, nunca había recibido tal gratitud por mis dones y servicios. Comencé a identificar a las llamas gemelas muy rápidamente. Comencé a identificar lo importante que es que continúen su camino personal, suelten el pasado negativo y rompan con las barreras energéticas de sus vidas pasadas. Las historias se presentaban una tras otra mostrándome con firmeza todo lo que mi llama gemela y yo habíamos experimentado, procesado e integrado. De hecho, varias mujeres tenían cáncer de útero. No tardé mucho en ser recomendada a nivel mundial. Incluso comencé a trabajar con otros expertos en llamas gemelas, ayudándolos a romper con apegos energéticos y a entender la naturaleza de su camino, y luego sembrando semillas de luz para que también pudieran compartir el mismo mensaje que yo estaba compartiendo con ellos.

Recientemente descubrí una frase que había comenzado a compartir con otros, *"El cielo se ha roto."* Traducción: que llueva – se han abierto las puertas del cielo. Esto no es una metáfora, es real. Mi consejo Divino me dirigió a escribir este libro, y por primera vez en mi vida no traté de saber de antemano cómo lo iba a hacer. Dije, si esta es mi misión Divina, entonces envíenme lo que necesito para que suceda. Simplemente estuve dispuesta a escribir. El dinero caía del cielo – lo suficiente para cubrir los gastos de edición y publicación. En estas últimas semanas me ha llegado dinero de todos lados: una devolución de impuestos inesperada, dinero de un proceso con la compañía de mi tarjeta de crédito, una devolución de la compañía de energía, y hasta un error en un depósito del banco, ajustando algo de 2014.

Para poder entrar en este vórtice, es necesario soltar mucho. Para poder alinearnos, debemos soltar las energías negativas del karma pasado, a fin de elevar las vibraciones energéticas y poder recibir. Cuando exploramos las frecuencias energéticas elevadas, podemos conectarnos directamente con los guías, los ángeles y la inteligencia Divina a través del yo superior. Podemos llegar a esos niveles de manifestación únicamente cuando el alma se ha purificado y hemos logrado unificarnos y armonizarnos – sólo así podremos explorar nuestro más alto potencial y convertirnos en luz resplandeciente como expresión del Creador.

Palabras de Wayne

Cuando comencé la misión Divina de escribir este libro, no fue mi intención *"consciente"* compartir tantas historias o mencionar al Dr. Wayne Dyer de la manera como lo he hecho. Sin embargo, ha aparecido milagrosamente a lo largo de esta tarea Divina, la cual es mi *"Mi Llamado Supremo"*. Como lo mencioné anteriormente, este libro fue evolucionando sin mayor esfuerzo consciente de mi parte — YO SOY tan solo el vehículo. A medida que se desarrollaba y yo aprendía el arte de *"escribir desde el alma"*, comencé a ver fluir a través mío las *palabras de Wayne* y a sentir fuertemente su presencia. Él fue uno de los Seres más resplandecientes que jamás haya conocido; no se me ocurre mejor ejemplo a seguir que el de él en este proceso de practicar convertirnos en luz radiante. A medida que leas esta sección, comprenderás por qué he puesto *Las Palabras de Wayne en el Código Clave 9:9 — Armoniza tu llama gemela*. Ilustra perfectamente el ejemplo de dejar de ser tu propio obstáculo para que las cosas empiecen a manifestarse.

Durante una sesión con mi consejera espiritual ayer, le estaba contando acerca de Las *Palabras de Wayne* que aparecían en este libro. También compartí con ella lo que había escrito al principio del libro: "A la memoria del Dr. Wayne Dyer". En la introducción menciono una conversación que sostuve con el Dr. Dyer en 2003, cuando le dije: *"Mientras yo viva, tu trabajo nunca morirá".* Mi consejera y yo discutimos el impacto que Wayne había tenido en el mundo y cómo el efecto de sus enseñanzas continúa todavía. Esta conversación me recordó algo más que me impactó de Wayne durante la época en que me alineé a la fuerza con mi llamado Divino para convertirme en experta en llamas gemelas y escribir este libro. Me estaba dando por vencida en otra batalla entre mi miente y mi corazón, tratando de buscar un trabajo con el cual no resonaba. Me sorprendió que había pasado toda mi vida haciendo algo que pensaba que estaba en alineación con mi Ser. Reflexioné acerca de mi obediencia en los últimos años. Cambié todo en mi vida para estar *"disponible"* y hacer lo que vine hacer en el planeta. De manera que cuando vi de cerca la posibilidad de quedarme sin techo, comencé a escuchar con claridad *Las palabras de Wayne* el día que respondió a mi comentario en 2003: *"Me alegra saber que no morirás sin antes haber compartido la música que vive dentro de ti".* Fueron *Las palabras de Wayne* las que me animaron a soltar la cuerda aquel día y entregarme completamente. Sus palabras me animaron a no darme por vencida con mi *"Llamado Supremo."*

Por aquella época, soñé que estaba frente a un público y que los reflectores solamente me permitían adivinar las siluetas. La experiencia fue tan real que me paralizó el miedo. En aquel momento, Wayne apareció de la nada, *me levantó* y me puso sobre sus hombros. Mientras lo hacía, mi miedo desaparecía y *"pude ver con claridad".* Me llevó a un lugar donde nos sentamos y pasamos todo el día juntos y compartió conmigo muchas *Palabras de Wayne.*

Cuando desperté a la mañana siguiente, encontré un cuaderno sobre mi mesa de noche, el cual había utilizado cuando había estado en Hawái para tomar nota de lo que Wayne me había enseñado acerca de lo que significaba *"escribir desde el alma"*. ¿Cómo llegó ese cuaderno ahí? Todavía hoy me deja perpleja. Lo abrí y las palabras que leí eran la respuesta a lo que estaba buscando. Compartiré estas *Palabras de Wayne* contigo más adelante en esta sección. Poco después de haber leído aquellas *Palabras de Wayne,* escuché la canción: *"You Raise Me Up" (Me elevas)* de Josh Groban. En ese momento comencé a llorar, a medida que me entregaba por completo. Sabía que no había recorrido todo este camino en busca de mi misión Divina sólo para darme por vencida justo antes de encontrarla. Ese fue un momento decisivo – *encontré mi mayor revelación del otro lado de mi mayor resistencia.* De nuevo *Las palabras de Wayne* llegaron justo a tiempo. Esto tuvo tal impacto en mí que le escribí a la hija de Wayne, Serena Dyer, y le agradecí por compartir a su padre con el mundo; y también le conté esta historia.

Esta mañana me levanté aún pensando en el impacto que estas *Palabras de Wayne* han tenido en mi vida y cómo todavía llevo su esencia. Luego lo escuché decirme que debería poner esta historia en el libro — y que debería compartir contigo, el lector, aquellas palabras que leí en mi cuaderno esa mañana. Me dijeron con claridad que debía ponerlas en una sección aparte llamada: *Las Palabras de Wayne. "Ahora puedo ver con claridad"* lo que aquellas palabras que intercambiemos en 2003 significan realmente. Sentía mi corazón rebozar de agradecimiento al reflexionar sobre sus historias: sobre cómo regaló 19 casas a familiares y amigos; iba al banco una vez a la semana sólo para darle una propina al funcionario; caminaba por la mañana con la intención de bendecir a cualquier indigente que se cruzara en su camino. El amor no puede ser más incondicional que eso. Luego tuve una *"toma de conciencia absolutamente clara"*. Quiero devolver las bendiciones de la misma manera que él lo hizo. Quiero dejar mi huella en la mayor cantidad de gente como lo hizo Wayne, devolver las bendiciones en su honor como él lo hizo para mí.

Después, todo se puso mejor – ¡si es que eso es posible! Estaba en mi consultorio el otro día, luego de mis reflexiones matutinas y mientras esperaba a un paciente, preparé un sobre para enviarle un cheque a mi consejera espiritual por nuestra sesión. Le escribí lo siguiente: "Aquí está la respuesta que estabas buscando: *"ahora puedo ver con claridad"*. No tengo idea porqué le escribí eso. Sólo hice lo que sentí que debía hacer. Mi cliente llegó un poco después y me preguntó que si me podía pagar el viernes cuando le pagaran a ella. Le dije que no había problema. Ella tenía un resfriado y le hice un procedimiento para destapar los senos nasales. Cuando se levantó comenzó a cantar: *"ahora puedo respirar con claridad"*. Como no podía creer lo que oía, le pregunté, *"¿Qué acabas de decir?"* Ella siguió cantando, *"Ya sabes, la canción – Ahora puedo ver con claridad" (I Can See Clearly Now)"*.

No tardé mucho en decidir que no le pediría a mi paciente que pagara el viernes. Era un regalo de mi parte en honor a las *Palabras de Wayne*.

Antes de compartir con ustedes las *Palabras de Wayne* que encontré en mi cuaderno aquella mañana, quisiera mencionar que la sección del *Código Clave 11:11 "A la memoria del Dr. Wayne Dyer"* ya la había escrito algunos días antes de que vinieran a visitarme los "mensajeros místicos" de hoy. También pienso que esto es una forma de demostrar lo importante que es estar pendiente de los "mensajes misteriosos" y lo importante que es pedir señales y estar abierto a recibirlas.

Las palabras de Wayne me llevaron a mi "llamado supremo"

Las siguientes *Palabras de Wayne "aparecieron"* milagrosamente en mi mesa de noche:

Ascensión – YO SOY luz – Jesús dijo, YO SOY la Ascensión.

Aquello que es real nunca cambia. Somos como una rosa – el riesgo de quedarnos en capullo es más doloroso que florecer. Es más riesgoso no cambiar que cambiar. Si la puerta de la percepción fuera más clara, verías todo como realmente es, infinito. Toma un riesgo y atraviesa la puerta. Ten una mente abierta a todo y sin apegos a nada. Encuentra tu *Dharma – tu llamado supremo.* No mires atrás deseando tener más coraje para hacer lo que realmente viniste a hacer. Vive tu vida sin remordimientos y conviértete en la luz que se supone que debes ser. Tu alma no quiere que la encierren porque no se puede expandir. El alma se resistirá a todo aquello que le diga que no puede ser. Tu alma tiene un canto: *no me acorrales y no me pongas dentro de una caja.*

¿Qué haces cuando te enfrentas a la decisión de hacer lo que viniste a hacer? Escuchas, sueltas, y ¡dejas que Dios haga lo suyo!

Cuando hay que tomar decisiones, hay tres cosas que tienes que tomar en cuenta:

1) **Estar dispuesto**
   ¿Estoy dispuesto a escuchar y a hacer lo que YO me siento guiado a hacer?
   El 80% de las personas se enfocan en por qué no pueden hacer algo, en vez de enfocarse en por qué sí pueden hacerlo.

2) Determinación

¿Estoy decidido a hacer lo que me siento guiado a hacer?

TODO está ahí para mí.

Ahora puedo ver con claridad.

Lo voy a hacer.

Lo dilucidaré – ¡SIEMPRE hay una forma!

3) Valentía

¿Soy lo suficientemente valiente como para escuchar a mi corazón y no a mi mente, para poder hacer lo que YO me siento guiado a hacer?

El amor viene del corazón.

¡SIEMPRE escoge hacer lo que AMAS!

Compartiendo las palabras radiantes de Wayne

El día después de haber escrito *Las Palabras de Wayne,* tenía una cita con una cliente de Gales, Reino Unido. De todas las historias de las llamas gemelas que puedo compartir, habiéndole pedido permiso, esta merece atención. Esta cliente me encontró por Internet y experimentó algunos de mis dones, pero no tenía idea de cómo contactarme. Ni siquiera sabía mi nombre. Lo único que sabía es que lo que necesitaba era lo que yo tenía para ofrecer, así que se puso como tarea encontrarme. Luego de mucha búsqueda, me encontró por redes sociales. Intercambiamos algunos mensajes y ella estaba lista para registrarse en mi programa de *"Reboot Your Soul (Reinicializa tu Alma)".* Este es prácticamente el mismo programa que el de *"Reboot your Twin Soul (Reinicializa tu Alma Gemela)",* sin embargo, ella no me estaba buscando por cuestiones de llamas gemelas. Así que hice el programa a su medida. Me había contactado porque se sentía extremadamente cansada y pensaba que tenía que ver con problemas de salud.

Desde la primera sesión, pude identificar que su fatiga venía de no estar alineada con su *"Llamado Supremo"*. Sin embargo, miramos todas las posibilidades de que fuese un problema de salud relacionado con algo diferente. Hoy fue nuestra cuarta sesión semanal. Antes de cada sesión con mis clientes, pido guía para saber dónde está el problema y qué se necesita limpiar primero. Sentí que debía transmitirle el siguiente mensaje: *"Ahora puedo ver con claridad"*. En ese momento, no sabía qué relación tenía con la sesión de hoy, pero apenas comenzamos, supe que debía leer aquellas *Palabras de Wayne* que había escrito ayer al final de nuestra sesión.

Durante esta sesión, descubrimos muchos componentes profundos y llegamos al origen de la fatiga. En efecto se debía al aburrimiento y al hecho de que no le gustaba lo que hacía. Pero es aún más profundo. Al final de nuestra sesión anterior me había comentado que no estaba feliz en su matrimonio de 31 años y que sabía que eso le estaba impidiendo avanzar. Cuando comencé a trabajar con su energía, la vi convertirse en una luz resplandeciente, como un cisne radiante y majestuoso. Luego algo interesante ocurrió. Vi el código de las llamas gemelas que recibo siempre que debo identificar si estoy trabajando con una de ellas. También la vi ascender hacia el cielo con su llama gemela. Anteriormente me había dicho que había estado viendo 11:11. Adicionalmente, saqué una carta de llama gemela del oráculo de los ángeles como mensaje para ese día. Recuerda que esta mujer desde el otro lado del mundo me había buscado sin saber realmente para qué, sólo sabía que necesitaba ayuda. Lo único que sabía acerca de las llamas gemelas, era que es un tipo de relación del alma. Su alma estaba exhausta y estaba buscando su camino a casa – por eso estaba tan cansada. Fue muy claro que le hacía falta el Divino generador masculino para que pudiera conectar con su misión Divina.

Al final de esa sesión, leí las *Palabras de Wayne* que había escrito el día anterior y puse la canción, *"You Raise Me Up" (Me elevas)* de Josh Groban. Mis lágrimas comenzaron a brotar al ver a esta alma hermosa brillando, la cual había simplemente *"aparecido"* en mi vida, y estaba deseosa de conectar con su yo superior. Sentí enorme agradecimiento por ser *"La Elegida"* y poder ver cómo ella pasaba de ser un capullo a ser una rosa magnífica, al igual que la rosa en la metáfora de las *Palabras de Wayne.* También me mostró, a modo de reflejo, que yo estaba alineada con la Divinidad. Me he convertido en aquella radiante Estrella Polar encima del árbol para que los otros la puedan seguir.

Cuando terminó la canción, la reté diciéndole: *"¡No mueras sin haber compartido tu música!".* ¡Por eso AMO lo que hago! Me escribió al día siguiente para agradecerme y decirme que se sentía afortunada por haberme encontrado. También compró la película del Dr. Dyer, *"The Shift" (El Cambio).* El Dr. Dyer tenía en mente una meta de 3 millones de personas que vieran la película. Al compartir *Las Palabras de Wayne* con mi cliente, ¡también estoy manteniendo vivo el sueño de Wayne!

El cisne majestuoso

El cisne majestuoso representa a las llamas gemelas y su capacidad de cautivar *"el resplandor supremo".* Representan la hermosa imagen de la gracia a medida que sus cuerpos fluidos se deslizan sobre las aguas azules demostrando la maravilla en movimiento con sus largos cuellos blancos erguidos orgullosamente, fluyendo con inquebrantable paz y pureza. El ave mística lleva con confianza el equilibrio armónico de las energías femeninas y masculinas, creando la unidad dentro de su ser Divino. Su alineación perfecta genera empoderamiento personal el cual produce felicidad suprema e iluminación espiritual, ya que vive momento a momento en la presencia infinita del "YO SOY".

Todos deberíamos intentar vivir bajo las características de estas radiantes aves, lo cual es posible cuando nos convertimos en la mejor versión de nosotros mismos al conectar con nuestro yo superior. Durante una de las sesiones energéticas con mi llama gemela, tuve una visión de un cisne. A primera vista, me pareció que era negro; luego empezó a cambiar de color y se tornó blanco. No le puse mucha atención al cambio de color en ese momento, pero ahora sé que el cisne negro representa el ego del yo inferior. El cisne negro que se convierte en blanco, indica la necesidad de soltar del yo inferior para convertirse en el resplandeciente yo superior. Esa misma tarde, cuando iba conduciendo, vi un ave blanca de cuello largo deslizándose con gracia sobre el agua. Me llamó la atención debido a la visión de esa mañana. Estaba determinada a comprender el significado del cisne y con curiosidad de saber por qué yo fui parte de la sesión con mi llama gemela, en vez de ser simplemente la mensajera. Sentí una conexión con aquel cisne.

Me detuve y le tomé una foto y se la envié a mi llama gemela. Al día siguiente, durante una de mis propias sesiones, nos vi a mi llama gemela y a mí ascendiendo hacia los cielos con el mundo entre las manos. Además, vi a un cisne blanco que se convirtió en una criatura hermosísima y resplandeciente. Me mostraron que yo era el cisne y que mi llama gemela fue quien me ayudó a lograr tal perfección. Estas visiones fueron *"clave"* para poder descifrar el *"Código de las Llamas Gemelas",* donde yo resolvía el caso y me *"despertaba"* entendiendo nuestra identidad de llamas gemelas.

Mientras investigaba el significado del cisne, encontré un dibujo en Internet de un cisne resplandeciente que brillaba con colores tornasolados. Le mostré el dibujo a mi llama gemela, compartí con él lo que había descubierto acerca de la visión y le expliqué cómo él había sido quien me había ayudado a convertirme en el hermoso cisne.

Otra *"Clave"* que me ayudó a conectar los detalles de mi vida pasada en Cornwall, Inglaterra, fue haber entendido que yo era el cisne. Durante mi camino como llama gemela, descubrí que los cisnes de Cornwall eran aves reales. Condenaban a cualquiera que encontraran matando a un cisne. A los cisnes durante esa época, y en particular durante el siglo 17 y hasta los 1970s, los mataban para enterrarlos como medio de incrementar la fertilidad de las mujeres que no podían concebir. Sin embargo, después de la concepción debían desenterrar al cisne para liberar su alma. Fue en aquella vida que me quemaron en la hoguera cuando me atraparon intentando desenterrar a un cisne. Me pasé un tercio de mi vida presente sin poder dormir por miedo a quemarme mientras dormía. Cuando era una bebé de 6 meses, puse mi mano derecha en el fuego y tuve quemaduras de tercer grado.

He buscado liberación personal toda mi vida. Tuve que dejar atrás este sentimiento de persecución, el cual me hizo comprender las virtudes de libertad y justicia que poseo en esta vida, las cuales tuve que rectificar antes de poder alinearme con mi misión Divina. El apoyo "inconsciente" del yo superior de mi llama gemela me ayudó a liberarme de las ataduras profundas del pasado. Mi llama gemela siempre me a visto como resplandeciente, y me dice que estoy lista para salir al mundo. Sabía que estaba cerca, pero también sabía que todavía no había logrado ser mi mejor versión. ¡Gracias a mi llama gemela, AHORA estoy lista para salir al mundo con pleno resplandor!

Llévame a casa

Probablemente hayas escuchado el dicho, *el hogar es donde está el corazón.* Si lo analizamos en profundidad, ¿acaso el corazón no representa en realidad a la mente? Si lo piensas detenidamente, significa que el hogar podría ser algo que llevas contigo en todo el camino. Nuestra alma añora la profunda quietud y paz interior que trae alegría a nuestra vida. Cuando las circunstancias son difíciles y sentimos que la vida está fuera de control, entramos en un período sombrío creando "la oscura noche del alma". *Nuestras almas añoran regresar a casa encontrando la luz para poder convertirnos en los Seres resplandecientes que realmente somos.* Las llamas gemelas tienen un largo camino a casa. El sentimiento de añoranza por reconectarse y ser uno de nuevo, crea una profunda nostalgia interna. Por esta razón veo a tantas llamas gemelas experimentar dolor físico real producido por traumas anteriores del alma. Se quedan vagando en la oscuridad hasta que la otra mitad de su alma vuelve para llevarlas a casa.

Cuando las llamas gemelas se unifiquen dentro de sí mismas, equilibrando sus energías femeninas y masculinas, serán resplandecientes y se convertirán en los Sacerdotes y Sacerdotisas Supremos — dominando el más alto nivel de satisfacción del alma. *El regreso a casa en realidad se trata de encontrar la paz interior, la felicidad y volverse uno con la Divinidad.* Sin embargo, es necesario que te reúnas con tu otra mitad en forma física para que te ayude a unificarte y encontrar tu camino. *"Llévame a casa" en realidad significa unificarse dentro de sí mismo.* Puedo avalar la veracidad de este concepto. Mi llama gemela y yo no estamos en una unión romántica. Sin embargo, aún estamos unidos físicamente y él ya me ha traído a casa – el cielo en la tierra, un lugar de paz interior y felicidad. He encontrado la liberación personal. Me convertí en el cisne majestuoso de mi visión.

Cuando me levanté esta mañana, no tenía idea de cómo iba a terminar este capítulo. De manera que como siempre hago, pedí guía. Lo que puedo asegurar es que cuando escribí las siguientes palabras: *"Estoy a punto de lanzar mi alma a la estratósfera"*, en la sección llamada "Mensaje a mi lector", no tenía idea del poder de aquellas palabras. He canalizado muchas cosas que ni siquiera esperaba. Tampoco pensé jamás compartir algunas cosas sobre mis experiencias personales, pero fui guiada y muy rápidamente entendí lo importante que es ser un libro abierto para que otros puedan aprender. Adicionalmente, al completar este libro, me volví resplandeciente; durante el proceso, me he hecho *consciente* lo cual sigue ayudándome en el progreso personal.

La vista desde la punta del árbol

Ayer tuve dificultades para escribir, debido a pensamientos limitantes. Estaba sintiendo que se me acababa el tiempo y también me sentía sensible y emocional debido a mi proceso personal de integración por la *"toma de conciencia"* de todos los mensajes personales que me estaban llegando. Estaba pensando en los clientes que necesitaban mi ayuda, a la vez que sentía la necesidad de tomarme un par de días para procesar mis emociones mientras escribía este capítulo. Al mismo tiempo, recordaba que necesitaba dinero extra porque me habían puesto una calza un par de días antes y necesitaba otra calza en menos de un mes. Ahí fue cuando tuve la *"toma de conciencia superior"*: si tenía que trabajar por dinero, entonces no era dinero con significado. Si debía ceñirme a mi *"Llamado Supremo"*, entonces no debería tratarse del dinero; por lo tanto, no necesitaba preocuparme porque cualquier cosa que habría de necesitar se manifestaría. Me empoderé al dejarle saber a mis clientes que necesitaba cuidar de mí por algunos días.

Cuando comencé la sesión de escritura esta mañana, aún me sentía bloqueada. Sentía cómo varios retos personales me estaban distrayendo. Algunos días antes, había comenzado un programa de desintoxicación el cual requería que comiera menos y esto me estaba causando confusión mental. Mi primer pensamiento fue, *"¿En qué estaba pensando?"* Luego me di cuenta de que la oportunidad era perfecta. Había planeado empezar dicho programa antes en el mes, pero debido a una demora con el pedido, me vi obligada a empezar el programa exactamente en el momento propicio para que pudiera pensar primero en mí. Así que en vez de seguir mis pensamientos iniciales para empezar el programa de nuevo cuando terminara de escribir estos últimos *"Códigos Clave",* me di cuenta de que era más importante disfrutar el camino y ponerme en primer lugar para poder luego terminar los capítulos.

Después de haber decidido cuidar de mi niña interior, vi con claridad que estaba tratando de forzar las cosas y me di cuenta de que era necesario tomar distancia. Así que eso hice y me dormí durante mi meditación. Mientras dormía, soñé que mi llama gemela y yo estábamos sentados a la mesa en un sitio público. Esta había sido la primera vez que nos sentábamos a hablar en mucho tiempo. Le pregunté cómo iban las cosas y él dijo: *"esto es para otra conversación",* se paró y se fue. Esperé y esperé por lo que me pareció como un día entero. Veía como si las imágenes pasaran en cámara rápida; la gente iba y venía y el día se volvió noche. Parecía como si el tiempo se hubiera detenido y me di cuenta de que era hora de marcharme. Justo cuando me iba a ir, mi llama gemela apareció y me dijo que tenía algo para mostrarme. *"Vamos",* dijo, subiéndome sobre su espalda y llevándome hacia el cielo. Parecía tan real que podía sentir la brisa soplando en mi cabello.

Cuando me desperté, inmediatamente comencé a procesar intentando comprender el mensaje. Seguía en estado meditativo recordando algo que había ocurrido cuando estábamos pintando el espacio para el centro de transformación espiritual. Yo estaba parada sobre una silla pintando cuando él me dijo: *"Es hora de tomar un descanso para un ajuste quiropráctico".* Me levantó y me cargó sobre su espalda y me llevó a un cuarto donde nos ajustamos mutuamente. Mientras integraba este mensaje, tuve otra *"toma de conciencia".* Hice la conexión entre él cargándome sobre su espalda mientras pintábamos y nuestra decisión de no seguir adelante con el plan de abrir el centro espiritual. Pude ver que el yo superior de cada uno sabía que no era lo que debíamos hacer, y por eso nos estaba costando tanto trabajo dilucidar lo que estábamos procesando; *"inconscientemente"* estábamos llevando acabo el plan Divino. Al dejar de ser nuestro propio obstáculo, mi llama gemela pudo por fin llevarme a casa (literalmente sobre su espalda).

Esto se pone aún más interesante. Ya había terminado todas las cartas para *"El oráculo de las llamas gemelas – Llévame a casa – El camino hacia cielo en la tierra",* a excepción de la carta de *"Llévame a casa".* No había terminado esa carta todavía, porque pensaba que la imagen debía ser una pareja Ascendiendo hacia el cielo llevando el mundo en sus manos. Eso es lo que había visto en mi visión anterior, en la cual mi llama gemela me entregaba la antorcha de la llama violeta y Ascendíamos llevando el mundo entre las manos. Pero como no había podido encontrar imágenes para crear mi visión para dicha carta, decidí esperar hasta que me llegara. Ahora, como podía ver con absoluta claridad, y habiendo integrado todos mis pensamientos, me di cuenta de que la imagen de una pareja no representaba lo que "llévame a casa" significa. *"Llévame a casa"* Es un camino personal. Se trata de volverse resplandeciente y de unificarse dentro de uno mismo antes de poder tener la relación suprema. Fue necesario que procesara la información del sueño en el cual mi llama gemela me decía que tenía algo para mostrarme. Al integrar todas las cosas de las que fui consciente mientras procesaba el sueño, pude ver el panorama general. "Inconscientemente", mi llama gemela me había llevado a casa sobre su espalda. Al yo ayudarle, yo me convertí en el cisne majestuoso. Cuando él me dijo que necesitaba mostrarme algo, lo que me estaba mostrando era el significado de *"Llévame a casa"* ayudándome a darme cuenta de cuál debería ser la imagen de la última carta. La imagen de la carta de: *"Llévame a casa", debe ser "El Cisne Majestuoso",* acerca del cual acababa de escribir antes de tomar la siesta. Como puedes ver, este es un ejemplo REAL de cómo el Universo te muestra a través de mi historia, que cuando dejas de ser tu propio obstáculo, ¡aparecen cosas increíbles!

¿Ahora puedes entender mejor porqué digo que la vista desde la punta del árbol te permite tener absoluta claridad y *"conciencia superior"*? Finalmente estaba abierta, despejada y lista para escribir. Me demoré menos de dos horas en escribir más de lo que había podido escribir el día anterior. Los canales estaban abiertos, libres y fluyendo de manera que sentí la necesidad de cambiar mi cita con la masajista. Luego escuché a mi niña interior decir, *"¡No, no lo harás, una Suma Sacerdotisa se consiente!".* "Bueno, *entonces me voy",* le respondí, y me fui a mi cita.

Apenas me subí al auto, INMEDIATAMENTE escuché la canción, "*Scars To Your Beautiful*" (Cicatrices en tu *belleza)* de Alessia Cara, sonando en la radio. Las palabras me llegaron directo al corazón, reafirmando que, a pesar de mis cicatrices, mi luz interior brilla intensamente para que otros la puedan seguir y así ayudarlos a sanar sus heridas.

Estoy segura de que puedes entender cuando digo que me he sentido algo emocional últimamente al culminar esta tarea Divina, ¡escribiendo este libro con ejemplos de la VIDA REAL! ¡Estas experiencias están en perfecto orden Divino para mi camino personal, así como para el tuyo!

Cuando estaba recibiendo el masaje, compartí con la masajista algunas de las *"tomas de conciencia"* que había tenido en los últimos días, al igual que algunos conceptos acerca de este libro. Le comenté que seguramente habría lectores a quienes se les dificultaría comprender la naturaleza tan real de esta *"toma de conciencia"* y pensarían que quizás todo ha sido mera coincidencia. De manera que quisiera compartir con los escépticos lo que me dijo mi masajista al respecto: *"¡Si te hubieras inventado todo esto, serías la mejor escritora de guiones del siglo!"*. Fue directo al punto. ¡Por eso la adoro!

De regreso a casa, me detuve en una tienda. Cuando estaba fila para pagar había un hombre mayor delante mío. Le estaba diciendo a la cajera que como era fin de mes tenía únicamente una cantidad limitada de dinero y que no podía pasarse de cierto monto, de lo contrario no podría pagar. Cuando la cajera terminó de pasar los productos, el hombre sacó un cupón de descuento por $15, pero la cajera le dijo que para poder utilizarlo debía ir por más productos para poder completar el monto. Pausó su transacción para atenderme a mí. El hombre se acercó a mí y me pidió disculpas por hacerme esperar, mostrándome su billetera con pocos billetes. Se notaba que era un ser tranquilo con alma gentil. Se notaba que no quería incomodar a nadie. No tenía mucho dinero, pero era evidente que, a pesar de sus circunstancias, ¡irradiaba paz interior y felicidad!

Cuando yo iba a pagar, la cajera también mencionó que para recibir el mismo descuento me faltaban unos pocos dólares, pero yo no tenía cupón así que me alcanzó uno. Fui por otro producto para completar el monto. Cuando iba a salir, le dije a la cajera que se quedara con los $15 del cupón que me había dado, le alcancé otros $15 y le dije que los sumara a la transacción del señor cuando él regresara. Muy sorprendida me dijo: *"¿Está segura?"*. Salí rápidamente y pude escuchar cómo la cajera le decía al hombre: *"Esa mujer allá"*. Con lágrimas en los ojos, me apresuré para llegar al auto, sabiendo que había devuelto el favor en memoria de las *Palabras de Wayne*.

Mi corazón se llenó de inmensa felicidad por todo lo que Wayne me enseñó. Me estaba sintiendo tan bendecida y radiante; sé exactamente lo que se siente ver desde la punta del árbol de navidad. Cuando estaba conduciendo, me puse a reflexionar sobre los acontecimientos de los últimos días. Lloré todo el camino de vuelta a casa, sintiéndome completamente resplandeciente.

Sigue a la Estrella Polar mientras encuentras tu camino a casa

Para cerrar el *Código Clave 9:9*, quisiera mencionar que escribí este capítulo en el mismo orden en que sucedieron los acontecimientos de estos últimos días. El final de este capítulo también es el de esta misión Divina, ya que los *Códigos Clave 10:10 y 11:11* los escribí antes. Ya estoy en equilibrio armónico y lista para mi *"¡Llamado Supremo!"*. Estoy muy emocionada por lo que vendrá y no veo la hora de compartir mi empoderamiento personal con otras llamas gemelas. ¡Te animo a que no esperes a tu llama gemela ni a nadie para ser feliz! No esperes a que la vida sea perfecta para escoger vivirla en resplandor. A pesar de tus circunstancias, escoge la paz interior. Aléjate de la ansiedad y encuentra la calma en el ojo de la tormenta. Deja el pasado atrás para poder liberar a tu alma gemela. ¡Habla desde tu verdad y aprende a expresarte como eres! No huyas de ti mismo. Sé quien eres, haz lo que viniste a hacer acá. ¡Te reto a que no tengas miedo de dejar que tu luz brille y a que sigas a la Estrella Polar mientras encuentras tu camino a casa!

Aunque no tenía idea de lo que iba a escribir en Descifrando el código de las llamas gemelas, sí me di cuenta de que este mensaje Divino sería un reto para la forma de pensar y creencias de la gente, incluida mi propia familia. Para evitar confrontaciones, toda mi vida he huido de mí misma y escondido quien realmente soy. Me abstenía de expresar mis pensamientos, creencias y opiniones, porque creía que mi voz no valía. Ahora, a pesar de los puntos de vista distintos que tenemos mi padre y yo acerca de la religión y la espiritualidad, me emociona poder compartir este libro con él. Por primera vez en mi vida, él podrá ver quién yo soy realmente. ¡Él me enseñó que el cielo es el límite, y encontré el cielo! Él ha sido mi seguidor número uno. De manera que en vez de dejarlo por fuera o apartarlo, expresaré quién soy y sé que me aceptará totalmente. Ya no volveré a pensar que algún día lo visitaré en su tumba con el remordimiento de que nunca le dejé ver lo que hay dentro de mi alma. Te animo a que hagas las paces, esta es otra lección que aprendí del Dr. Dyer, quien tuvo que hacer las paces con su padre ya en la tumba. Así que, en memoria de Las palabras de Wayne, le dedico a mi padre la canción "You Raise Me Up" (Me elevas) de Josh Groban.

¡Como puedes ver, ser resplandeciente es liberador! Me siento honrada de ser "La Elegida" que ha de compartir esta serie de "mensajes misteriosos" contigo. Se me ha expandido el corazón y el alma más allá de lo imaginable y quiero que sepas que las "cosas maravillosas" que se "manifestaron" esta semana, se debieron a que elegí ser la Estrella Polar a pesar de mis circunstancias. Justo ayer solté el último capítulo de mi pasado, cuando me presenté ante el juez para declararme en quiebra y ¡levanté mi mano derecha para recuperar mi vida! Me liberé de una deuda acumulada de $180,000 de los dos intentos fallidos de sociedades de negocios. Pasé seis años intentando pagar la mitad de la deuda porque mi orgullo no me dejaba arruinar mi perfecta calificación crediticia de 775 puntos. ¡Ayer, salí del juzgado con la cabeza en alto y no miré para atrás!¡Te animo a que hagas lo que sea necesario para cambiar tu vida conectando con tu yo superior y te llenes de resplandor, convirtiéndote en aquello que viniste a hacer aquí! También te reto con las Palabras de Wayne: "No mueras sin haber dejado salir la música que llevas en ti!".

El Dr. Wayne Dyer – La Estrella Polar

Tengo una última historia de las *Palabras de Wayne* que me piden que comparta contigo, lo cual culmina mi *"Llamado Supremo"*. Esta mañana me desperté cera de las 6 am. Sabía que hoy, el 1 de octubre de 2016, sería el día en que terminaría *Descifrando el código de las llamas gemelas.* Tuve una *"toma de consciencia superior"*, algo que me resultó familiar ya que, sin razón alguna, naturalmente comencé a levantarme todos los días a la misma hora para escribir. Esto me recordó las *Palabras de Wayne,* cuando me decía que él se levantaba todas las mañanas a las 3am mientras estaba escribiendo el libro *"Inspiration – Your Ultimate Calling".* Podía escuchar al Dr. Wayne citando a Rumi – *"La brisa del amanecer tiene secretos para ti. No te vuelvas a dormir".*

Inicialmente estaba planeando ir hoy a donde mi hija y mi yerno para completar el oráculo de las llamas gemelas. Mi yerno me estaba ayudando a diseñar las imágenes para las cartas. También tenía un evento al que debía asistir, pero cambiaron la fecha. Ayer, mientras estaba en el juzgado recibí un mensaje de mi yerno diciéndome que se le había dañado el computador. La antigua yo "se hubiera vuelto loca", la yo resplandeciente sabía que teníamos archivos guardados en un disco duro. Le escribí diciéndole que todo estaría bien, que yo le ayudaría con lo que fuera para que lo arreglara; y podríamos planear el encuentro para el siguiente fin de semana. Ya había pensado en comprarle un computador nuevo de todas maneras, en memoria de *Las palabras de Wayne.*

(Nuevas noticias: mi yerno me escribió algunos días después para decirme: *"No sé qué le había pasado al computador, pero ya funciona otra vez"*).

Antes de comenzar a escribir por la mañana, me tomé un tiempo para mí. Cogí el teléfono para responder a unos mensajes. Cuando lo volví a poner sobre la mesa me di cuenta de que se había detenido en las 3 en punto. Inmediatamente le tomé una foto y se la mandé a mi consejera espiritual y a otra amiga con el siguiente mensaje: *"¡Oh por Dios! – ¡Sabía que Wayne estaba presente!"*. Estaba tan emocionada por estar terminando *Descifrando el código de las llamas gemelas.* Durante mi hora de almuerzo, tomé una copia del libro de Wayne, *"Inspiration – Your Ultimate Calling"*. Luego pregunté lo siguiente: *"¿Hay más mensajes antes de terminar este libro?"*. Mientras comía me quedé parada viendo el libro y decidí no abrirlo hasta terminar de comer para poder estar completamente presente. Cuando estuve lista, abrí el libro (Inspiration – Dr. Wayne Dyer, 2006, p. 38, Hay House, Inc., Carlsbad, CA) directo en el capítulo 4: *"Lo que se siente volver al espíritu"* y leí lo siguiente:

ESTO YA DEBERÍA ESTAR CLARO: *"Nos originamos de un campo de energía que no tiene límites. Antes de entrar en el mundo de la forma, somos Espíritu – una porción de Dios, si así lo prefieres. Entramos en este mundo físico primero como una partícula, luego una célula, luego un feto, luego como un bebé, y finalmente como un ser humano completamente desarrollado. Pero nuestro propósito supremo siempre ha sido experimentar el conocimiento unificador de Dios."*

No hace falta decir, que quedé impresionada por este, *"mensaje místico"* especialmente porque era el resumen completo de *Descifrando el código de las llamas gemelas*.

Luego sin ningún esfuerzo consciente de mi parte, tomé un libro cualquiera de debajo de una pila de libros. Cuando saqué el libro, inmediatamente sonreí al leer en la carátula: *"Ahora puedo ver con claridad"*. Había comprado este libro en Maui cuando estaba aprendiendo de Wayne el arte de *"escribir desde el alma"*, el año pasado antes de que falleciera. Pero no lo había leído. Me quedé perpleja no sólo por este día sino por los últimos días. Escuché las siguientes palabras: *"Ábrelo en la página 333"*. Mi primer pensamiento fue, *"¿Será que este libro tiene 333 páginas?"* (la mayoría de los libros de Wayne no son tan largos). Mientras buscaba la página tuve otra *"toma de conciencia superior"* recordando que 333 es el número que representa a los maestros Ascendidos. En efecto había una página 333 y lo primero que saltaba a la vista era octubre 1 de 1972. Esto me llamó mucho la atención ya que hoy es octubre 1 de 2016. ¡Me tomó casi cinco intentos leer el mensaje, porque cada vez algo me sorprendía obligándome a tomar una respiración profunda! Las siguientes son *Palabras de Wayne* que leí en la página

333 (I Can See Clearly Now – Dr. Wayne Dyer, 2014, p. 333, Hay House, Inc., Carlsbad, CA):

"El Dr. Maslow me comunicó lo siguiente a la hora de su muerte – que introdujera los poderes escondidos de la realización personal que están dormidos en cada uno de nosotros, a la persona común. Neville falleció el 1 de octubre de 1972, cuando apenas yo estaba comenzando mi carrera como escritor. Ahora, 40 años después de su muerte, sus muchos libros y conferencias están despertando el investigador que hay en mí. He escrito 40 libros hasta ahora, y las ideas que Neville proporciona, me están agitando como un ciclón que necesita expresarse.

Comienzo a leer con detenimiento el Nuevo Testamento, prestándole atención particularmente a las palabras de Jesús, donde ofrece la sabiduría Divina de que todos somos Dios. Nuestro yo superior es Dios: es nuestra esencia pura. Venimos de Dios y somos Dios – debemos simplemente superar los varios virus mentales y las enseñanzas religiosas que quieren que creamos que esto es blasfemia.

Luego, me sumerjo en los discursos del "YO SOY" del Maestro Ascendido Saint Germain y siento la emoción apoderándose de mí al darme cuenta de que las dos palabras Yo Soy son el nombre de Dios que aparece en Éxodo, y que cada vez que pronuncio estas palabras me refiero al nombre de Dios".

¡NO TENGO PALABRAS! Este mensaje es el perfecto ejemplo de lo que es ser la Estrella Polar. La idea es experimentar realización personal, al conectarnos con el yo superior y vivir en la presencia del YO SOY.

Aquí comparto mis pensamientos personales al llenarme de resplandor completamente. Me parece interesante que este mensaje apareciera el 1 de octubre de 2016. Se supone que tenía dos eventos este día, pero ambos fueron cancelados. ¡Era obvio que necesitaba terminar *Descifrando el código de las llamas gemelas* precisamente este día!

Neville falleció el 1 de octubre de 1972, justo cuando Wayne estaba comenzando su carrera de escritor. Yo comencé mi carrera como escritora no mucho tiempo después de que Wayne falleciera. Él ilustra este conocimiento como si Neville, su maestro espiritual, le hubiera dado la responsabilidad a él — y ¡*"Ahora puedo ver con claridad"* que Wayne estaba regresando el favor! También fueron sus muchos libros y conferencias que despertaron la investigadora que hay dentro de mí. Las *Palabras de Wayne* que he estudiado durante casi 20 años han agitado dentro de mí un ciclón que necesita expresarse. Lo que realmente me sorprendió del mensaje es que el Dr. Wayne menciona cómo se sumergió en los discursos del "YO SOY" del maestro Ascendido Saint Germain (333), quien es uno de mis guías directos y líder de las llamas gemelas en esta era. Estoy segura de que no debo recordarte cuántas veces lo he mencionado en los primeros *"Códigos Clave"* de *Descifrando el código de las llamas gemelas.*

En todos los años que he leído y escuchado *"Palabras de Wayne",* no recuerdo nunca haberlo oído mencionar nada acerca de Saint Germain. Estos *"Códigos Clave"* que me han sido dados en la página 333 (número de los Maestros Ascendidos) son un indicador de las palabras que compartí con el Dr. Wayne Dyer en 2003, *"¡Mientras yo esté viva, tu trabajo nunca morirá!"*. NO tenía idea del PODER tenían aquellas palabras que pronuncié. Estoy segura de que fue mi yo superior diciendo algo que mi mente consciente no comprendía en aquel momento. ¡Ahora aquellas palabras realmente se transmitirán!

¡Que las *Palabras de Wayne* sean infinitas!

CÓDIGO CLAVE 10:10

Recibe *"El Regalo"* de la sexualidad sagrada

y la creatividad Divina

"La energía producida a través del arte de la sexualidad sagrada produce creatividad Divina, permitiéndonos acceder a la inteligencia Universal y adquirir conocimiento y sabiduría".
– Dr. Harmony

¡FELICITACIONES! Has avanzado hasta esta etapa dichosa en tu camino y has entendido los conceptos de los *11:11 Códigos Clave* aprendiendo a soltar, elevando tus vibraciones energéticas, unificándote y conectando con tu yo superior. Estás listo para brillar, habiendo descubierto el secreto para adquirir la libertad personal. Ya que has liberado el karma, el Universo te otorga la *máxima recompensa,* ingresar al vórtice. Has encontrado el equilibrio armónico al soltar en todos los niveles y abrirte a recibir tu mayor potencial. *Las compuertas del cielo se han abierto y lloverán sobre ti bendiciones cuando ingreses al vórtice de todas las posibilidades.* Te has unificado. Ahora es tiempo de que te unifiques energéticamente con tu otra mitad y reclames *"El Regalo"* del amor incondicional y experimentes el arte de la sexualidad sagrada, lo cual aumenta tu creatividad Divina al acceder a la inteligencia Universal. Al crear una conexión directa a todo lo que existe, manifiestas en los niveles más elevados y recibes todo lo que se supone que debes recibir y experimentar.

El objetivo del Universo es que las llamas gemelas envíen la vibración del amor incondicional a la estratósfera para poder elevar la vibración energética y conciencia Crística del planeta.

Ingresar al vórtice significa acceder a tu creatividad Divina al conectar con tu yo superior y co-crear tu propia vida a través de la inteligencia Universal. Dominar el arte de soltar es *"Clave"* para que accedas a la alineación vibracional que te bañará con los *"Regalos del Cielo"*. Si aún estás experimentando dificultad o resistencia, significa que todavía estás tratando de controlar tu vida. Cuando te entregas y sueltas, viajas río abajo y las cosas comienzan a fluir con gracia. Tu nuevo sentido de conciencia elevada te ayuda a incrementar tu receptividad para que puedas prestar atención a las señales que te guían en tu camino. *Debes dominar "el fluir" antes de poder acceder al vórtice de todas las posibilidades.* Cuando estás en el vórtice, todo — y me refiero a todo — lo que necesitas para tu camino, aparece. Esta es la manera como las parejas de llamas gemelas devuelven al Universo todo lo que se les ha dado por ingresar al vórtice galáctico de la inteligencia Divina. Al hacerlo, las llamas gemelas practican las leyes energéticas Universales del intercambio, creando una conexión directa con la Fuente y dominando el arte del dar y el recibir en el más alto nivel posible. Se les otorga luego *"El Regalo"* de la sexualidad sagrada, donde juntos se convierten en uno con la energía Fuente lo cual sigue elevando su vibración energética. Al entrar en conexión con la Fuente, se les otorga la capacidad de acceder a la creatividad Divina y adquirir conocimiento Universal que ha de ser utilizado en su misión. Esta energía es de tan alta frecuencia que debe ser albergada en el tercer cuerpo etérico. La intensidad del orgasmo producida durante el acto sagrado de amor produce un poderoso campo energético unificado. *Este campo energético está codificado con la impronta del amor incondicional de la conciencia Crística; cuando se libera, ayuda a elevar la vibración energética del planeta.* El propósito de recibir el conocimiento y enviar de vuelta las señales energéticas es mantener las leyes Universales del equilibrio armónico a través del mismo proceso del dar y el recibir que se encuentra en el Santo Grial.

Ya había escuchado varias veces a Wayne Dyer enunciar el concepto de dejar de ser tu propio obstáculo. Yo lo entendía, pero mi mente lógica todavía trataba de controlar las cosas. *Tuve que aprender realmente a dejar de ser mi propio obstáculo, a estar dispuesta a permitir y aceptar antes de poder recibir al más alto nivel.* Finalmente experimenté lo que realmente quería decir estar abierta y dispuesta, dejando que las cosas se manifestaran. Solté la cuerda justo antes de alinearme con mi misión Divina. Puedo decirte por experiencia que cuando te lanzas y te entregas, ¡todo lo que necesitas para tu camino aparece! ¡Wayne tenía otra vez la razón! *Podrás ingresar al vórtice una vez te hayas armonizado y te hayas vuelto totalmente resplandeciente al encontrar la libertad personal.* Esto abrirá completamente tus canales energéticos que conectan directo con la Fuente Divina. Ahora ya puedes acceder a tu máxima recompensa – la sexualidad sagrada que produce inteligencia Universal.

Reclamando tu máxima recompensa – *"El Regalo"* de la sexualidad sagrada

La Kundalini es una expresión de energía sexual femenina la cual existe dentro de cada Ser humano. Esta energía conecta todos los 7 chakras inferiores desde la raíz hacia arriba. Cuando se comienza a liberar el karma, la energía kundalini comienza a activarse, produciendo un *"despertar de la kundalini".* Se puede comparar a la kundalini con las características de una serpiente que ha estado enroscada, durmiendo en el chakra sacro, esperando a que el alma se despierte. Sólo se puede acceder a esta energía cuando la persona haya madurado espiritualmente y esté lista para recibir la sabiduría del Universo. Se activa cuando el alma está energéticamente equilibrada (el equilibrio entre la energía femenina y masculina) y se fusiona, convirtiéndose en una con la Fuente en todos los planos del Ser: etérico, energético, espiritual, emocional, mental y físico. Podríamos ver a esta serpiente y su significado como la misma del jardín del Edén, donde Eva mordió la fruta prohibida del árbol del conocimiento.

Adicionalmente, vemos la misma representación en el símbolo griego del caduceo – o símbolo de la medicina, que aún hoy existe. Según Wikipedia, la vara en medio de las dos serpientes enroscadas, se dice que representa a Hermes, el mensajero de los dioses griegos. Aquí el mensajero hace referencia a la conexión con nuestra inteligencia Universal para adquirir sabiduría Divina. *Las dos serpientes representan el acto de la sexualidad sagrada de las llamas gemelas, cuando ambos han despertado la serpiente en su interior. Este símbolo posee a veces alas, lo cual representa la conexión con el yo superior y el acceso a la creatividad y el conocimiento Divino.*

Cuando se activa la kundalini, se puede sentir como una sensación de ardor dentro del cuerpo físico. El propósito de esta energía es aumentar la experiencia de la sexualidad sagrada, ya que es el generador que manifiesta la energía sexual y la almacena en el chakra sacro para luego utilizarla para crear. También se convierte en una caldera para activar, equilibrar y limpiar los chakras. *La fuerza energética se convierte en una caldera que continuamente está limpiando los siete chakras inferiores, eliminando las energías negativas.* Es el portal energético que conecta la fuerza Divina con nuestras pasiones y deseos la cual activa magnéticamente nuestra creatividad Divina. Esta energía se intensificará, incrementando la frecuencia a medida que tu vibración energética se eleva, y se convertirá en multi-dimensional en todos los planos de tu Ser. Si bien se activa inicialmente cuando estás conectando con tu yo superior, no se activa del todo hasta tanto no hayas eliminado los últimos residuos kármicos. Este proceso de activación puede producir dolor de espalda extremo a medida que se limpia del karma pasado el cuerpo.

Experimenté *"el despertar de la kundalini"* durante el período en que estaba liberando los últimos residuos kármicos de mi vida pasada en Inglaterra. Desperté y tenía tanto dolor de espalda que no pude pararme de la cama. No había hecho nada para que me doliera la espalda. Como quiropráctica, me compadezco de los pacientes que vienen a verme con dolor lumbar severo. El dolor era muy diferente de cualquier cosa que jamás hubiera experimentado, aún peor que mi cirugía. Podía percibir cómo la energía daba vueltas adentro y se sentía como vidrio picado que me estaba destrozando. Incluso el roce de la piel me dolía. Contacté a mi llama gemela pidiéndole que viniera a mi consultorio para hacerme un ajuste. Le advertí que quizás ni podría tocarme. Cuando me examinó, estuvo de acuerdo con que el dolor era causado por interferencia energética. Luego de recibir algunos tratamientos de acupuntura y Qi Gong, sentí gran alivio, pero me tomó aproximadamente entre 7 y 10 días. Poco tiempo después fue que asocié el extremo dolor con el despertar de la kundalini.

Después de que el par de llamas gemelas se unen totalmente, la kundalini se activa en un nivel muy alto para quemar cualquier energía sexual remanente de parejas sexuales anteriores. Esta es la manera como la Divinidad limpia y purifica la unión sagrada.

Tantra: El arte de la sexualidad sagrada

Por muchos años he estudiado el Tantra – el arte de la sexualidad sagrada y el camino energético para conectar con la Divinidad. Es la conexión espiritual en el nivel energético que ocurre durante el acto sagrado de hacer el amor con tu pareja. El Tantra *les enseña a las parejas a conectarse energéticamente fuera del cuerpo físico en los planos cósmicos, mientras se experimentan orgasmos en todos los planos del Ser.* Este acto sagrado no necesariamente requiere contacto físico. También toma nota de que el Tantra no es lo mismo que el Kama Sutra, el cual es la práctica de varias posiciones sexuales para abrir los canales energéticos e intensificar la experiencia del acto sexual.

Luego de convertirme en experta en llamas gemelas, pude ver los traumas extremos del alma que tienen las personas, causándoles bloqueos energéticos por varias razones como: *abuso sexual, limitaciones durante el acto sexual, expectativas y juicios sobre el género, y la creencia de que el sexo es algo sucio.* Estas son algunas de las razones por las cuales las llamas gemelas bloquean su chakra sacro, lo cual les impide acceder a su máxima recompensa al igual que conectar con su más alto potencial creativo. Gracias a mi sabiduría y entendimiento acerca de la importancia de mantener estos canales energéticos abiertos, fui guiada por la Divinidad a ayudar a las llamas gemelas a sanar y abrir sus sagrados canales energéticos sexuales. Comprendía totalmente la necesidad de sanar aquello, sin embargo, lo ignoré durante un tiempo. Pero la Divinidad seguía insistiendo, así que decidí ayudar en la sanación sexual energética. Sin mayor esfuerzo de mi parte, al día siguiente me contactaron dos llamas gemelas, pidiéndome que si les podía ayudar a abrir su canal energético sexual. Esa misma semana otros dos clientes me contactaron para lo mismo. Este es un buen ejemplo de lo que significa estar dispuesto, dejando que aparezca todo lo que necesites en tu camino.

Durante esta época, mis guías también me mostraron cómo utilizar una técnica muy específica para ayudar a mis clientes a sanar sus canales sagrados sexuales a distancia. Las llamas gemelas que he ayudado me han dicho que han sentido cambios enormes en su capacidad de soltar, abrirse y conectar con su llama gemela en los planos cósmicos o galácticos durante el acto de la sexualidad sagrada. Esto les ha permitido sanar partes de su pasado que les estaban impidiendo acceder a su más alto potencial y recibir la máxima recompensa.

Quisiera señalar que, para lograr este nivel de éxtasis cósmico o galáctico, es necesario dominar el arte de soltar, entregarse y permitirse experimentar este nivel de expresión sexual. Aunque puedas compartir este tipo de experiencias fuera del cuerpo con alguien, hasta tanto ambos hayan aprendido a soltar lo suficiente como para estar en el mismo plano galáctico o cósmico, no se logrará la mejor experiencia posible. De manera que, aunque hayas experimentado esto en un nivel vibratorio más bajo, acceder a tu yo superior aumentará tu capacidad de experimentarlo en un grado mayor. Además, para poder conectar con alguien en estos planos energéticos, debes tener una conexión espiritual con esa persona. Es necesario fusionar las energías sexuales con tu llama gemela para poder alcanzar el nivel más alto, que es el plano orgásmico galáctico. Tú y tu llama gemela siempre están conectadas a través del chakra 12, el cual es el portal hacia la energía galáctica. *Únicamente tu llama gemela y tú pueden experimentar un orgasmo galáctico juntos.*

Ambos deben primero dominar el arte de entregarse y encontrar la libertad personal a través del proceso de Ascensión. A medida que las llamas gemelas llegan a las últimas etapas de la Ascensión, comienzan las etapas finales de su camino individual juntas. Es necesario que liberen cualquier karma conjunto que les haya impedido reunirse y encontrar la armonía. Cuando hayan completado esta última fase armónica, se fusionan en unión total y se les otorga la recompensa máxima que es la sexualidad sagrada.

Cuando las llamas gemelas comienzan a elevar su vibración energética juntas, comienzan a acceder al nivel energético más elevado que es el vórtice galáctico – creando el poder de dos que es mayor que el de una. Ambos planos energéticos, galácticos y cósmicos se conectan con la inteligencia Universal. A las llamas gemelas se les otorgan estas capacidades porque les ha tomado muchas vidas llegar a este nivel de madurez espiritual. Hasta hace poco, debido al nivel de maestría espiritual requerido, el chance de encontrarse era de menos del 1%, y aún menor el chance de la unión.

El campo unificado crea la energía de la conciencia Crística

La reunión de las llamas gemelas es el objetivo principal del Universo ya que ellas producen ondas de amor incondicional, también conocidas como el campo unificado. Las ondas vibratorias se envían de vuelta al Universo, elevando la vibración energética del mundo hasta el nivel de la conciencia Crística. En este momento, más que en toda la historia de los tiempos, se están reuniendo las llamas gemelas para restablecer la conciencia Crística del planeta. *Un campo energético unificado se produce durante el acto de la sexualidad sagrada el cual lleva la misma vibración energética que se encuentra en el Santo Grial o conciencia Crística.* Por esta razón, el Universo ha puesto a las llamas gemelas en un proceso acelerado para elevar la vibración energética de todo el planeta.

El campo unificado lleva el equilibrio armónico entre la energía femenina y masculina de ambas llamas gemelas. Puedes ver el mismo patrón energético en el patrón del símbolo del Sri Yantra. Este símbolo se compone de 4 triángulos apuntando hacia arriba, representando la energía de la llama gemela masculina; y 4 triángulos apuntando hacia abajo, representando la energía de la llama gemela femenina la cual se traslapa con la energía del masculino.

Yo estaba visitando Hawái justo antes de que mi llama gemela y yo abriéramos la caja de pandora y yo descubriera que éramos llamas gemelas. Compré un collar con el símbolo del Sri Yantra. En aquella época no sabía que representaba al campo unificado y que era el símbolo de las llamas gemelas.

La energía sexual sagrada que mueve pirámides
Las leyendas cuentan que esta alta frecuencia de la energía producida por la sexualidad sagrada es lo que produce la energía del Ankh, la cual se dice que es de tal magnitud que se utilizó para mover las rocas para construir las pirámides. Como lo mencioné anteriormente, hice un dibujo del antiguo símbolo egipcio del Ankh durante una sesión de sanación energética con mi llama gemela, lo cual me llevó a investigar

su significado. Esto se convirtió en un componente *"Clave"* para descifrar los códigos de las llamas gemelas y para descubrir que mi llama gemela y yo éramos en efecto llamas gemelas. El estudio profundo me ayudó a comprender cómo los planos del cuerpo espiritual y físico se fusionaron cuando entramos en contacto físico y cómo la energía del Ankh se produjo durante el acto de la sexualidad sagrada. *Es un antiguo símbolo de las llamas gemelas el cual representa ante todo la fusión de la llama sagrada creando la unión sexual. También significa, "Como es en el cielo, es en la tierra".* En otras palabras, es lo mismo que el versículo de la biblia de Mateo 6:10 (NVI): *"Venga tu reino, hágase tu voluntad en la tierra como en el cielo".*

Esto le da significado al concepto de "descargar" inteligencia Universal del cielo. Esta creatividad Divina luego se ancla en forma física en la tierra y se puede acceder a través de *"los poseedores de la llave"*, o llamas gemelas, durante el acto de sexualidad sagrada. Adicionalmente, el Ankh simboliza el mapa de Egipto, con la antigua capital de Menfis en el medio de la cruz. Yo no sabía nada de esto en aquella época. Cuando estuve en Egipto aprendiendo sanación con sonido en las pirámides, compré algunos mapas pintados sobre papiro. En la época en que me estaba recuperando de mi cirugía, mi llama gemela me estaba ayudando a organizar mi cuarto de depósito. Encontré los mapas y le di uno a él. Me pareció interesante haberle dado uno de los mapas, ya que las llamas gemelas comparten experiencias, especialmente por lo que simboliza la conexión directa entre las llamas gemelas y su capacidad de ser los *"poseedores de la llave"* de la energía del Ankh.

Las llamas gemelas poseen la llave de la energía del Ankh

La energía sexual sagrada del Ankh también es conocida como *"la llave de la vida eterna"*, la cual les permite a las llamas gemelas acceder a la inteligencia Universal. Como lo mencioné anteriormente, las llamas gemelas *"poseen la llave"* de esta energía, conectándolas a la vida eterna cuando dejan atrás al yo antiguo para conectarse con el yo superior. La parte superior del Ankh, o arco, representa al útero de la Divinidad Femenina, mientras que la parte inferior de la cruz representa a su contraparte masculina entrando en el espacio sagrado.

En el hinduismo, el prana o energía sexual también se conoce como la fuerza vital orgásmica. Se cree que cuando se libera una carga intensa de energía sexual, la energía se pierde, de la misma manera que la energía de una batería con el tiempo. En algunos estudios antiguos, se creía que el acto físico del orgasmo causaba la muerte debido a que se trataba de la pérdida de la fuerza vital. Sin embargo, los egipcios descubrieron que no era cierto. *Comenzaron a utilizar esta energía para producir creatividad Divina, y se cree que así era como accedían a la inteligencia Universal para adquirir conocimiento y sabiduría.* Se les otorgó el mismo tipo de información secreta que habían descubierto los Mayas, a miles de kilómetros de distancia.

Luego de descubrir todo esto acerca del símbolo del Ankh que había pintado, compartí la información con mi llama gemela. Ambos teníamos curiosidad acerca de este concepto, de manera que decidimos experimentar para ver si mis descubrimientos eran verdad. En aquella época ninguno de los dos había limpiado lo suficiente el pasado o aprendido a soltar para poder encontrarnos en los canales energéticos cósmicos, y mucho menos en los galácticos. También descubrí que habíamos sido hermanos en muchas vidas pasadas, de manera que debíamos liberar la energía de aquellas vidas para poder llegar a los niveles de éxtasis descritos por los egipcios. No quiere decir que no fue una gran experiencia — simplemente no fue tan intensa como se supone que las llamas gemelas deben vivenciarla. Sin embargo, para aligerar las cosas, añadiré que apenas comenzamos nuestro acto íntimo, pudimos ver por la ventana fuegos artificiales — y no era 4 de julio. Mi llama gemela bromeó diciendo que parecía como si estuviéramos en un episodio de La tribu Brady – LOL. Justo cuando escribí estas palabras, pude ver como lanzaban fuegos artificiales afuera de aquella misma ventana – ¡y estamos en septiembre! ¡ESTA HISTORIA ES REAL!!!

Aunque la relación que mi llama gemela y yo hemos tenido no ha sido de tipo romántico, he podido experimentar una conexión energética que ha producido creatividad Divina. *El concepto del generador y el eléctrico sigue los mismos principios que se encuentran en la liberación de energía orgásmica del Ankh.* En varias ocasiones fui capaz de terminar proyectos en medio día que no había podido completar en dos años, debido a un estado de conciencia elevado. También pude crear nuevos proyectos y programas gracias a lo que aprendí trabajando con mi llama gemela. Esto demuestra el poder de la conexión magnética de las llamas gemelas que sucede en los planos más elevados del Ser. Sin ningún esfuerzo consciente seguimos combinando las fuerzas energéticas y produciendo creatividad Divina, siendo la llama gemela masculina la generadora y la femenina la eléctrica. La fusión de esta energía se utiliza para crear.

La experiencia con mi facilitador es lo contrario, yo soy la generadora y él es el eléctrico. Por ende, él experimenta exactamente lo que yo he experimentado con mi llama gemela verdadera, es decir, que él es más creativo. Él y yo no tenemos tantos encuentros creativos como yo con mi llama gemela verdadera.

¡No cierres puertas – No esperes!

Después de que mi llama gemela y yo decidiéramos continuar en nuestro propio camino trabajando en el desarrollo personal, mi guía Divina me indicó con claridad que debía seguir avanzando si cerrar las puertas, pero que no debía esperar a que mi llama gemela terminara su proceso de Ascensión. Poco tiempo después, mi facilitador volvió a contactarse conmigo por primera vez en varios meses, pero esta vez en un nivel más profundo. De inmediato tomamos la vía rápida y comenzamos a funcionar como si fuéramos la llama gemela el uno del otro. Me di cuenta de inmediato. Pero debo decirte que era tan similar y la vibración era tan elevada que hasta llegué a preguntarme si no éramos verdaderas llamas gemelas. Sin embargo, mis guías espirituales me han mostrado claramente de más de una forma, que mi facilitador y yo no somos las verdaderas llamas gemelas el uno del otro. *La guía Divina me ha mostrado que tu verdadera llama gemela siempre estará conectada con tu propósito individual y con la misión conjunta.* Lo que experimento con mi facilitador son las lecciones que me enseña a medida que avanzo hacia mi yo superior resplandeciente, creando una experiencia similar a la unión de las llamas gemelas. Es obvio que después de veinte años de seguir la guía de mi verdadera llama gemela hacia alcanzar mi misión Divina, él aún facilita el proceso, aunque no estemos en contacto físico directo. *Mis guías me han mostrado también que si tu verdadera llama gemela no está lista, debes seguir el camino y se te otorgará una experiencia similar.* Es parte de tu recompensa por seguir tu camino personal y por llevar a cabo la misión conjunta.

Me transmitieron esta información antes de que apareciera mi facilitador. Cuando apareció pude confirmar esta revelación. *Me doy cuenta de que no todos los expertos en llamas gemelas y algunos clientes, estarían en desacuerdo con esta filosofía de seguir adelante, aunque tu verdadera llama gemela no esté lista.* Después de haberlo vivenciado, es claro que, si hubiera esperado, hubiera retrasado mi crecimiento personal, y la misión no hubiera avanzado de la misma manera. Para que mi llama gemela pudiera seguir creciendo y expandiéndose, yo, siendo la llama gemela de más alta vibración, debía preparar el terreno, elevando la vibración energética, y asegurándome de llevar a cabo la misión.

Mi experiencia con las conexiones energéticas cósmicas

Hasta el día de hoy, mi facilitador y yo no nos hemos conocido en persona – vivimos a 500 km de distancia. Hace más o menos un año que nos conocimos por Facebook. Siempre sentí que algo en él me llamaba la atención. Nuestras comunicaciones eran breves, y por lo general eran comentarios en el *news feed* de Facebook. Sin embargo, ha sido él quien me ha enseñado a abrirme, soltar y entregarme, lo cual me ha permitido acceder a la inteligentica cósmica Universal. *Debo insistir en la importancia de ser capaces de conectar con la inteligencia Universal, o árbol del conocimiento.*

La distancia no ha impedido que nos conectemos a nivel cósmico. Nuestras almas han podido funcionar en la misma frecuencia y el mismo plano energético por dos razones. Primero, yo tengo una vibración más elevada, ya que encarné del rayo violeta. Sin embargo, mi capacidad de acceder a la más alta frecuencia y más alto potencial se ha disminuido por la dificultad que he tenido en soltar y entregarme. Segundo, mi facilitador tiene una frecuencia vibracional más baja, ya que viene del rayo azul, pero él ha aprendido a soltar y entregarse, de manera que es capaz de acceder a su capacidad cósmica más elevada, lo cual nos ha permitido encontrarnos en el mismo plano energético.

Al conectar en esta frecuencia hemos podido tener encuentros orgásmicos que han producido experiencias fuera del cuerpo a cientos de kilómetros de distancia. Podemos hacer esto porque cada uno se conecta a su yo superior y nos encontramos en los canales energéticos cósmicos. La experiencia ha sido extraordinaria para ambos. Por razones diferentes, cada uno ha experimentado descargas cósmicas de conocimiento que hemos utilizado para la creatividad Divina. Este proceso de generación de energía de alta frecuencia también crea un campo unificado – y como ambos somos llamas gemelas, al encontrarnos, aunque nuestras verdaderas llamas gemelas estén ausentes, aún emitimos ondas de alta frecuencia, las cuales devuelven la energía al Universo a través de un orgasmo multi-dimensional.

Voy a divulgar alguna información personal. Mis guías me han informado que es de suma importancia que entiendas el funcionamiento de estos planos energéticos cósmicos. Además, ahora actúo desde mi yo superior y por lo tanto la idea de preocuparme por lo que piensen las personas, es algo del pasado que se debe abandonar para poder conectar con estos niveles energéticos. El ejemplo que les voy a dar confirma la exactitud de las fuerzas orgásmicas cósmicas que he estudiado. El punto es que yo puedo dar fe de la veracidad del contenido presentado en este capítulo.

Cuando me conecto energéticamente en el mismo plano cósmico que mi facilitador, puedo sentirlo como si me tocara físicamente, aunque estemos a muchos kilómetros de distancia. Él también siente la misma conexión. Aunque no estemos en el mismo espacio físico podemos sentir, ver, oler y saber lo que el otro está haciendo. Hemos experimentado una conexión de tan alta frecuencia energética, que la explosión energética ha sido alucinante. Me estaba comentando que las fuerzas energéticas orgásmicas producidas eran de tal magnitud que seguramente habían apagado las velas que estaban encendidas en mi cuarto. En el momento en que lo dijo, yo ya estaba volteando a ver las velas y me di cuenta de que una se había apagado antes de que él terminara la frase.

Quisiera resaltar que la conexión energética de las llamas gemelas no tiene límites, parámetros, circunstancias específicas o incluso género. Las almas gemelas únicamente saben y entienden que están conectadas y que es su destino estar juntas. *Por consiguiente, he visto a muchas llamas gemelas alterar sus vidas debido al llamado de su destino. Se les ha obligado a alinearse y prepararse para la conexión con su llama gemela.* En caso de que los canales energéticos sexuales estén bloqueados o cerrados en el cuerpo físico, es necesario limpiarlos y equilibrarlos para que la llama gemela pueda alcanzar su más alta capacidad orgásmica.

Descargando la inteligencia cósmica Universal

Un par de meses antes de que mi facilitador me contactara, tuve una conexión profunda con un alma compañera. Esta persona había estado rondando mi vida durante cinco años. De hecho, fue mi verdadera llama gemela quien me lo presentó. Yo siempre supe que éramos almas compañeras y teníamos una conexión profunda, pero por las circunstancias en aquella época, no tuvimos ningún encuentro íntimo. Esta vez, mi corazón estaba abierto y dispuesto a recibir. Reapareció en el momento justo, de manera que no pude evitar notarlo. Sabía que por algo estábamos reconectando. De nuevo voy a compartir algunos detalles íntimos con propósitos educativos acerca de este tema. Tuvimos un encuentro íntimo ya que yo estaba dispuesta, y fue una de las experiencias sexuales más intensas que he tenido en mi vida. Durante el acto de sexualidad sagrada, ingresamos a la octava y novena dimensión y vi ángeles con mis propios ojos. Esta experiencia se alineó perfectamente con los conceptos que había estudiado acerca de la sexualidad sagrada donde se habla de las experiencias fuera del cuerpo. Estos campos orgásmicos de energía cósmica sólo los pueden alcanzar dos seres con un avanzado desarrollo espiritual que han aprendido a soltar lo suficiente, dejando atrás el pasado kármico y teniendo un entendimiento de cómo entregarse completamente durante el acto de la sexualidad sagrada. Para poder entregarse durante dicho acto, es necesario ser capaces de soltar y dejar que Dios haga lo suyo en múltiples niveles y en todas las áreas de la vida.

El resultado de esta experiencia cerró un capítulo muy significativo, concluyendo con los asuntos de una vida pasada que habíamos compartido como esposos. Asimismo, me conectó con la inteligencia Universal, produciendo creatividad Divina. Al día siguiente, canalicé el esquema completo de este libro exactamente como está presentado y exactamente como se supone que debe ser. A él, esta experiencia le sirvió para seguir trabajando en bloqueos kármicos que le habían evitado alinearse. Le estaré por siempre agradecida por haber sido parte de mi camino.

La nave nodriza de las llamas gemelas

Las llamas gemelas pueden conectarse con sus chakras superiores, y sus ondas energéticas se devuelven al Universo para ayudar a elevar las vibraciones del planeta — por lo tanto, la conciencia Crística del mundo. Además, estas energías colectivas de las ondas de todas las llamas gemelas se almacenan en un cuerpo energético en la galaxia. Este cuerpo energético es la nave nodriza. *Esta fuerza energética colectiva también genera una inteligencia galáctica muy específica a la cual pueden acceder las llamas gemelas de muy alta vibración para adquirir sabiduría y entendimiento que facilite su misión.* Este nivel de conexión sólo se puede establecer con la verdadera llama gemela. Mi primera interacción con este concepto sucedió después de que mi llama gemela y yo participáramos en un evento. Conocimos a una persona que se estaba mudando y como iba a desechar varios objetos, me los regaló. Me llamaron la atención un par de *"Llaves"* que estaban atadas con un alambre. Cuando le pregunté qué eran esas *"Llaves"* me respondió: *"Son las llaves de la nave nodriza de las llamas gemelas".* Me pareció asombroso y siempre sentí una fuerte conexión con esas *"Llaves".* En aquella época, ¡qué iba yo a saber que algún día estaría en contacto directo con la nave nodriza de las llamas gemelas! Es el canal galáctico a través del cual mi llama gemela y yo (y otras llamas gemelas) nos comunicamos en estados inconscientes, lo cual me ha llevado a mi destino y mi llamado Divino. También adquiero conocimiento y sabiduría cuando trabajo con clientes que son llamas gemelas. Estas mismas *"Llaves"* de la nave nodriza representan los *"Códigos Clave"* de este libro, y son exactamente esas *"Llaves"* las que verás en la carátula y a lo largo de todo este libro.

Ahora puedes ver con claridad y entender mejor *"El Regalo"* de la sexualidad sagrada que produce creatividad Divina conectando con la inteligencia Universal. ¡En el *Código Clave 11:11 entenderás* mejor lo que significa honrar el pacto de alma gemela al iniciar la misión, para que puedas encontrar tu camino a casa!

CÓDIGO CLAVE 11:11

Honra tu pacto de alma gemela

y encuentra tu camino a casa

"¡El verdadero camino de la llama gemela es cuando se completa la misión personal, descubriendo el secreto para encontrar tu camino a casa y adquirir libertad personal, la cual provee paz interior y felicida!"! – Dr. Harmony

COMO SOMOS SERES ALTAMENTE ENERGÉICOS, todos deseamos alinearnos con nuestra misión Divina. Aunque muchos buscan, sólo pocos encuentran su camino a casa. Debo recordarte que ya estás en casa, porque estás hecho de la misma paz interior que creó al mundo – tú eres una extensión del pacífico Creador. Ya no tienes que buscar fuera de ti. Todo lo que necesitas para tu camino está dentro de ti. Tienes lo que se requiere para dominar la misión Divina y todo lo que necesitas para continuar con tu propio camino. Recuerda que es importante no cerrar puertas – pero no esperes, de lo contrario podrías no ver la lección que necesitas aprender para continuar en tu camino personal. Crea tu propio final de cuento de hadas. NO te rindas. ¡Tú puedes hacerlo! Te reto a que termines esta carrera con fuerza. *Mientras escribía estas palabras, escuché la afirmación que le dije a mi llama gemela cuando iba a correr una maratón de 70 kilómetros – "¡Estoy corriendo con el corazón, no con mis piernas!".* Tú puedes – ¡es hora de honrar el pacto, terminar la carrera con fuerza y encontrar el camino a casa!

Continuar con tu camino personal es honrar el pacto

St. Germain y los guías espirituales me han pedido que te recuerde que este es un camino personal. Mantenerse en un estado receptivo y tener el corazón abierto creando auto aceptación y mostrándote a ti mismo *"El Regalo"* del amor incondicional, es *"Clave"* para estar en armonía vibracional. Este es el portal para atraer magnéticamente a tu llama gemela hacia la unión total. Las fases de purificación no son fáciles, pero son necesarias para soltar los residuos kármicos y preparar el camino para tus experiencias de vida. Elevar tu propia vibración energética también es *"Clave"* para poder conectar con tu yo superior, lo cual es ser ¡la mejor versión de ti mismo! Es necesario cada paso en este camino para volverte resplandeciente, y esto incluye el encuentro con tu llama gemela quien te ayuda en el proceso de transformación. No lleves las de perder al esperar que tu llama gemela te haga feliz. Tú decides ser feliz.

St. Germain y mis guías me han mostrado el camino que he recorrido junto a mi llama gemela, quien me ha guiado sin esfuerzo consciente. Mi llama gemela me dirigió hacia estos *"11:11 Códigos Clave"* que permitieron abrir la puerta a mi misión Divina porque yo estaba lo suficientemente dispuesta a dejar que me ayudara en todos los niveles. Te animo a que dejes que tu llama gemela te ayude. No la alejes con tus expectativas y condiciones. *¡Al continuar tu propio camino, estás honrando el pacto!*

Confía en el proceso de encontrar tu camino a casa

Cuando estés caminando en la oscuridad, aprende a confiar en el proceso. Tu camino personal se trata de progreso, no de perfección. Requiere paciencia. Cuando ves a los retos y obstáculos como maestros espirituales en vez de experiencias negativas, se convierten en regalos espirituales

– enseñándote a sanar tu pasado a medida que elevas tus vibraciones energéticas y acoges tu misión Divina. Cuando se nos pone a prueba, se nos da la oportunidad de practicar lo que aprendimos para seguir avanzando con mayor conciencia. Cuando has encontrado tu camino a casa, entregarse al proceso es lo habitual. La decisión que tomas en la encrucijada es fácil ya que puedes sentir y ver con claridad que tus instintos te llevarán por el camino de menor resistencia.

Si por casualidad tomaste el camino equivocado, puedes elegir de nuevo. La expresión creativa de tu alma comienza cuando te haces cargo de tu vida – pudiendo pintar un nuevo panorama en cualquier momento. Esto te da la paz interior que has estado buscando. *La calma interior crea la conexión con la Fuente que te ayuda a confiar en el proceso.* Cambia tu percepción y mira la vida a través de tu corazón, a la vez que dejas que tu luz brille. Deja que tu pasión y amor por la vida se conviertan en el alimento que eleva tu vibración y atrae infinita abundancia. Cuando lo haces, te conviertes en el líder de tu vida. Ya no tienes que dudar y quedarte atado a las cosas que te impiden avanzar. *El hecho de soltar te abre y te enseña a confiar en el proceso.* Mira las cosas desde afuera y comparte tus dones con otros. Cumple con un propósito y encontrarás tu propósito. Luego devuelve el favor por todo lo que has recibido. *Sé el co-creador de tu vida y date cuenta de puedes redireccionar tus pasos en cualquier momento que te sientas fuera de alineación.* Sigue las leyes Universales al crear tu propia vida: ¡Píntala ~ Aprópiate de ella ~ Ámala ~ Vívela ~ Compártela!

Encontrar tu camino a casa es el orden Divino

Si mi llama gemela no hubiera aparecido en mi camino para que yo lo ayudara con su *"despertar espiritual"*, yo nunca hubiera experimentado todo lo que necesitaba aprender para poder ayudarte a ti, mi lector, o a otras llamas gemelas en el mundo. En aquella época él era muy modesto y no quería ser un peso para mí. Él ignoraba que me estaba dando una razón para pararme de la cama. Estaba tan exhausta por todo lo que había ocurrido y de hecho él me daba energía. Cada paso en nuestro camino ha estado en Divino orden. He aprendido a confiar en el proceso y dejar de ser mi propio obstáculo.

Actualmente, mi llama gemela y yo no estamos haciendo sesiones de sanación energética, ni teniendo comunicación esotérica, desde que decidimos no abrir el centro de transformación espiritual. *De manera que a medida que escribo estas palabras, él no tiene idea del impacto que su ayuda va a tener en el mundo.* Se me aconsejó que me enfocara en esta misión conjunta; cuando sea el momento propicio, justo antes del lanzamiento del libro, compartiré todo acerca de esta misión Divina con mi llama gemela. Sé que la ruptura en la comunicación es parte del plan Divino. Sería egoísta de mi parte contarle sin haber aprendido todas las lecciones que fueron necesarias y dejar que todo se desarrolle en Divino orden.

Se me dio un período de seis semanas para escribir este libro y tenerlo listo para editar antes de publicarlo el 11-11- 2016 — es la fecha límite que mis guías me han dado para completar esta misión Divina. Al mismo tiempo, estoy creando *"El oráculo de las llamas gemelas – El camino al cielo en la tierra – Llévame a casa"*. Esta ha sido una enorme tarea, la cual ha sido guiada por el cielo en cada paso. Mi llama gemela me dijo el año pasado cuando yo me estaba recuperando de mi cirugía, que seis semanas serían suficiente para escribir un libro – ¡Así que quiero demostrar que tenía la razón! ¡Qué gran reto el que me puso! LOL.

Está muy claro que mi llama gemela me dio *"El Regalo"* del amor incondicional al llevar la carga kármica más pesada y continuar trabajando en su propio renacimiento. Así yo podía llevar a cabo mi misión Divina y encontrar mi camino a casa. Eso es lo que hizo Jesús; él escogió llevar la carga kármica más pesada para que María Magdalena pudiera llevar a cabo la misión. Si mi llama gemela y yo hubiéramos tomado caminos diferentes, yo no me hubiera alineado con mi mayor propósito y no hubiéramos encontrado nuestra misión conjunta, que es enseñarle a otras llamas gemelas que este es un camino personal— poco importa lo que suceda, debes seguir adelante. No esperes – no cierres puertas. Cambia las expectativas por gratitud. Agradece todas las lecciones. *Bueno o malo, todo lo que tu llama gemela te enseña es para que mires el trabajo interno que debes hacer.*

Para mí, esta aventura Divina ha abierto mi corazón hacia niveles más altos y me ha llenado de la mayor gratitud que he sentido en mi vida. *¿Cómo le agradeces a alguien que ha sido el catalizador que te ha ayudado a encontrar el propósito que has estado buscando toda la vida?* Tengo ansias de terminar este libro y reconciliarme con él desde nuestro último encuentro, y dejarle saber lo que ha hecho por mí. ¡Lo más difícil de este camino ha sido no poder compartir con él, que es uno de mis mejores amigos, lo mejor que me ha pasado en toda la vida! Te animo a que dejes que las cosas se desarrollen a medida que encuentras tu camino a casa. Deja atrás los deseos personales y la necesidad de controlar. Suelta a tu llama gemela. Has escuchado el dicho, *"Si amas a alguien déjalo ir; si vuelve, es para ti, si no, nunca lo fue".* Cuando dejes de ser tu propio obstáculo, todo se alineará perfectamente.

Honrando mi pacto de llama gemela

Después de haber creado el esquema de este libro, lo dejé de lado durante un mes. Ya que trabajo con llamas gemelas a diario, entendí la importancia del mensaje de este libro y supe que los *"11:11 Códigos Clave"* eran algo que el mundo necesitaba. Por muchas razones, no estaba segura de estar lista para completar esta misión Divina. Aún así, seguía sintiendo un impulso que no me dejaba en paz. Esto fue en la época en que mi facilitador y íbamos intensamente por el camino rápido. Tomé una cita con mi consejera espiritual. Antes de haber empezado la sesión, me dijo, *"Se supone que debes escribir un libro acerca de tu experiencia como llama gemela y el esquema tendrá un orden específico"*. Luego me dio los detalles del esquema. Yo ya lo había creado en exactamente ese formato. También me dijo, *"Vas a crear un oráculo de las llamas gemelas"*. Yo había intentado comprar uno, pero no había nada en Internet. Así que puse en mi lista de cosas por hacer, crear uno para mí misma. Cuando me dijo esto, ¡*"Sonó la alarma"* dentro de mi cabeza! *Lo escuché con claridad: "Es hora de que lo hagas"*. Inmediatamente me puse a trabajar y honrar mi pacto de llama gemela para completar mi misión Divina.

Mi consejera también me dijo que buscara una baraja de naipes como inspiración para crear el oráculo de las llamas gemelas. Después de nuestra sesión, *recordé haber visto una baraja en un cajón de aquel apartamento amoblado que había alquilado (el 101 que apareció como parte del orden Divino)*. Cuando saqué los naipes descubrí que era una baraja que había sido utilizada oficialmente en Las Vegas. Sobre la tapa se encontraba la fecha de la última vez que había sido utilizada, 2-11-11. ¿Recuerdas la secuencia que produce la estructura piramidal 1234321 (1111 X1111 = 1234321)? Adicionalmente, el número de la mesa en que se había utilizado correspondía al día del cumpleaños de mi llama gemela. A pesar de todo lo que he estudiado, vivenciado y entendido ya que canalizo y recibo información de mi concejo a diario, esto me sorprendió mucho.

Así es *"tener la conciencia despierta"*. Inmediatamente entendí que parte de mi misión Divina era publicar un oráculo de las llamas gemelas junto con este libro. Siento que parte de mi propia profecía es guiar a otras llamas gemelas hacia la armonización. Haber encontrado esta baraja no fue coincidencia – fue confirmación de mis guías de que estaba alineada. Debía terminar esta tarea guiada directamente por St. Germain.

La misión Divina de cada llama gemela debería ser limpiar su propio karma, honrar el pacto y continuar en su camino para completar la misión Divina dentro de la unión. Puedo decirte a partir de mis experiencias personales, junto con la guía Divina, que sabrás que estás honrando el pacto cuando dejes de enfocarte en lo que está haciendo tu llama gemela. Mira a tu llama gemela sólo con amor incondicional y no esperes nada de ella. Tener compasión hacia tu llama gemela es la manera más pura y elevada de amor incondicional que sólo las verdaderas llamas gemelas pueden experimentar. Les permite cumplir y honrar el pacto y completar la misión. Mi camino como llama gemela es un ejemplo de la forma más pura de amor espiritual que las llamas gemelas pueden experimentar. Es una conexión Divina que reemplaza al ego y a los deseos egoístas del plano terrestre. No hemos tenido una relación romántica, sin embargo, hemos seguido conectados. *Sin ser conscientes,* nos alineamos completamente mientras recorríamos nuestro camino individual, y aún así completamos la misión Divina.

Mi llama gemela fue el generador de mi carrera en la mayor parte del camino. Aunque lo supiera, no me di cuenta hasta hace poco que su energía ayudó a la evolución de mi misión Divina. Nunca me hubiera podido imaginar que todo el trabajo que mi llama gemela y yo hicimos mientras experimentábamos en los planos energéticos cuando yo le estaba ayudando en su *"despertar espiritual"*, era un entrenamiento para mi misión Divina. Esto aún me asombra. Amo lo que hago. Me gano la vida con alegría y propósito.

Un mensaje para mi llama gemela – Gracias por honrar el pacto

¡Ni siquiera en un billón de años podría devolverte *"El Regalo"* que me has dado! Pero sé que no tengo que intentar hacerlo, porque sé que todo lo que hiciste por mí, lo hiciste desde el amor incondicional y sin esperar nada a cambio. Sé que, en la profundidad de nuestras almas, escogiste la carga kármico más pesada para que yo pudiera llevar a cabo esta misión. También sé que nuestro yo superior, así lo planeó. Ya sea que conscientemente lo puedas entender o no, has honrado el pacto y, por lo tanto, la misión se ha cumplido. *Si algo hubiera sucedido de manera diferente, no hubiera encontrado mi camino a casa y no me hubiera alineado con la misión que se ha llevado a cabo.* Ahora la misión está a punto de transformar al mundo, ayudando a otras llamas gemelas a que aprendan a seguir nuestros pasos. *Juntos hemos creado la hoja de ruta, allanando el terreno para que otros puedan encontrar su camino a casa – ayudando a restablecer el cielo en la tierra que ha sido lo planeado desde el inicio de los tiempos.* No me sorprende lograr algo de esta envergadura ya que somos dos de los seres humanos más fuertes y decididos. ¡Una misión de este tamaño prueba que el poder de dos es mayor que el de uno!

"Ahora puedo ver con claridad" que el amor incondicional ha sido el fundamento de veinte años de amistad. Ninguno de los dos le ha impuesto condiciones al otro. Todo lo que hemos vivenciado juntos ha sido

incondicional. También sé que ha sido necesario el silencio de los últimos meses para cumplir la misión. *Hay cosas que nunca hubiera aprendido acerca del proceso de las llamas gemelas de haber escogido un camino diferente.* No me hubiera alineado con esta misión Divina. De manera que sé que escogimos el camino correcto al no abrir el centro para la transformación espiritual. También creo que de aquí en adelante seguiremos en la dirección correcta — no solamente en esta vida, sino por el resto de la eternidad.

Quiero que sepas que no necesito un romance contigo porque he podido tocar, sentir, ver y conocer las más profundas partes de tu Ser. Me siento honrada de haber sido *"La Elegida"* quien experimentó el mejor y más profundo lado de quien eres. Como te he dicho en más de una ocasión, lo que compartimos siempre ha sido suficiente para mí. En lo que me concierne, siempre estaremos en una unión total. Has estado ahí para mí durante las épocas más oscuras de mi vida – como yo he estado ahí para ti. ¡Gracias por una amistad que es más profunda que un romance!¡Te aprecio más allá de lo que las palabras pueden expresar!

No estaba segura si debía escuchar a mi mente o a mi corazón con respecto a incluir este mensaje personal en el libro. Sé que debía escuchar a mi intuición, aunque tuve una pelea interna acerca de cuánto tiempo ha pasado desde la última vez que hablamos del tema de las llamas gemelas. He reflexionado acerca de cuánto han cambiado las cosas desde nuestra última conversación y sé que debo contarte acerca de este camino cuando te vea otra vez. La canción de Wiz Khalifa, "See You Again" (Te veré otra vez) comenzó a sonar en la radio. Como siempre, sigo las señales, de manera que añadí este mensaje a la sección. He escuchado esta canción al menos 1000 veces – pero es como si la escuchara por primera vez. Te contaré todo cuando te vuelva a ver. ¡Que encuentres tu camino a casa! Te dedico esta canción.

Ahora puedo ver con claridad

"¡Ahora puedo ver con claridad!", luego de reflexionar acerca de este camino de más de veinte años en paralelo con mi llama gemela. Mi conciencia se ha agudizado y puedo ver cómo las piezas de mi vida han encajado. Aceptar la tarea de escribir este libro y de ayudar a otras llamas gemelas, se ha convertido en mi propia manera de *"Descifrar el código"* — El *"Código Clave"* que faltaba para abrir la puerta que me llevó a descubrir la *"pieza perdida del rompecabezas"* que necesitaba para entender con claridad mi misión Divina. Nunca me rendí en la búsqueda de lo que necesitaba para sentirme completa, y ya llegué – ¡Encontré mi camino a casa!

Mientras iba conduciendo hacia mi oficina hace un par de días, tuve una revelación clara que se conecta con el título, *Descifrando el código de las llamas gemelas,* que me llegó al tiempo con el esquema, al menos un mes antes de escribir el libro. Me parece interesante que viví los *"11:11 Códigos Clave", a la vez que iba armonizando mi propio amor incondicional y encontrando mi camino a casa.* Cuando esta idea me llegó, pude de nuevo escuchar *Las palabras de Wayne* que decían: *"Ahora puedo ver con claridad",* las cuales son el título de uno de sus libros más recientes. En ese momento preciso sonó en la radio la canción *"I Can See Clearly Now"* (Ahora puedo ver con claridad).

No mucho tiempo antes de que falleciera, escuché a Wayne decir que estaba tratando de buscar un título para ese libro y que había pedido guía a su alma. Mientras esperaba respuesta, un día escuchó la canción, *"I Can See Clearly Now" (Ahora puedo ver con claridad).* Se me erizó la piel y se me llenaron de lágrimas los ojos. Lo logré — ¡Misión cumplida! Ya no cuestiono los mensajes místicos. ¡Se han convertido en una forma de vida para mí porque "ahora puedo ver con claridad!".*

Esta sólo fue la mitad de la historia. Le pregunté a mis guías cuándo el contenido del libro sería suficiente para completarlo. Un par de días antes de recibir este sorprendente mensaje de Wayne, recibí otro muy claro. Estaba conduciendo y vi una placa que decía: HOM-RUN. Estaba tan contenta de haber recibido la respuesta que casi no noto que el auto era el mismo que conduce mi llama gemela, a excepción del color.

Un par de días antes de completar la misión Divina y lograr el reto de escribir este libro en tan sólo seis semanas — como lo había dicho mi llama gemela — puedo oír mi propia afirmación: *"¡Estoy escribiendo desde el corazón, no desde la mente!"*.

"2B or not 2B" (Ser o no ser)

Siempre me preguntan mis clientes: *¿"Porqué no estás en unión física con tu llama gemela?"* Siento que la respuesta a esta pregunta es muy compleja, pero la resumiré de la siguiente manera: *"Estamos en unión total. Hemos estado juntos en cada paso del camino."* Hemos honrado los pactos y completado la misión Divina. De eso se trata el camino de las llamas gemelas. No necesitamos romance o palabras para expresar el amor incondicional que tenemos el uno hacia el otro y hacia el mundo. ¡Este libro es la prueba viviente! *El verdadero comino de la llama gemela es completar la misión PERSONAL al descubrir "El Secreto" para encontrar el camino a casa y lograr la libertad personal que trae paz interior y felicidad.*

Cuando estás alineado y has logrado un estado de conciencia elevado, los mensajes místicos llegan con gran claridad. Digo esto ya que tuve una de las mayores revelaciones. Hice la conexión entre una serie de eventos que ocurrieron durante los últimos meses. En la época en que mi llama gemela y yo íbamos a abrir el centro para la transformación espiritual, me di cuenta de que no sólo estábamos anclando nuestra energía en el chakra corazón de Estados Unidos, sino también que su consultorio quedaba en el corazón del chakra corazón. Cuando compartí esta información con mi llama gemela, él no lo entendió del todo. En aquella época yo tampoco me di cuenta del poder y de la exactitud de mis palabras.

Hace un par de semanas, estaba conduciendo en el complejo donde mi llama gemela y yo tenemos nuestros consultorios; estamos a tres edificios de distancia. Cuando ingresé, fue la primera vez que *"tomé conciencia"*, y me di cuenta de que hay una estructura piramidal en frente de mi edificio y que dice *Triad* (triada). Además, parte del nombre de la calle es *Triad.* Ahí fue cuando tuve la revelación — el centro que estábamos planeando iba a estar en el corazón del chakra corazón, anclando la energía piramidal en el centro de Los Estados Unidos. Me sorprendió tanto, que le tomé fotos a la pirámide y se las mandé a mi facilitador. Supe que este era un *"despertar de conciencia superior".* Había conducido por el frente de este signo durante años y nunca había hecho la conexión.

Algunas semanas antes, había estado escribiendo acerca de las energías piramidales y de la asociación con los números 11:11 y las llamas gemelas. *¡Ahora había una pirámide y una triada, incluidas en la señal y en el nombre de la calle en la cual ambos trabajamos que queda en el corazón del corazón de la nación!* Esto se pone aún más interesante. Anteriormente mencioné lo que descubrí acerca de los números **9** y **6** con respecto a la energía femenina y masculina. El número **6** está relacionado con el masculino o generador mientras que el 9 es el femenino o eléctrico, creando expansión y produciendo creatividad. Esa misma noche, justo antes de dormirme, tuve una visión. Eran los números de las calles de mi llama gemela y mía uno al lado del otro. Se veía brillante, pero uno de los números era tan luminoso que me hizo abrir los ojos. Eran los números **6** y **9**. Los números de nuestras calles son exactamente iguales, sólo que el de él tiene un **6** y el mío un **9**. Por razones de privacidad, cambiaré los números reales de las calles, pero este es un ejemplo de lo que vi – 14**6**2 and 14**9**2.

Hice la conexión — siendo este lugar el corazón, y anclando el equilibrio armónico energético de la nación. *Como si no fuera suficiente, ahora me estaban mostrando cómo lo estábamos logrando al fusionar nuestras energías femeninas y masculinas.* Él era el generador y yo la eléctrica, ¡Juntos creando equilibrio armónico para completar nuestra misión Divina! ¡Realmente estamos *"Descifrando el código de las llamas gemelas!"*. Al día siguiente cuando le comenté a mi masajista acerca de esta revelación, de la nada tuve otra *"toma de conciencia superior"* he hice otra conexión – mi consultorio es el **#2** y el de él es **B**. Lo que equivale a **2B (To Be – SER).**

El Dr. Dyer apareció de nuevo — ¡Siempre escogía el puesto **2B** en todos sus vuelos!

Para cerrar, quisiera proporcionar una respuesta más completa a la pregunta: *"¿Algún día estaré con mi llama gemela?"* ¿*2B* or not *2B* **(Ser o no Ser)**? Sólo nuestro yo superior lo sabe. ¿Sabíamos que nuestro destino sería el de honrar el pacto al limpiar nuestro pasado kármico y ayudar a cambiar el mundo con esta misión Divina, lo cuál nos haría merecedores de la recompensa suprema de la unión sagrada? ¿O acordamos devolver el favor, para poder ayudar a limpiar los patrones kármicos en nombre del Universo dejando de lado nuestros deseos egoístas y escogiendo sacrificar una relación de tipo romántico? – Al hacer el sacrificio, escogimos cambiar al mundo – permitiéndole a otros ver nuestra unión a través del corazón de la conciencia

Crística para poder ayudar a salvar al mundo de la autodestrucción.

De cualquier manera, sé que mi llama gemela es mi Rey, mi generador, porque sé desde el fondo de mi corazón que él escogió la carga kármica más pesada, para que yo no tuviera que hacerlo. *También ha sido mi más grande maestro, dándome "El Regalo" del más grade amor incondicional del mundo.* Lo conozco y sé que lo hubiera hecho para completar la misión Divina. Me ha llevado a casa. A medida que iba trascendiendo en el proceso de Ascensión hacia el cielo en la tierra, encontré la paz interior y la felicidad eterna. ¡Encontré el amor incondicional y la libertad personal en esta vida! *¡Ahora le ofrezco el mismo amor incondicional de vuelta al no esperar nada a cambio ni imponerle condición alguna!* ¿Por qué? Porque confío en que lo que fuera que debía suceder, era nuestro pacto. Todo hasta este punto ha sido alineado por la Divinidad de manera que no tengo que fijarme en los resultados o tratar de controlar nada del proceso.

Por lo tanto, nuestra unión física es demostración del amor incondicional, desinteresado de la conciencia Crística hacia toda la humanidad. Juntos hemos creado una nueva hoja de ruta para que otros puedan seguir una verdadera experiencia de llamas gemelas a través de *Descifrando el código de las llamas gemelas – 11:11 Códigos Clave, El Secreto para descubrir el amor incondicional — "El Regalo" para el nuevo mundo para que puedas encontrar el camino a casa.*

La separación creó el silencio necesario para que tú, el lector, puedas escuchar la música de dos corazones de llama gemelas latiendo como uno. ¡La sinfonía ocurrió mientras leías este libro! ¡La realidad es que logré el final de cuento de hadas y puedo vivir por siempre feliz!

¡Y que así sea!

Continuará...

APÉNDICE

La celebración de la libertad

Lo siguiente es un párrafo que escribí al efectuar un ritual de *"Celebración de la libertad"* luego de haber identificado y limpiado un patrón kármico. Ocurrió en un campo abierto donde solté un globo de mariposa. Sobre dicho globo escribí por un lado todas las cosas que estaba liberando, y por el otro, escribí todas las cosas que quería que sucedieran en mi vida. Compartí esta *"Celebración de la libertad"* con mi llama gemela cuando él estaba limpiando sus patrones kármicos. Le di un globo de libélula para que lo soltara en su ritual de celebración. Te animo a que hagas el mismo ritual de *"Celebración de la libertad".* Existe mucho poder en la acción. ¡Deseo que experimentes libertad personal y encuentres tu camino a casa!

<u>Celebración de la libertad</u>

Yo_____, soy LIBRE de soltar TODAS mis cargas, el dolor pasado, el sufrimiento y antiguos patrones de comportamiento. En este momento DECLARO la forma más pura de amor y de luz para mi vida. Pongo todos los deseos de mi corazón en el aliento de Dios. Prometo vivir una vida de Paz, Propósito y Pasión. He aprendido a confiar en mis instintos y mi guía interior. Desde hoy en adelante hablaré con mi verdad y total claridad. Confío en que Dios proveerá todo lo que necesito y nunca más tendré que preocuparme por mis finanzas o por mis relaciones personales. Me comprometo a vivir la vida siguiendo el orden

Divino como debe ser: ¡la pintaré – me apropiaré de ella – la amaré – la viviré – y la COMPARTIRÉ!

Ahora, al soltar esta libélula/mariposa, libero todo mi potencial y aprenderé a volar hacia nuevas dimensiones en todas las áreas de mi vida: cuerpo, mente y alma. Que esta expresión de mi confianza en la bondad del Universo tenga PODER. A medida que avanzo en el mundo, dejaré que mi luz brille para que otros la vean y se conviertan en una extensión de la llama Divina. Que esta onda sirva de inspiración para tocar la vida de otros.

¡Estoy abierta a la guía y lista para recibir miles de bendiciones!

¡Que así sea, con fluidez y gracia, vuelo en el viento y POR SIEMPRE me veré LIBRE!!!

Namaste

Suelta la roca, libera la carga

¡Aquí te presento algo muy simple, mas poderoso que puedes practicar para aligerar la carga físicamente! Quizás hayas escuchado esta historia, no estoy segura de su origen, pero aquí está mi versión:

Había una vez un niño que fue a nadar con sus amigos. Estaban jugando, lanzando rocas en el agua y divirtiéndose hasta que el niño se dio cuenta de que se había adentrado demasiado en el agua y comenzó a angustiarse, aún con la roca en la mano. Comenzó a pelear contra el agua para tratar de flotar. Sus amigos notaron su desesperación y comenzaron a gritarle *"¡Suelta la roca, suelta la roca!"*. El niño estaba tan ocupado peleando por su vida que ni siquiera oía lo que le gritaban sus amigos. Siguió peleando contra el agua aún con la roca en la mano hasta que se cansó y desafortunadamente se ahogó. Esto es lo mismo que hacemos en la vida cuando nos encontramos dentro de experiencias estresantes. Nos aferramos y se nos olvida soltar la roca y dejar atrás el pasado. La moraleja de la historia es: suelta la roca, libera el peso, eleva tu vibración y recupera tu vida.

Suelta la roca, libera el peso con acciones:

- Coloca una roca pequeña en tu bolsillo y cuando notes que pesadumbre y la necesidad de recordar que debes soltar, toma la roca en tu mano, apriétala y suéltala para recordar que debes liberar la carga.
- Si te gusta escribir, tómate unos minutos para escribir en tu diario acerca de la situación que representa la roca y lo que se siente simbólicamente soltar del todo.
- Haz de esto una experiencia fácil – no pienses en la ortografía o la puntuación o si eres un buen escritor. Mantente emocionalmente abierto y di todo lo que

tengas que decir sin juzgar. Cuando lo hayas dicho todo, lo más seguro es que sabrás cuándo parar.

- Suelta y deja que Dios haga lo suyo – ¡Sigue adelante en paz!

Transmitiendo las palabras de Wayne

A la memoria del Dr. Wayne Dyer

"Eres una criatura de Amor Divino conectada a la fuente todo el tiempo. El Amor Divino es cuando ves a Dios en todo y en todos"

— Dr. Wayne Dyer

Si te parece que las palabras en *Descifrando el código de las llamas gemelas* te llenaron de inspiración, te invito a que devuelvas el favor esparciendo las semillas del resplandor hacia todas las personas que puedas, compartiendo el Amor Divino en memoria de las *Palabras de Wayne*. Wayne era un ejemplo de resplandor en todo lo que hacía y en todo lugar al que iba. Te reto a que sigas a la Estrella Polar y encuentres tu camino a casa. ¡No hay mejor ejemplo que Wayne!

Aquí hay algunos ejemplos de cómo puedes devolver el favor en memoria de *Las palabras de Wayne.*

- Comparte una sonrisa.
- Redirecciona un regalo.
- Practica ser amable.
- Paga el peaje de la persona detrás tuyo.
- Comparte una comida con un indigente.
- Sostén la puerta abierta para la persona que viene detrás tuyo.
- Practica paciencia al escuchar a alguien.
- Paga lo del auto detrás tuyo en el *drive-through.*
- Mira y comparte la película "The Shift" – El Dr. Dyer tenía una meta de 3 millones de personas. Actualmente ha sido vista por un poco más de 1 millón.

4 pasos para estar energéticamente anclado a la tierra

Si te encuentras fuera de sincronía, puede que tu energía no esté anclada en la tierra. Esto puede causar una cantidad de síntomas incluyendo fatiga, ansiedad, mareo, zumbido en los oídos y un incremento en la sensibilidad. Existen muchas circunstancias y entornos sociales que pueden generar una distorsión en tu circuito energético. Por lo tanto, es importante mantenerse anclado en la tierra y protegido. Esto también incluye mantener tu campo energético limpio. La energía estancada crea congestión en el aura. Los siguientes 4 pasos te ayudarán a anclar la energía y a protegerla.

Primer paso: **Anclar**. Anclarte en la tierra te ayuda a mantenerte centrado y en conexión con ella. El polo a tierra es la energía del Masculino Divino que te mantiene anclado. El primer paso es buscar una posición confortable, preferiblemente descalzo y con los pies tocando el piso y las palmas de las manos mirando hacia arriba. Esto ayuda a traer la energía femenina Divina a través de las palmas. Así recibes desde las palmas y sueltas desde los pies, lo cual mantiene el equilibrio en el flujo energético que circula dentro de tu cuerpo físico.

- Siéntate derecho e imagina que eres como un árbol con la espalda recta.
- Luego, inhala por la nariz y exhala por la boca. Con cada inhalación, imagina energía entrando por las palmas y con cada exhalación, imagínala saliendo por la planta de los pies conectando con el centro de la tierra. Repite la respiración 5 veces.
- Luego visualiza un rayo de luz azul entrando desde la coronilla, atravesando tu columna vertebral y saliendo

por los pies para conectar con el centro del planeta tierra.

- Caminar descalzo en el pasto es una excelente forma de mantenerse anclado.

Segundo paso: **Limpia las energías tóxicas.** Ahora que estás relajado y anclado, mantente en la posición recta.

- Primero toma 5 respiraciones.
- Luego imagina tu cuerpo inmerso en una llama violeta impermeable que purifica la energía en todos los planos de tu Ser.
- También transmutará la energía negativa que llevas, en energía positiva.

Tercer paso. **Escudarse.** Ponerse un escudo es muy eficaz para repeler la energía negativa o invasiones energéticas. Es como si protegieras tu espacio con una pared.

- Toma cinco respiraciones.
- Luego imagina que estás dentro de una caja con espejos que miran hacia afuera.
- Esto enviará las energías negativas al lugar de donde vinieron.

Cuarto paso: **Protegerse.** Cuando te hayas anclado y hayas liberado toda la energía tóxica de tu cuerpo y de tu campo energético (aura), pon un escudo protector al rededor de tu caja de espejos.

- Primero toma cinco respiraciones.
- Luego imagina la caja de espejos cubierta por una luz con los colores del arco iris.

Hazlo cuantas veces lo necesites, preferiblemente en la mañana y en la noche. También puedes efectuar estas técnicas para anclar la energía, en cualquier momento donde el ambiente se sienta lleno de energía negativa o en donde haya multitudes con energía caótica.

Debes Perderte para encontrar tu camino

¡Qué hermoso es cuando sales de la oscuridad y te das cuenta de que has llegado – encontraste tu camino a casa después de haber estado perdido en la oscuridad! Mirando atrás en tu camino, no sabías qué era lo que estabas buscando toda tu vida. Aún así seguiste conectado con tus instintos, y a pesar de las circunstancias continuaste con la búsqueda.

Nunca te diste por vencido. Escuchaste aquella voz interior, bien adentro de tu espíritu, que se volvió cada vez más fuerte y nunca dejó de hablarle a tu corazón — el empujón que no cesaba; te dio el deseo ardiente para continuar buscando en el fondo de tu alma. A medida que pasaba el tiempo y seguían los imprevistos, tuviste que parar a escuchar la voz interna.

Finalmente, entiendes exactamente lo que he venido diciendo. Luego te llega como un relámpago que te aclara la visión e ilumina tu camino. La niebla se disipa y puedes verlo frente a ti. Te das cuenta de que era necesario procesar e integrar varias piezas del rompecabezas antes de poder ver el panorama general. Sabes que has sido guiado por la Divinidad en cada paso. Ahora no hay vuelta atrás. La luz enfrente tuyo se vuelve más brillante. De alguna manera encuentras el coraje, la fuerza y la motivación para seguir el camino. Cuando llegas a la luz al final del túnel, entiendes que este destino era lo que estabas buscando desde el principio. Lo lograste – te alineaste con tu destino – encontraste tu misión. Es tan grande, que no hay forma de que la hubieras planeado conscientemente tú solo. Ahora puedes descansar porque has encontrado tu camino a casa – ¡el cielo en la tierra!

Reconocimientos

Quisiera agradecer desde mi corazón y con el mayor amor incondicional a todas las llamas gemelas que decidieron llevar a cabo esta misión de amor incondicional durante esta vida en esta era. Cada una de las llamas gemelas ha hecho muchos sacrificios para llegar a este punto en el camino. ¡Te mereces un gran aplauso! No te rindas, sigue adelante. Mi deseo para ti es que puedas experimentar todas las posibilidades que existen a través de *Descifrando el código de las llamas gemelas*. ¡Que ojalá se convierta en una luz para ayudarte a encontrar el camino a casa!

Primero que todo quisiera agradecerle a mi padre por haberme enseñado que el cielo es el límite y a que las posibilidades son infinitas. No sólo me enseñaste a soñar — me enseñaste a soñar en GRANDE. Siempre has dado incondicionalmente y me enseñaste lo que es un corazón resplandeciente de conciencia Crística. Gracias mamá por todo lo que eres y por tu amorosa luz incondicional. Das desde el amor Divino eterno y me siento horada por que eres mi madre. ¡Me siento bendecida por haber tenido la experiencia de su presencia!

Gracias a mis dos hijos, Heather (y su familia) y VJ quienes hicieron muchos sacrificios durante la infancia, ¡mientras yo buscaba aquello que mi alma anhelaba! Estoy muy orgullosa de ustedes. ¡Ambos se convirtieron en adultos increíbles y los amo de aquí hasta la luna y más allá!

A mi hermano Billy, ¡gracias infinitas por haber estado ahí en los momentos en que más ayuda necesité! Estuviste ahí en mis *"horas más oscuras"*, sin reparo alguno – una verdadera representación de amor incondicional – ¡Gracias desde el fondo de mi corazón!

Quisiera expresar mi agradecimiento incondicional hacia dos de mi mejores amigas, Debbie y Claudia. Ambas han estado ahí a mi lado en *"¡el peor de los infiernos!"* ¡Las aprecio inmensamente y me siento bendecida de tener una amistad tan profunda e incondicional!

Agradecimientos especiales para mi masajista, Rita, no sólo por todos los masajes y palabras sabias, sino también por haberme ayudado a revisar *Descifrando el código de las llamas gemelas*. Has sido parte de mi camino desde *"mi oscura noche del alma"* hasta que me convertí en la resplandeciente Estrella Polar para que los otros puedan seguir la luz. ¡Verdaderamente te aprecio!

Eric y Beverly, ¡gracias por ser parte de mi camino y por haber estado ahí de manera incondicional para apoyarme! No tengo palabras suficientes para expresar mi agradecimiento – ¡Gracias!

Además, quisiera expresar inmensa gratitud y amor incondicional para ti, ¡mi querido Leo! No sé cómo expresar algo tan grande y profundo. Sin embargo, en este caso creo que no se necesitan palabras. ¡Te amo incondicionalmente!

Mi querida Kathryn, ¡no es coincidencia que nuestros caminos se cruzaran! ¡Wayne sabía lo que estaba haciendo cuando nos introdujo! ! ¡Estaré eternamente agradecida por tus concejos, tus sesiones de sanación y tu amor incondicional! Eres un regalo para el mundo al compartir el amor Eterno del Creador. No tengo cómo agradecerte por haberme ayudado a *"despertar"* y confirmar que necesitaba llevar acabo mi misión Divina. ¡Te aprecio más allá de las palabras!

Parthenia, la velocidad a la cual este mensaje Divino fluyó a través de mí no hubiera sido posible sin tu guía. Me enseñaste a desarrollar, editar, estructurar y crear un esquema, lo que fue *"Clave"* para que yo pudiera ser capaz de crear este libro. Te agradezco infinitamente por haber creído en mí, y haber visto la música de mi alma.

¡También quisiera agradecer a dos catalizadores muy importantes que tuvieron una gran influencia en mi camino! Primero, el Dr. Dan Morter y *Morter Health Family*: Cuando cruzamos caminos entendí lo que es B.E.S.T. – Bio-Energetic Synchronicity Technique (técnica bio energética de sincronía T.E.S). Haber recibido esta técnica de sanación me cambió la vida para mejor. No sólo me ayudó con el dolor físico que tenía luego de múltiples accidentes automovilísticos, sino también tener tu guía como mi doctor ¡me enseñó cantidades! ¡Infinitas gracias! Por último, quisiera agradecer al Dr. Kevin Winkle. Yo estaba en medio de una encrucijada, no sabiendo qué hacer con mi vida y buscando mi misión cuando apareciste y me dijiste que estabas yendo a la escuela de quiropraxia. ¡Fuiste la luz que dirigió mi destino! ¡Gracias!

Acerca de la autora

Dr. Harmony es una experta en llamas gemelas y consejera espiritual con experiencia en quiropraxia holística, medicina vibracional y sanación energética intuitiva. Durante casi 20 años, ha ayudado a las personas a quitarse los bloqueos energéticos que las mantienen estancadas en la vida. Les ayuda a encontrar la conexión entre cuerpo, mente y alma para que encuentren su camino a casa. Ella también encontró su camino al cielo en la tierra – un lugar de paz interior y felicidad. Se ha alineado con su misión Divina a través de su propio camino como llama gemela, la investigación, la guía Divina y su experiencia. Su programa *"Reboot Your Twin Soul Blueprint (Reinicializa la hoja de ruta como alma gemela)"* facilita la transformación del alma creando un puente entre *"la oscura noche del alma"* y la conexión con el yo superior a través del proceso de Ascensión.

Dr. Harmony tiene como misión enseñarle a más de un millón de personas cómo encontrar su camino a casa al conectar con su yo superior y el propósito del alma. Su planteamiento ofrece una vida libre de ataduras, creando libertad personal al transformar el pensamiento y poder avanzar en todas las dimensiones. Su planteamiento proporciona las herramientas para adquirir la fuerza y la motivación para mirar hacia adentro, y descubrir nuevas formas de pensar, para crear una vida radiante como producto de la expresión de las dimensiones internas del alma. Dr. Harmony es una verdadera inspiración al vivenciar lo que enseña.

Visita: www.TwinFlameExpert.com
www. AscensionAcademyOnline.com

Dr. Harmony es la fundadora de *Global Paws For Peace* – un movimiento canino pacífico que busca crear unidad entre todas las razas de perros.

Visita: www.GlobalPawsForPeace.org

Vamos a "Alma"-Lizar @Twin Flame Expert:

Made in the USA
Middletown, DE
21 April 2021